LAVA JATO

LAVA JATO

Aprendizado institucional
e ação estratégica na Justiça

Fabiana Alves Rodrigues

Copyright © 2020, Editora WMF Martins Fontes Ltda.,
São Paulo, para a presente edição.

Todos os direitos reservados. Este livro não pode ser reproduzido, no todo ou em parte, armazenado em sistemas eletrônicos recuperáveis nem transmitido por nenhuma forma ou meio eletrônico, mecânico ou outros, sem a prévia autorização por escrito do editor.

1ª **edição** 2020

Edição e preparação de texto
Maria Luiza Favret
Acompanhamento editorial
Rogério Trentini
Revisão
Rogério Trentini
Daniel Seraphim
Produção gráfica
Geraldo Alves
Paginação
Renato Carbone
Capa e projeto gráfico
Gisleine Scandiuzzi
Imagem de capa
A Justiça, *obra de Alfredo Ceschiatti*
Foto
Marcel Gautherot/Acervo Instituto Moreira Salles

Dados Internacionais de Catalogação na Publicação (CIP)
(Câmara Brasileira do Livro, SP, Brasil)

Rodrigues, Fabiana Alves
 Lava jato : aprendizado institucional e ação estratégica na Justiça / Fabiana Alves Rodrigues. – 1. ed. – São Paulo : Editora WMF Martins Fontes, 2020.

 Bibliografia
 ISBN 978-65-86016-31-4

 1. Brasil – Política e governo 2. Ciências políticas 3. Corrupção na política – Brasil 4. Investigação criminal – Brasil I. Título.

20-44169   CDD-320.1

Índices para catálogo sistemático:
1. Lava Jato : Corrupção : Ciências políticas   320.1

Aline Graziele Benitez – Bibliotecária – CRB-1/3129

Todos os direitos desta edição reservados à
Editora WMF Martins Fontes Ltda.
Rua Prof. Laerte Ramos de Carvalho, 133 01325-030 São Paulo SP Brasil
Tel. (11) 3293-8150 e-mail: info@wmfmartinsfontes.com.br
http://www.wmfmartinsfontes.com.br

*Dedico este livro à Leo e ao Zé Rodrigues,
pelo exemplo de vidas em constante reinvenção.*

Índice

Apresentação ix
Prefácio xv
Introdução 1

I. Transformações institucionais relevantes 13
   A Justiça Federal 16
   Dimensão internacional 29
   Dimensão legislativa 41
      Previsões mais rigorosas na punição 42
      Busca de celeridade processual 51
      Aprimoramento de ferramentas processuais 57
      Considerações sobre a aprovação da legislação 72
   Dimensão organizacional 84
      Especialização de órgãos judiciais 85
      Capacitação de recursos humanos 91
      Controle do tempo do processo judicial 103
   Dimensão tecnológica 107

II. A Operação Lava Jato 115
   Lava Jato: núcleos, fases, ações 118

Uso estratégico das ferramentas processuais 144
   Quebra de sigilo e cooperação da Receita Federal 148
   Cooperação internacional 152
   Busca e apreensão 158
   Condução coercitiva, prisões e gestão das ações criminais 161
   Colaboração premiada 214
Competência da Justiça Federal do Paraná 222
Aspectos organizacionais 238
A condenação do ex-presidente Lula 243

Reflexões críticas e os próximos capítulos 259
Referências bibliográficas 269

Apresentação

A Operação Lava Jato foi recoberta pela aura que distingue as ações verdadeiramente virtuosas. Uma ação sem precedentes, executada por agentes da Justiça comprometidos com a defesa do bem comum e da integridade. Comandada por uma nova geração de profissionais do Direito, a Lava Jato seria um marco na história do combate à corrupção no país. Pela primeira vez, os poderosos pagariam por seus delitos. Criticar a operação se tornou um crime de lesa-pátria, algo que só os interessados em defender os punidos ousariam fazer. Quem poderia ficar contra uma ação destinada a pôr fim à imoralidade senão os que dela se beneficiavam? Quem, em sã consciência, poderia querer preservar a impunidade dos envolvidos nas maracutaias desvendadas pela operação?

No plano das narrativas, inquestionavelmente a Lava Jato foi um enorme sucesso. Os membros da força-tarefa ditaram os termos do reconhecimento à operação. Afirmaram ser os primeiros a realizar tal feito, que o que encontraram não tinha paralelo. E, ao fazê-lo, colocaram a classe política no banco dos réus. Mais do que isso, relegaram ao esquecimento todas as investigações do passado levadas a cabo pelo Poder Legislativo, como a CPI do PC Farias e a dos Anões do Orçamento.

Quem se der ao trabalho de recuperar essas CPIs verá a relação direta entre elas e a Lava Jato. Não é sequer necessário fazer grande esforço para tanto, pois a relação é feita numa das delações da própria Lava Jato, por Cláudio Melo Filho, diretor da Odebrecht, cujo pai, também diretor da Odebrecht, foi enredado na CPI dos Anões do Orçamento. Em termos didáticos e claros, Cláudio Melo Filho indica como as reformas institucionais promovidas pelo Congresso em 1994 levaram a uma revisão das estratégias das empreiteiras, que, em lugar de usar a aprovação do orçamento para obter a concessão das obras que desejavam fazer, passaram a recorrer aos líderes partidários. O diretor explica também como e por que a dependência das grandes construtoras para com as estatais aumentou[1].

Já é passada a hora de se iniciar uma avaliação crítica da narrativa heroica criada em torno da Lava Jato, narrativa deliberadamente difundida pelos próprios membros da operação para legitimá-la. E é isso que Fabiana Alves Rodrigues faz, dando início a essa revisão. Diferentemente da maioria dos críticos da operação, a autora se concentra em seus aspectos institucionais e jurídicos, combinando com maestria a Ciência Política e o Direito. Como mostra a autora, nem todas as decisões tomadas foram amparadas no rigor da lei e da transparência. Sendo claro e direto: os responsáveis pela operação não hesitaram em torcer os meios legais para atingir seus objetivos. Despida da aura de inatacável, a operação pode ser examinada pelo que realmente foi e pelas suas consequências concretas para o país.

Não se trata de defender este ou aquele acusado, este ou aquele partido. Fabiana Rodrigues não é advogada e não milita em nenhum partido. Os defensores incondicionais da operação sempre se valeram desse recurso para desqualificar seus críticos. A operação não olharia para a política, para os nomes dos acusados. A Lava Jato olharia única e exclusivamente para a lei. Polícia Federal, juízes e promotores envolvidos seriam técnicos aplicando a lei. Os resultados alcançados, sem precedentes, justificavam-se, viriam deste fato, de seguirem a lei e nada mais.

---

[1] Para os interessados, a delação de Cláudio Melo Filho está disponível em diversos sites, por exemplo: <https://static.poder360.com.br/2016/12/Delacao-ClaudioMelo-Odebrecht-dez2016.pdf>.

Fabiana Rodrigues mostra que não foi isso que ocorreu. Mais importante: mostra que a operação nasceu de forma torta, ou melhor, que dependeu de uma metamorfose baseada na supressão deliberada de informações para manter a investigação em Curitiba. Não por caso, os primeiros protagonistas da operação, como os doleiros Carlos Chater e Nelma Kodama, foram relegados ao esquecimento com o avanço das investigações, abertas, como mostra a autora, em 2011 e sem qualquer registro de movimentação até 2014[2]. O objeto da ação era a empresa Dunel, de propriedade de Chater, localizada em Londrina, o que deu base para que o processo fosse mantido em Curitiba. Mas a tal Dunel simplesmente desaparece do caso, assim como Chater. Ou seja, somente o exercício de acrobacias jurídicas permitiu que o caso permanecesse nas mãos do então juiz Sérgio Moro quando o alvo das investigações se deslocou da Dunel para a Petrobras. A estatal não tem sede no Paraná e tampouco os crimes cometidos ocorreram no estado. Por que o caso ficou no Paraná?

Em sua pesquisa meticulosa e bem fundamentada, Fabiana Rodrigues mostra a manipulação deliberada das informações para manter o caso em Curitiba. Por exemplo: em seus despachos, Sérgio Moro omitiu nomes de acusados e os locais em que certos crimes foram cometidos para manter os processos em suas mãos. Não há justificativa técnica para tais atos. Tratou-se de manipulação pura e simples, de omissão de informação pensada e calculada para a obtenção dos fins visados.

O que daí se deriva tem consequências bombásticas para a narrativa montada pelos mentores da operação. Houve escolha deliberada de alvos. Pistas e provas foram desconsideradas. Tudo feito em nome da preservação da causa. Isso significa que os alvos centrais da operação não emergiram como uma consequência natural da investigação. Escolhas foram feitas. E, no caso, fazer escolhas é o mesmo que fazer política.

---

[2] Vale notar que em seu relato autobiográfico, *A luta contra a corrupção* (Rio de Janeiro: Primeira Pessoa, 2017, p. 58), Deltan Dallagnol afirma que a operação se iniciou em 2014, um mês antes da deflagração de sua primeira operação.

Entre as escolhas feitas pela Lava Jato, uma delas, óbvia, por razões incompreensíveis não chamou a atenção dos analistas. Em nenhum momento, nas inúmeras delações premiadas assinadas, há menções a pagamento de propinas a membros do Judiciário. Sério? Alguém acredita que estamos diante de uma corporação imune às investidas de empresários e políticos? Só há uma explicação possível para essa ausência: escolhas foram feitas com o objetivo de preservar a operação e não provocar reações de quem poderia sustá-la.

Para ser mais claro, a hipótese mais plausível é a de que os membros do Judiciário e do Ministério Público optaram por preservar os companheiros de carreira – e, para que isso ocorresse, era necessário que as delações premiadas respeitassem esse acordo. A Lava Jato, portanto, escolheu aliados, montou uma coalizão de apoio e, para se preservar, orientou a produção de provas e o conteúdo das delações premiadas. Neste ponto, como registra a autora, a troca de decisões e despachos entre o ministro Teori Zavascki e o juiz Sérgio Moro foram centrais para que a operação, ameaçada inicialmente por não respeitar sua competência, viesse a deslanchar. Dada a reação inicial do ministro, sustando a operação, é difícil imaginar que não pudesse se dar conta das omissões e manipulações contidas nos autos. O Supremo Tribunal Federal foi enganado ou fechou os olhos? Se fechou os olhos, por que o fez?

Cabe, portanto, fazer uma análise objetiva da operação, sem buscar ali heróis ou vilões. É o que faz a autora. Nas páginas do livro que tem em mãos, o leitor encontrará uma reconstituição preciosa da construção institucional que deu base à operação – e também o processo de aprendizado envolvido e como este se reverteu em mudanças legais específicas que capacitaram cada um desses atores a agir com autonomia, definindo seus objetivos e métodos.

Sem nenhuma dúvida, Fabiana Rodrigues escreveu um trabalho seminal, uma contribuição original e sólida para o estudo das investigações criminais de desvio de recursos públicos. Nesses termos, o trabalho é bem mais do que um estudo sobre a Lava Jato.

A operação é um caso específico de um gênero de investigação praticado por instituições específicas.

Desvio de recursos públicos, não é demais lembrar, está longe de ser um problema que aflige apenas o Brasil. Basta lembrar que a Lava Jato se inspirou na Operação Mãos Limpas para concluir que a corrupção não é uma jabuticaba. Desvio de verbas públicas é um problema endêmico às democracias em todos os climas e níveis de desenvolvimento. Não é, portanto, coisa de país atrasado e sem cultura cívica. E, para colocar o dedo na ferida, não tem nada a ver com o presidencialismo de coalizão. Se fosse assim, a Odebrecht não teria feito o que fez mundo afora, não teria obtido contratos em países que não são presidencialistas ou multipartidários. A Itália, terra da Mãos Limpas, não era nem uma coisa nem outra. Era um país parlamentarista com um partido hegemônico, ou seja, tinha todas as características que os reformistas advogam ser a solução para a corrupção no Brasil.

Entre as informações contidas em *Lava Jato: aprendizado institucional e ação estratégica na Justiça*, uma é verdadeiramente estarrecedora: até bem pouco tempo atrás, países europeus não criminalizavam propinas pagas por empresas a autoridades estrangeiras para obter contratos. Como mostra Fabiana Rodrigues, acordos internacionais impedindo essas práticas são recentes. Além disso, os recursos desviados podiam contar com a proteção de leis de sigilo bancário para salvaguardar corruptos e corruptores. Sem a colaboração das autoridades suíças, com a qual não se podia contar até bem pouco tempo, não haveria Lava Jato.

A autora examinou os autos com objetividade. O cuidadoso levantamento empírico realizado é um dos pontos altos do trabalho, combinando com maestria sua experiência profissional e o treinamento acadêmico da Ciência Política. Sua dissertação de mestrado, base do livro, é uma pesquisa fundamental, uma obra de referência e um exemplo para todos que se importam com a alocação eficiente dos recursos públicos. Sua publicação em livro, portanto, potencializa o exemplo, permitindo que sirva de inspiração para outros trabalhos. A trilha está aberta. Cabe aos pesquisadores segui-la.

Para além do tema e da abordagem, este trabalho merece ser lido como resposta aos que questionam a contribuição das Ciências Sociais, em especial da Ciência Política, para o debate público. Fabiana Rodrigues escreveu um livro que só uma boa cientista política poderia escrever, um livro que não pode faltar na estante de quem se preocupa com os rumos da política e da ordem legal no Brasil.

Fernando Limongi

Prefácio

Lava a Jato ou Lava Jato? Quando a delegada da Polícia Federal Erika Marena batizou a operação que mudaria os rumos da história brasileira, não cometeu um erro de português. Ela quis, na verdade, emprestar mais de um sentido à expressão. As primeiras investigações tinham levado a um doleiro que operava por meio de um posto de gasolina em Brasília, mas, embora funcionasse junto ao posto uma lavanderia de verdade, nunca houve um lava a jato no local. O que impressionou a delegada foi o grande volume de dinheiro movimentado pelo doleiro, o que a levou a pensar no valor de um avião a jato e não de um carro. Assim, Lava Jato é mesmo a grafia correta e a tradução para o inglês deveria ser *Jet Wash* e não *Car Wash*, como se popularizou internacionalmente.

Desvendar as origens e múltiplos significados dessa operação, em meio a seus êxitos e controvérsias, é algo que tem desafiado analistas e atores do mundo político e do Direito. Entre os artigos e livros publicados até o momento, pode-se afirmar com segurança que o de Fabiana Alves Rodrigues oferece ao leitor a análise mais sistemática e equilibrada que se tem da Lava Jato até aqui. Escapando à polarização do debate público e com base em evidências, a autora demonstra como a operação foi resultado da combinação de dois elementos principais: de um lado, o lento porém permanente processo de aperfeiçoamento institucional do sistema de justiça criminal; de outro, o voluntarismo e a ação estratégica dos atores empenhados no combate à corrupção política.

Por suas características, pelo tempo de duração, pelos impactos e números superlativos que alcançou, a Lava Jato pode ser considerada uma das maiores operações de combate à corrupção da história, ao lado da italiana Mãos Limpas – o exemplo mais próximo e fonte de inspiração da operação brasileira. Neste livro, o leitor terá acesso ao exame mais cuidadoso e rigoroso já feito sobre as diversas fases da Lava Jato, as prisões realizadas, os acordos de delação premiada, as condenações sentenciadas, os recursos públicos recuperados, mas também sobre os estratagemas e ardis praticados pelos atores decididos a alcançar tais resultados.

Ao leitor com menor domínio sobre o tema, vale lembrar que a justiça criminal funciona com base num tripé de órgãos e funções independentes mas interligados: a Polícia investiga, o Ministério Público acusa e o Judiciário julga. Originalmente, a especialização de tarefas e a diferenciação de instituições foram concebidas por uma dupla razão: aumentar a capacidade do poder de punir e, ao mesmo tempo, impedir sua tirania, forçando o controle recíproco entre os atores, para que a decisão final represente a aplicação informada e imparcial do Direito Penal. Esse modelo está alicerçado na Constituição e devidamente regulado pelo Código Penal e pelo Código de Processo Penal, além das leis que organizam o funcionamento de cada participante da tríade. Em conjunto, essas diversas normas distribuem prerrogativas e recursos de poder entre as instituições, definem procedimentos e sobretudo asseguram o devido processo legal e as garantias de defesa dos acusados.

Todavia, na prática e por essas mesmas características, esse sistema complexo sempre fora acusado de ineficiente, e seu *modus operandi* seria o grande responsável pela impunidade. Em especial, a difícil interação entre Polícia, Ministério Público e Judiciário, historicamente marcada pela desconfiança e pelas críticas recíprocas de incompetência e morosidade, comprometeria a eficácia do sistema e, sobretudo no que diz respeito aos crimes de colarinho-branco, mostrar-se-ia incapaz de puni-los.

No entanto, essa realidade veio se alterando nos últimos anos. Primeiro, com a independência do Ministério Público, que se tornou uma espécie de quarto poder graças à Constituição de 1988. Desde então, promotores e procuradores se lançaram numa cruzada de combate à corrupção e de cerco à classe política. Munidos de poderes extraordinários (se comparados a outros MPs mundo afora), mas impossibilitados de contar com a ajuda de uma polícia eficiente e de um Judiciário afinado com seus propósitos, integrantes do MP muitas vezes agiam por conta própria, improvisando investigações por meio do inquérito civil e promovendo ações de improbidade administrativa – em vez de ações penais –, porque aquelas têm a vantagem de escapar ao princípio do foro privilegiado. Essa carreira solo foi a estratégia dominante dos MPs estaduais na década de 1990, mas seus resultados não se mostraram tão efetivos como se imaginava.

A partir dos anos 2000, a reconstrução institucional da Polícia Federal e a recuperação da capacidade de investigação policial alteraram significativamente aquele primeiro cenário, baseado apenas na independência do MP. Pelo menos no plano federal, PF e MP passaram a formar uma parceria inédita e, alcançando graus crescentes de autonomia, lançaram-se às grandes operações de combate ao crime organizado e à corrupção política. Apesar de seus impactos iniciais, quase sempre na forma de escândalos animados pela mídia, muitas delas caíam depois nos tribunais, por nulidades diversas cometidas na fase de investigação ou por inconsistências da acusação. Faltava-lhes, portanto, um terceiro elemento-chave: a figura de um novo juiz que, de poder inerte à espera das peças processuais produzidas pelos primeiros, fosse capaz de assumir o protagonismo do combate à corrupção e ao crime organizado, colocando-se ao lado de MP e PF, quando não antecipando seus passos, evitando seus erros e reduzindo as oportunidades de ação dos investigados. Esse juiz viria a surgir em Curitiba, mais precisamente na 13ª Vara da Justiça Federal.

Apesar do ineditismo, a Lava Jato não pode ser considerada um raio em dia de céu azul. Neste livro, Fabiana Rodrigues descreve como a operação resultou de processos anteriores e incrementais que modificaram o sistema de justiça penal no âmbito federal. Inicialmente, a autora descreve como a Justiça Federal se expandiu e se nacionalizou a partir da Constituição de 1988. Quando a nova Carta foi promulgada, esse ramo do Judiciário mal dispunha de duzentas varas distribuídas pelo território nacional. Trinta anos depois, esse número havia quadruplicado para quase oitocentas varas. Cinco tribunais regionais federais de segunda instância foram criados, receitas e orçamentos foram ampliados e assegurados, competências foram mais bem definidas e a carreira de magistrado federal ganhou maior proteção e independência.

Elegendo a Justiça Federal como foco de análise, a autora passa a examinar um conjunto de transformações em quatro dimensões principais que sustentaram o desempenho da Lava Jato.

Na dimensão organizacional da Justiça Federal, o destaque recai sobre a especialização das varas de combate à lavagem de dinheiro e, especificamente no caso de Curitiba, o excepcionalismo da jurisdição que autorizou Sérgio Moro a se dedicar exclusivamente às ações envolvendo a Lava Jato, algo totalmente incomum na experiência judicial brasileira e até hoje não regulado legalmente. A autora assinala que, embora a Lava Jato seja conhecida como uma operação de combate ao crime de corrupção ela começa e ganha escala pelas investigações ligadas ao crime de lavagem de dinheiro.

A dimensão internacional também é examinada exaustivamente no livro, com destaque para dois aspectos principais: a forma como novos conceitos, institutos e estratégias vão sendo incorporados ao plano nacional a partir da assinatura de tratados, convenções e acordos de cooperação internacionais relacionados ao combate à corrupção; e a intensificação da colaboração entre os órgãos de investigação de diversos países, nem sempre formal e transparente, mas que foi decisiva para o avanço das investigações.

A dimensão tecnológica é outra que ganha destaque pelos avanços alcançados nos últimos anos, derivados de esforços próprios das instituições envolvidas, mas que vão se interligando e resultando em redes de armazenamento e troca de informações.

Diversos sistemas de informática foram desenvolvidos, otimizando processos e aumentando a eficiência da persecução criminal. Comumente descrita como uma operação destinada a prender políticos, a Lava Jato não teria sido possível sem a ajuda decisiva dos legisladores, que ao longo de anos vêm aprovando novas leis que aperfeiçoam conceitos normativos e instrumentos de combate à corrupção política. O livro nos oferece um quadro sistemático dessa quarta dimensão – a legislativa –, com destaque para a introdução e sucessivos aprimoramentos do instituto da colaboração premiada – central na dinâmica da Lava Jato – e de outros, como o tipo penal da organização criminosa. O maior rigor legal na punição de crimes como corrupção e lavagem de dinheiro, supostamente os mais praticados por políticos, também é a marca dessa evolução legislativa promovida por esses mesmos políticos.

Após analisar essas quatro grandes transformações, o livro se concentra na dinâmica da operação, e aqui fica claro o segundo elemento que notabiliza a Lava Jato: o voluntarismo e as ações estratégicas dos atores envolvidos. Publicações de cunho jornalístico têm relatado como procuradores e delegados que atuaram nessa operação, além de Moro, estavam envolvidos com o combate à lavagem de dinheiro e corrupção havia anos. Alguns deles atuaram no caso do Mensalão, cuja investigação e julgamento chegaram à antessala do poder presidencial. Quando descobriram o elo entre Alberto Youssef (doleiro já conhecido desde o caso Banestado) e Paulo Roberto Costa (ex-diretor da Petrobras), viram a oportunidade de completar a tarefa inconclusa do Mensalão e chegar ao ápice da classe política brasileira.

Dessa vez, a sintonia entre MPF, PF e outros órgãos de investigação (como Receita Federal, CGU, Coaf) já era bem maior. Sob o conceito de "força-tarefa", diluíram fronteiras e mesclaram competências antes separadas. E tiveram na figura de Moro não um juiz inerte e limitado a julgar as peças processuais, mas um ativo coordenador da operação, estratégico nas decisões e capaz de agir fora dos autos sempre que necessário. Sob a máquina que se montou para lavar o sistema político, os princípios do promotor natural e do juiz natural (princípios que regem a competência jurisdicional dos órgãos de acusação e julgamento) podiam ser vistos pelo retrovisor, desaparecendo em meio à espuma dos detergentes lançados pela Lava Jato. Imparcialidade, inafastabilidade da prova necessária e devido processo legal foram outras premissas relaxadas pela 13ª Vara de Curitiba.

O que distinguiu a operação de suas congêneres anteriores é que ela teve o êxito de promover uma nova forma de triangulação no interior do sistema de justiça criminal, sintonizando procuradores, delegados e juízes em busca de um alvo colocado no centro de um PowerPoint. Os diálogos revelados pelo *The Intercept Brasil* atestam os métodos heterodoxos e ilegais utilizados ao longo da empreitada, mas o trabalho de Fabiana Rodrigues não precisou lançar mão de conversas do Telegram para apontar, com lucidez e equilíbrio, até onde as regras institucionais foram suficientes para promover a Lava Jato e a partir de que pontos entraram em cena o voluntarismo e a ação estratégica de seus atores. Como a autora também compara as três frentes da operação, em Curitiba, Rio de Janeiro e Brasília, sua análise demonstra que a combinação desses elementos não se dá de forma homogênea pela Justiça brasileira, mesmo entre aquelas varas que se concentraram em promover a Lava Jato

Da questão da competência do juízo de Curitiba para apurar os esquemas descobertos na Petrobras, passando pela forma como se contornou o foro privilegiado no Supremo Tribunal Federal, a relação entre medidas coercitivas e delações premiadas, os acordos costurados com doleiros, operadores e empreiteiros para se chegar à classe política, até a narrativa retoricamente sustentada da organização criminosa que reuniria a todos, a economia processual da Lava Jato é desvendada aqui de maneira técnica e fundamentada. Ao final, a consistência do trabalho é consagrada pela análise do caso mais ardente da operação: a condenação e prisão do ex-presidente Lula. Para não estragar a surpresa, não antecipare ao leitor as interpretações da autora sobre esse desfecho da Lava Jato, mas adianto que o livro lhe permitirá entender finalmente o que se passou ali e tirar suas próprias conclusões.

Tudo somado, da Lava Jato pode-se dizer que foi uma operação tecnicamente política. Aqui se trata de invocar a clássica separação entre justiça e política, pensada a partir da relação entre meios e fins. Política é ação com relação a resultados, e os meios são escolhidos de acordo com os objetivos que se quer alcançar. Assim é que a política se legitima pelos fins que alcança, e os meios podem ser até controversos sob a ótica da moral comum, como nos ensinou Maquiavel. A justiça, por sua vez, legitima-se pelos meios que adota para a tomada de decisão. Mais importante do que o resultado é o respeito ao devido processo legal. Da justiça se pode dizer, em suma, que se legitima pelo procedimento.

A Lava Jato foi portanto uma operação tecnicamente política, porque definiu os meios em função de objetivos predeterminados. Manejou recursos e instrumentos, soube engajar a opinião pública a seu favor e atingiu seus fins graças, em alguma medida, à coordenação secreta das instituições públicas que atuaram no processo penal. Em seu início impetuoso, chegou a ameaçar de extinção os partidos políticos, por meio de ações de improbidade. Em seu auge, quase se converteu em fundação dotada de 2,5 bilhões de reais para levar adiante sua política.

O impacto da Lava Jato sobre o sistema político foi uma verdadeira hecatombe, com efeitos deletérios sobre a própria democracia. Não foi objetivo deste livro nem cabe neste espaço descrever como a operação afetou a eleição de 2014, mobilizou a sociedade em gigantescas manifestações (muitas antidemocráticas), levou à desestabilização e ao impeachment da presidenta Dilma Rousseff, contribuiu para a inviabilização do governo Temer e ajudou a delinear o cenário da disputa presidencial de 2018, mas, em resumo, pode-se dizer que ela emparedou o conjunto das forças políticas e há quem diga que pôs fim ao ciclo iniciado com a Nova República. No entanto, mais do que combater a corrupção política, o principal feito da operação foi ter propiciado as condições para a ascensão de Jair Bolsonaro (cada Mãos Limpas termina com o Berlusconi que merece). Por ironia ou tragédia do destino, o presidente é hoje um dos principais responsáveis pelo desmonte da operação, mesmo depois de ter absorvido em seu governo o principal símbolo da Lava Jato. Sérgio Moro aceitou o convite de Bolsonaro na esperança de expandir o combate à corrupção para toda a administração pública, mas, depois de amargar sucessivos retrocessos e derrotas como Ministro da Justiça, Moro foi expelido do governo no episódio em que o presidente, depois de já ter atentado contra outros órgãos de controle e fiscalização, quis finalmente pôr a mão na Polícia Federal. Se bem ponderado, o ex-juiz de Curitiba deve ter se dado conta de que a Operação Lava Jato, conjunturalmente, funcionou como mecanismo de alternância de poder, mas não teve forças para sustentar a continuidade do almejado combate à corrupção.

No momento em que este livro está sendo publicado, fala-se do fim melancólico da Lava Jato, não apenas pela reação concertada da classe política, mas também por decisões impostas pelo STF, que até pouco tempo vinha dando guarida à operação. Se a Lava Jato chegou a legitimar-se por seus resultados, desde que seus métodos foram expostos a operação deixou de contar com apoio inequívoco de setores da própria Justiça, figuras como Sérgio Moro e Deltan Dallagnol hoje amargam condição bastante desfavorável e o futuro talvez lhes reserve o ostracismo. De fato, quem prega mãos limpas não pode sujar as suas, mesmo que em nome de excepcionais objetivos.

Todavia, a grande contribuição deste livro, numa rara porém feliz combinação entre Ciência Política e Direito, é mostrar que a Lava Jato, se não merece apologia, também não pode ser alvo de crítica fácil. Se o voluntarismo e estratagemas de seus atores estão sendo agora revelados e corrigidos, o pano de fundo das transformações institucionais que propiciou a atuação de delegados, procuradores e juízes tende a ser cumulativo e duradouro. Para o bem e para o mal, os efeitos da operação ainda serão sentidos por muito tempo.

Rogério Arantes

Introdução

Os principais jornais do país traziam a repercussão do vazamento do acordo de colaboração premiada de Delcídio do Amaral, na época senador pelo PT, que implicava diretamente a então presidenta Dilma Rousseff e o ex-presidente Lula (ambos também do PT) nas investigações sobre desvios da Petrobras. Os leitores e espectadores já acostumados com o noticiário matutino que divulga as célebres operações da Polícia Federal, em geral realizadas ao raiar do dia, puderam acompanhar em tempo real, no dia 4 de março de 2016, a transmissão de uma das fases da Operação Lava Jato que aumentou ainda mais a tensão no ambiente político, que naquele momento tinha os holofotes direcionados para o processo de impeachment de Dilma Rousseff.

Lula, investigado pelo núcleo da força-tarefa da Lava Jato em Curitiba, foi conduzido coercitivamente a uma área restrita do aeroporto de Congonhas, em São Paulo, onde prestou depoimento por mais de três horas na fase da operação que recebeu o nome de Aletheia. Do lado de fora, o confronto físico entre manifestantes favoráveis e contrários ao ex-presidente somou-se ao acirramento dos ânimos em Brasília, onde membros da oposição pressionavam pela instalação da comissão especial encarregada de analisar o pedido de impeachment. A comissão foi escolhida no dia 17 do mesmo mês, um dia depois que o Supremo Tribunal Federal julgou recurso apresentado pela mesa da Câmara dos Deputados na ação que definiu o rito que deveria ser adotado no processo de impeachment.

O então senador Delcídio do Amaral havia sido preso em 25 de novembro de 2015 por uma controvertida decisão do Supremo Tribunal Federal, depois que Bernardo Cerveró, filho de Nestor Cerveró, ex-diretor da Petrobras, apresentou gravações que indicavam a tentativa de interferência de Delcídio para impedir que o executivo firmasse acordo de colaboração premiada. O senador por certo não sabia que Nestor Cerveró já encerrava as negociações de seu acordo de colaboração, assinado em 18 de novembro de 2015, dez meses depois de ter sido preso numa fase da operação autorizada pela Justiça Federal em Curitiba.

No mesmo dia do vazamento da delação de Delcídio do Amaral, a Lava Jato deixou sua impressão digital na vida de uma figura-chave no desenrolar dos eventos políticos que se seguiram até a deposição de Dilma Rousseff. O então presidente da Câmara dos Deputados, Eduardo Cunha (PMDB), passou a ser réu perante o Supremo Tribunal Federal pela acusação de receber propinas na contratação de dois navios-sonda da Petrobras. As contas no exterior onde estariam ocultados os proveitos da corrupção foram identificadas a partir do depoimento de Júlio Camargo, prestado após celebrar acordo de colaboração premiada homologado pela Justiça Federal do Paraná em novembro de 2014. No dia da tumultuada condução coercitiva de Lula, Eduardo Cunha foi surpreendido com uma segunda denúncia apresentada no Supremo Tribunal Federal.

No fim de 2015, Eduardo Cunha estava em vias de ser encurralado pelos tentáculos da Lava Jato. Além das investigações que tramitavam no Supremo Tribunal Federal, derivadas da operação no Paraná, o presidente da Câmara dos Deputados teve que responder perante o Conselho de Ética da Câmara, sob a acusação de ter mentido na CPI da Petrobras, por ter negado possuir contas no exterior, as mesmas descobertas pela Lava Jato. A perda do apoio dos deputados do PT que integravam o Conselho, decisivo para evitar um parecer pela cassação, possivelmente entrou nos cálculos de Eduardo Cunha quando autorizou a abertura do processo de impeachment contra Dilma Rousseff, em 2 de dezembro de 2015. Seu comportamento errático não evitou a cassação do mandato, aprovada pelo plenário da Câmara dos Deputados em 12 de setembro de 2016, nem o manteve distante dos balcões da Vara Federal de Curitiba, de onde saiu a ordem de sua prisão, cumprida em 19 de outubro do mesmo ano, além da condenação a uma pena de quinze anos e quatro meses de prisão, que o já ex-deputado conseguiu reduzir para catorze anos e seis meses.

O vazamento da delação de Delcídio do Amaral e a condução coercitiva de Lula ajudaram a potencializar o ambiente de pressão popular sobre o governo Dilma: a maior manifestação da história do país ocorreu no dia 13 de março de 2016, quando milhares de pessoas saíram às ruas em mais de trezentas cidades com palavras de ordem contra a corrupção e pelo impeachment da presidenta. Também houve expressivo apoio à Lava Jato e a seu personagem mais célebre, o juiz Sérgio Moro, que dias antes participou de um evento para empresários organizado pela empresa de João Dória Júnior, uma das figuras que surfaram na onda da Lava Jato e de seu discurso anticorrupção e se elegeu, assim, prefeito da cidade de São Paulo, o que lhe serviu de trampolim para o cargo de governador dois anos depois. As manifestações aumentaram as pressões dentro do PT para que Lula assumisse um ministério para ajudar na articulação política do cada vez mais claudicante governo Dilma. A nomeação do ex-presidente para o Ministério da Casa Civil foi combinada numa longa reunião no dia 16 de março, mas foi frustrada por causa da divulgação da conversa telefônica mantida entre Dilma e Lula, autorizada pelo juiz Sérgio Moro, que entendeu que a nomeação tinha a finalidade de prejudicar as investigações da Lava Jato. A divulgação das conversas provocou a quase imediata saída de manifestantes às ruas, pedindo a renúncia de Dilma da presidência.

A pressão popular pela deposição de Dilma Rousseff tornou ainda mais cômoda a posição dos 367 deputados que aprovaram o prosseguimento do processo de impeachment, em 17 de abril.

A sessão da Câmara, descrita na imprensa como "circo e constrangimento", foi marcada por repetidos discursos contra a corrupção, além de frases como "tchau, querida", em referência ao conteúdo da comunicação telefônica divulgada por ordem do juiz Sérgio Moro, cuja ilegalidade foi reconhecida pelo Supremo Tribunal Federal.

Parece difícil negar a estreita conexão entre os principais eventos políticos ocorridos no país nos últimos anos e a trajetória da maior operação brasileira de combate à corrupção.

Quando a Lava Jato divulgou a primeira fase da operação em março de 2014, o país já vinha de um caldeirão de tensões sociais que deram seu primeiro sinal nas célebres "jornadas de junho" de 2013. As manifestações populares, que tiveram como gatilho o protesto pelo aumento das tarifas de ônibus em São Paulo, expandiram-se para diversas demandas mobilizadas por setores variados da sociedade civil. A onda de protestos se espalhou pelo país, acomodando grupos com pautas diversas, muitas vezes ecoando um discurso de negação da política partidária que se disseminou na sociedade e ganhou reforço com a intensa divulgação das investigações promovidas pela Lava Jato.

As eleições de outubro de 2014 ocorreram quando a Operação Lava Jato no Paraná ainda estava na sua sexta fase, mas já havia ampla divulgação de que as investigações envolviam desvios dos cofres da Petrobras. Em 9 de outubro, alguns dias depois do primeiro turno das eleições, o juiz Sérgio Moro tornou públicos os depoimentos prestados por Paulo Roberto Costa, ex-diretor da Petrobras, e pelo doleiro Alberto Youssef, ambos colaboradores que relataram a existência de um esquema de lavagem de dinheiro e de propinas pagas por empreiteiras para abastecer os cofres do PP, PT e PMDB[1].

O clima de conflito e polarização se acentuou depois das eleições, o que foi assinalado não só pelo primeiro discurso do senador

---

[1] As siglas partidárias mencionadas neste livro correspondem àquelas utilizadas na época dos fatos, e não foram atualizadas a fim de manter o sentido original e o contexto político no qual se inseriam.

Aécio Neves (PSDB) depois de sua derrota no segundo turno, quando prometeu fazer oposição incansável e intransigente ao governo Dilma, mas também pela contestação do resultado das eleições no Tribunal Superior Eleitoral. A auditoria realizada pelo PSDB no sistema de votação, apuração e totalização dos votos nas eleições não encontrou nenhuma irregularidade, mas a contestação da lisura das urnas eletrônicas engrossou o caldo de tensões num momento em que a credibilidade do sistema político ruía ainda mais pela repercussão das sucessivas fases da Lava Jato.

Política e Lava Jato são fenômenos que têm se intercambiado no Brasil. De um lado, a operação tem contribuído para a persistência e a ênfase nos discursos anticorrupção, que por vezes ofuscam outros temas relevantes do debate público. De outro, a divulgação de fatos ainda sob apuração produz esperados abalos na reputação de políticos em competição eleitoral, ainda que as referências sejam apenas aos partidos aos quais são filiados. Não faltam exemplos de divulgações desse tipo nos períodos em que já havia cenário de intensa competição pelas eleições de 2014 e 2018.

Entre 2014[2] e março de 2020, só em Curitiba foram apresentadas 119 denúncias, depois de realizadas setenta operações por meio das quais foram cumpridos 1.343 mandados de busca e apreensão e 293 prisões cautelares. Do total de 500 pessoas denunciadas, 165 já foram condenadas em segunda instância, entre elas executivos de grandes empresas e políticos de médio e alto escalão. As colaborações premiadas que foram assinadas nas fases iniciais da Lava Jato semearam desdobramentos da operação em várias unidades do Judiciário, inclusive no Supremo Tribunal Federal, que assumiu as investigações sobre delatados ocupantes de cargos que lhes conferem a prerrogativa de serem julgados perante a Corte. Até abril de 2020, foram apresentadas 45 denúncias contra 126

---

[2] A primeira decisão que autorizou a quebra de sigilo bancário na Lava Jato foi proferida em 8 de fevereiro de 2009 e a primeira decisão que autorizou uma interceptação telefônica aconteceu em 17 de julho de 2013. Essas informações estão disponíveis em ofício enviado pelo juiz Sérgio Moro ao Supremo Tribunal Federal e parcialmente mencionadas no relatório final da Operação Bidone.

pessoas no Supremo Tribunal Federal, responsável pela homologação de 183 acordos de colaboração premiada[3].

Até atingir esses números impressionantes, e inéditos no país, a Lava Jato revirou contas bancárias mantidas no exterior por diversas pessoas, prendeu doleiros que apontaram ligações escusas com dezenas de empresários e políticos, alcançou executivos de grandes empreiteiras, como Camargo Corrêa, OAS, Andrade Gutierrez e Odebrecht, além de parlamentares ligados a grandes partidos, como PP, PTB, PMDB e PT, ex-governadores do Rio de Janeiro (PMDB) e do Paraná (PSDB), e até mesmo levou à prisão o ex-presidente Lula, condenado por corrupção, algo inédito na história republicana do Brasil.

Nos primeiros anos da operação, o forte apoio popular à atuação da Lava Jato, somado à velocidade com que foram divulgadas fases explosivas das investigações, possivelmente constrangeu os políticos a não promoverem mudanças institucionais voltadas a enfraquecer a operação, ao menos nos discursos públicos, pelas vias oficiais.

Mesmo nos momentos de auge da operação, o conteúdo de conversas privadas de autoridades de alto calibre na estrutura do poder que foi vazado na mídia indica não só a preocupação com o avanço da Lava Jato sobre seus próprios interesses, como também que essa preocupação entrou nos cálculos das decisões políticas tomadas nos últimos anos, inclusive no processo de impeachment de Dilma Rousseff. Entrou para a história a conversa entre Romero Jucá, senador pelo PMDB, e Sérgio Machado, ex-presidente da Transpetro, que gravou a comunicação algumas semanas antes de assinar acordo de colaboração premiada. No diálogo do mês de março de 2016, o mesmo em que ocorreram os eventos que abrem esta introdução, ao tratarem da expectativa de aumento do número de delações pela autorização da prisão após a decisão em segunda instância, Romero Jucá conclui que "tem que mudar o governo pra poder estancar essa sangria [...] com o Supremo, com tudo".

---

[3] Cf. site oficial da força-tarefa da Lava Jato. Disponível em: <http://www.mpf.mp.br/grandes-casos/lava-jato/resultados>. Acesso em: 1 jun. 2020.

A trajetória da Lava Jato encontrou percalços que vão desde tragédias como a morte do ministro Teori Zavascki, responsável pela operação no Supremo Tribunal Federal, até um recuo no apoio irrestrito que tinha naquela Corte, ocorrido a partir de março de 2019, observado nas decisões de: manutenção sob a batuta da Justiça Eleitoral dos processos de corrupção que sejam conexos com crimes eleitorais; suspensão da bilionária fundação que o núcleo de Curitiba pretendia manter sob seus cuidados; exigência de nova ordem na apresentação das alegações finais nos processos em que haja colaboradores; vedação da execução da pena não definitiva fixada em condenação em segunda instância. Esta última mudança, ocorrida em novembro de 2019, chama a atenção porque não houve alteração na legislação depois da decisão da Corte que autorizava a prisão após condenação em segunda instância, de fevereiro de 2015, a mesma referida no sugestivo diálogo do senador Romero Jucá e que oferecia um incentivo à colaboração premiada.

Desde o início, a operação foi alvo de críticas, oriundas em especial dos empresários, atores políticos e partidos atingidos pelas investigações e ações criminais, além de juristas que reiteradamente apontaram abusos na condução dessas investigações e ações criminais. Nos tribunais, a operação encontrou poucos obstáculos. Entre cientistas políticos, foram formuladas críticas à politização da Justiça, aos excessos cometidos por agentes do sistema de Justiça e ao uso seletivo e agressivo de acusações de corrupção, fatores que teriam contribuído para os impasses da democracia e o bloqueio do debate público sobre a reforma política e as melhores formas de controlar a corrupção. A saída do juiz Sérgio Moro da condução da operação em Curitiba para assumir o cargo de ministro da Justiça no governo de Jair Bolsonaro (na época filiado ao PSL), que venceu o PT no segundo turno, forneceu combustível extra para os que apontam a seletividade e a politização da operação.

A Operação Lava Jato ganhou tamanha força e legitimidade na sociedade que dificilmente se nega sua influência em diversas esferas da vida política. Compreender como foi possível uma operação desse porte produzir resultados tão relevantes para diversas esferas da vida política brasileira não é tarefa fácil, já que um amplo espectro de fatores pode ter contribuído para alcançar esses resultados.

Este livro[4] busca contribuir para esse debate, ao abordar a Operação Lava Jato a partir de dois fatores que, combinados, permitem compreender como foi possível o amplo alcance de seus resultados: a dimensão institucional e o voluntarismo político dos atores envolvidos. A partir de uma abordagem com enfoque institucionalista e uma investigação densa, porém limitada à Justiça Federal, considera-se aqui que a Lava Jato decorre de um processo de aprimoramento e de aprendizado institucionais, em convergência com a literatura da Ciência Política, que inclui o sistema de justiça criminal como ator relevante no funcionamento da rede de instituições de *accountability* do país.

Além disso, os resultados alcançados pela operação contaram com um intenso voluntarismo dos atores do sistema de Justiça, em especial do Judiciário Federal, numa atuação que ultrapassa as competências tradicionais da instituição e traz uma visão de uma sociedade incapaz de se proteger de uma classe política corrompida e ineficiente. Isso fica bastante perceptível na gestão estratégica e cirurgicamente selecionada do tempo de tramitação das ações criminais, com relevantes implicações em temas como a seletividade do controle criminal da corrupção e seus efeitos na arena eleitoral. Sob esse aspecto, mostram-se coerentes as críticas que apontam que a Lava Jato ultrapassou alguns limites e se tornou uma operação, além de voluntarista, política.

Tendo como foco o sistema de justiça criminal federal brasileiro, as principais instituições envolvidas são: a Polícia Federal,

---

[4] Este livro é fruto da dissertação de mestrado em Ciência Política apresentada na Universidade de São Paulo, disponível para consulta no site da biblioteca digital de teses e dissertações da universidade. A dissertação recebeu algumas adaptações na linguagem e no conteúdo para se adequar ao formato e à fluidez do livro. Com isso, foram suprimidos alguns trechos que podem interessar ao leitor que deseja se aprofundar na abordagem mais acadêmica: o debate teórico sobre *accountability* na Ciência Política no qual se insere o trabalho; a metodologia aplicada na pesquisa, com descrição das técnicas utilizadas e dos passos para construção dos bancos de dados que subsidiaram as análises; a indicação das fontes de todos os dados apresentados; as considerações sobre incentivos ao voluntarismo político.

em geral responsável pelas investigações; o Ministério Público Federal, titular da ação penal e que com frequência atua na fase de investigação; e as diversas instâncias da Justiça Federal.

A análise apresentada neste livro se concentra na atuação da Justiça Federal no processamento e julgamento das ações criminais movidas pelas forças-tarefa das operações Lava Jato e Greenfield do Ministério Público Federal, nas cidades de Curitiba, Rio de Janeiro e Brasília, até dezembro de 2018, o que atingiu 144 ações criminais, ligadas a 96 fases ostensivas de operações policiais.

Para ajudar a compreender como foi possível alcançar tais resultados, depois de anos de recorrentes diagnósticos de ineficiência do controle criminal da corrupção política no país, neste livro é feita uma reconstrução detalhada do contexto institucional no qual surgiu a operação.

A dimensão internacional permite o resgate histórico dos instrumentos internacionais internalizados pelo Brasil e que implicam o compromisso de ampliar a efetividade do combate aos principais crimes de colarinho-branco apurados pela Lava Jato, com destaque para a corrupção, a lavagem de dinheiro e a organização criminosa. Além disso, com a inclusão do país na onda de internacionalização do combate a esses crimes, o Brasil passou a se submeter a mecanismos de pressão internacional para implementar os compromissos assumidos e expandiu os acordos de cooperação internacional em matéria penal. A relevância da dimensão internacional para a Lava Jato decorre não só dos efeitos que esses acordos representam para o fortalecimento de uma cultura institucional de combate à corrupção e à lavagem de dinheiro, mas também especialmente do aprimoramento dos procedimentos de obtenção de provas que dependem da colaboração de outros países.

A dimensão legislativa abrange as principais leis introduzidas ou modificadas antes da operação e que foram aplicadas pela Justiça Federal, com efeitos significativos para os resultados alcançados. Essa legislação trata de temas que vão desde as investigações e os processos criminais até a criação e o aprimoramento de órgãos do Executivo que se conectam com as atividades de produção de prova nas ações criminais, como o Conselho de Controle de Atividades Financeiras e o Departamento de Recuperação de Ativos e Cooperação Jurídica Internacional. Essas normas foram categorizadas em três grupos, identificados pelo tipo de resultado que produzem: maior rigor na punição, agilização dos procedimentos e aprimoramento de ferramentas processuais. Destacam-se nessa dimensão a legislação que amplia as medidas patrimoniais contra investigados por crimes de colarinho-branco e o aprimoramento das regras que versam sobre colaboração premiada. Diante do aparente paradoxo na aprovação dessa legislação, que amplia o controle exercido pelo sistema de Justiça sobre a classe política, faz-se uma análise preliminar do processo de aprovação dessas leis que permitiu identificar a relevante participação de atores do sistema de Justiça, assim como de atores políticos que acabaram sendo atingidos pela Lava Jato.

As mudanças internas promovidas no exercício da autonomia administrativa do Judiciário foram incluídas na dimensão organizacional e mostram-se relevantes para a Lava Jato na medida em que ampliam a capacidade estatal da Justiça Federal em atividades ligadas a crimes de colarinho-branco. Os aspectos organizacionais também foram subdivididos em três grupos de mudanças, ligados à especialização dos órgãos judiciais, à capacitação dos recursos humanos e à implementação de controle sobre a gestão temporal dos processos. A Lava Jato sofre a influência das mudanças descritas nessa dimensão, sobretudo a especialização das varas em crimes financeiros, o que permite a otimização das atividades judiciais, ao concentrar atividades semelhantes, com padronização de rotinas relacionadas aos complexos crimes financeiros.

A dimensão tecnológica expõe um processo gradual de introdução e aprimoramento de ferramentas tecnológicas que viabilizam a celeridade na tramitação dos procedimentos e no cumprimento de ordens judiciais ligadas à produção de provas, além de facilitarem as atividades de inteligência de dados financeiros. Destacam-se vários sistemas informatizados que permitem a expedição e o cumprimento *online* de ordens judiciais de quebra de sigilo, além da introdução do processo judicial eletrônico, que chegou muito antes em Curitiba do que nos demais núcleos da Lava Jato. Essas mudanças produzem resultados significativos em grandes operações de combate à corrupção de alto escalão, que usualmente envolve a prática de movimentações financeiras complexas que demandam a análise de extenso material para rastreio e prova de atividades ilícitas.

Essas transformações institucionais que moldaram o contexto no qual a Lava Jato surgiu e se desenrolou, apesar de materializarem condições necessárias para os resultados alcançados, não podem ser consideradas suficientes, sobretudo se analisadas as peculiaridades relacionadas à gestão temporal das ações criminais da operação. A análise densa da tramitação dessas ações permitiu a identificação de forte voluntarismo dos atores do sistema de Justiça, inclusive e principalmente do Judiciário, que promoveu mudanças para ampliar de forma seletiva a capacidade estatal de unidades da Justiça Federal, em especial de Curitiba e, em menor grau, do Rio de Janeiro. Além disso, as ações do núcleo de Curitiba trazem traços da gestão igualmente seletiva, com tratamento bastante diferenciado no ritmo de tramitação das ações e dos recursos. Em síntese, a ação estratégica contribuiu de forma significativa para que a Lava Jato ocorresse do modo como ocorreu e, mais importante, no ritmo em que ocorreu.

É importante destacar que a pesquisa que originou este livro não avançou na análise do conteúdo jurídico das decisões judiciais que dão corpo à operação, muito menos em temas como a valoração das provas usadas para condenar ou absolver os réus, já que o foco é a investigação densa e detalhada do modo como a Justiça Federal se articulou como órgão do Estado para que determinados resultados fossem alcançados. Isso porque a atividade-fim do Judiciário, de aplicação da lei em casos concretos, pressupõe uma organização administrativa dotada de prerrogativas e competências que são articuladas pelos atores que integram essa estrutura de poder.

As revelações trazidas a partir de 2019 pelo portal *The Intercept Brasil* sobre os bastidores da Lava Jato fornecem amplo material para investigação sobre o comportamento estratégico dos atores envolvidos com a operação, inclusive e especialmente sobre um aspecto da dimensão internacional abordado neste livro: a falta de controle sobre as comunicações entre investigadores brasileiros e autoridades vinculadas a outros países. Há de se reconhecer a relevância do material divulgado, apesar dos questionamentos sobre a confiabilidade das informações.

As análises apresentadas neste livro, no entanto, amparam-se exclusivamente nos documentos oficiais produzidos pelo sistema de Justiça. Esse material mostrou-se suficiente para demonstrar o argumento central de que a Lava Jato decorre de uma combinação de aprimoramento e aprendizado institucionais, somados à ação voluntarista dos atores do sistema de Justiça, fornecendo uma ampla e sistematizada documentação da operação.

I. Transformações institucionais relevantes

A efetividade do sistema de justiça criminal brasileiro no controle da corrupção política tem sido avaliada de forma negativa pela opinião pública e pela literatura especializada. Durante muitos anos, o debate produziu uma vasta literatura que aponta a ineficiência do sistema de justiça criminal, diante da recorrente impunidade da corrupção envolvendo a classe política e o alto empresariado.

Os diagnósticos sobre as causas dessa ineficiência variam. Alguns fazem menção a deficiências institucionais na legislação processual penal e à falta de ferramentas que possam ser aplicadas para investigar e provar um crime que, por sua natureza, costuma ser praticado nas sombras, muitas vezes com o emprego de estratégias requintadas, para viabilizar o uso dos recursos sem deixar rastros da corrupção e do proveito econômico obtido pelos envolvidos (Taylor, 2011).

A Lava Jato tem sido apresentada como um ponto de inflexão nesse cenário, daí ser imprescindível reconstruir as mudanças institucionais ocorridas nos anos que precederam a operação e que repercutem na punição criminal à corrupção. A reconstituição minuciosa dessas mudanças pode suscitar outras reflexões sobre a validade ou a pertinência dos diagnósticos até então existentes, além de contribuir para o debate que busca identificar os mecanismos institucionais que ajudam a reduzir os incentivos e as oportunidades para a corrupção (Klitgaard, 1988; Rose-Ackerman, 1999).

Neste capítulo, são abordados aspectos gerais das relevantes transformações institucionais que delinearam o cenário que permitiu o surgimento de uma operação do porte da Lava Jato, tendo como diretriz as estratégias adotadas pelos atores do sistema de Justiça que viabilizaram a produção dos resultados já alcançados pela operação. O processo de rastreamento das mudanças relevantes pautou-se na identificação das ferramentas institucionais que foram manejadas pelos operadores envolvidos com a Operação Lava Jato e, a partir delas, buscou-se a construção de um quadro geral sistematizado do histórico de mudanças.

É difícil estabelecer uma ordem de importância dos aspectos institucionais que se mostram relevantes para resgatar o contexto em que ocorre a Lava Jato. Aspectos internacionais interagem com aspectos legislativos, que por sua vez se conectam com regras administrativas internas da Justiça Federal e com mudanças específicas no emprego das novas tecnologias. Todos são igualmente importantes, e cada um contribui, da sua maneira, para os resultados alcançados.

Inicia-se com os aspectos mais gerais, focalizando depois os mais específicos, como um observador que começa vendo um objeto a distância e depois vai se aproximando e percebendo detalhes. Oferece-se um panorama dos instrumentos internacionais que foram formalizados pelo Brasil no combate aos crimes apurados pela Lava Jato, com detalhamento dos mecanismos internacionais de constrangimento ao cumprimento dos compromissos assumidos.

A força-tarefa da Lava Jato usou intensamente a cooperação internacional entre as autoridades brasileiras e estrangeiras para a obtenção de provas e o repatriamento de recursos. Os números são realmente surpreendentes: em cinco anos, desde a deflagração da primeira fase da operação, em março de 2014, o Departamento de Recuperação de Ativos e Cooperação Jurídica Internacional (DRCI) do Ministério da Justiça deu andamento a 798 pedidos de cooperação jurídica internacional relacionados à Operação Lava Jato, quatrocentos ativos e 398 passivos, envolvendo 61 países diferentes (Brasil, 2019).

Neste capítulo é abordada também a dimensão legislativa. Nela são feitas a descrição e a análise das transformações das normas jurídicas nacionais que guardam relação direta com as investigações e ações criminais (legislação penal e processual penal). É apresentado ainda um esboço das principais normas jurídicas que foram modificadas nos últimos anos e contribuem para produzir resultados relevantes nas ações criminais da Lava Jato. O foco da abordagem são os principais crimes que constam nas denúncias e decisões judiciais: corrupção, lavagem de dinheiro e participação em organização criminosa.

A importância de identificar o aparato legal que fundamenta a ação dos atores da Operação Lava Jato nas investigações e ações criminais decorre da própria natureza dessas atividades, essencialmente jurídicas e baseadas em normas escritas. Também são apresentadas algumas análises mais críticas sobre as amplas margens de ação que algumas normas jurídicas conferem aos operadores do sistema de Justiça, abrindo espaço para ações voluntaristas e até mesmo para o ingresso de lutas políticas dentro do sistema de justiça criminal. Isso pode ser especialmente danoso diante da falta de uniformidade na atuação do sistema de Justiça Federal no país e da insuficiência dos mecanismos de controle da atuação do Ministério Público e do Judiciário, como se verá no segundo capítulo.

O rastreio dessas normas e a verificação do modo como foram manejadas na operação apontam uma forte influência das relações internacionais no Brasil, seja ao assumir o compromisso de combater determinados crimes, seja na necessária participação de outros países na apuração de crimes que envolvem movimentações financeiras que ultrapassam as fronteiras nacionais. Por isso, reafirma-se que as dimensões não têm relação de hierarquia e se conectam em diferentes aspectos.

O trabalho que originou este livro tem por objeto a análise da atuação da Justiça Federal na Lava Jato, o que torna relevante o mapeamento do seu funcionamento e das peculiaridades endógenas da instituição, pois isso ajuda a definir a capacidade de sua ação em grandes operações envolvendo crimes de corrupção de alto escalão.

Procura-se então identificar medidas administrativas gerais adotadas nos últimos anos que tiveram repercussão na estrutura e no funcionamento da Justiça Federal e que podem representar constrangimentos ou estímulos aos atores do sistema de Justiça Federal, em especial quando essas medidas têm a finalidade de alcançar resultados convergentes com aqueles observados na Lava Jato, como a busca de celeridade.

Por fim, mas não menos importante, a análise do conteúdo de diversas decisões judiciais da operação possibilitou clarear um microssistema de programas informatizados e de ferramentas tecnológicas relevantes para a produção de provas e a celeridade de diversos procedimentos que integram as investigações e ações criminais.

A JUSTIÇA FEDERAL

A Justiça Federal, que hoje ocupa amplo espaço nos meios de comunicação graças à sua recorrente atuação em ações judiciais de grande repercussão nacional, experimentou um longo porém descontínuo processo de construção e desenvolvimento institucional. Foi introduzida no país em 1890, quando da passagem da Monarquia para a República, extinta em 1937, recriada pelo regime militar pós-64 e mantida pela Constituição de 1988.

A proclamação da República, com a instituição de um modelo federativo, foi o marco para a estruturação do Poder Judiciário nos âmbitos estadual e federal. Segundo Koerner (1998), foi relevante a ação de Rui Barbosa para a adoção do modelo presidencialista no país. Ele atribuía ao Poder Judiciário Federal, em especial ao Supremo Tribunal Federal, o papel de defensor de direitos e garantias individuais e de árbitro nos conflitos federativos decorrentes do surgimento dos estados, novas unidades que passaram a integrar a ordem política. Koerner considera que um dos conflitos centrais surgidos naquela época envolvia a divisão do controle sobre a magistratura entre a União e os estados e sobre os limites do pacto federativo decorrentes da organização constitucional do Poder Judiciário. Enquanto republicanos atuaram para restringir as atribuições do Judiciário Federal e ampliar a liberdade dos estados na organização da magistratura estadual, os grupos contrários à descentralização enfatizaram a defesa de interesses corporativos dos magistrados. O saldo das disputas na organização da República, de acordo com o autor, foi o enfoque na questão federativa, ficando para segundo plano a configuração de um Poder Judiciário independente e defensor das liberdades individuais, pois a preocupação principal era assegurar a liberdade dos estados em relação ao poder central, o que ia contra os interesses corporativos dos magistrados.

Antes mesmo da Constituição de 1891, o Decreto-lei 848, de 11 de outubro de 1890, estabeleceu que a Justiça Federal seria composta pelo Supremo Tribunal Federal e por juízes de seções com investidura vitalícia, além de juízes substitutos que cumpririam mandatos de seis anos e juízes *ad hoc* nos locais onde não pudesse atuar o juiz substituto. Todos eram nomeados pelo presidente da República, mas era exigida a aprovação do Senado no caso de membros do Supremo Tribunal Federal, corte que elaborava lista tríplice que servia de base à escolha dos juízes de seção pelo presidente da República (Freitas, 2004).

As competências atribuídas aos juízes de seções já traziam alguns traços daquelas definidas no texto constitucional de 1988, destacando-se as demandas que envolvam atos do governo federal ou interessem ao fisco nacional; as causas fundadas em convenções e tratados internacionais ou contratos da União; as demandas entre domiciliados no Brasil e nação estrangeira; e crimes políticos.

Para Koerner, o processo de seleção dos juízes federais abria espaço para negociação entre os ministros do Supremo Tribunal Federal, as oligarquias estaduais e o presidente da República, que realizava as escolhas a fim de assegurar que o controle dos cargos federais ficasse nas mãos das oligarquias dominantes dos estados, compromisso central da política dos governadores. O autor menciona situações em que as listas elaboradas pelo STF continham dois candidatos mais qualificados, mas a escolha recaiu sobre um terceiro candidato indicado pela oligarquia dominante, além de casos em que o veto desta foi suficiente para evitar a nomeação do juiz seccional e outros em que a remoção de um juiz para uma vaga aberta inviabilizou a escolha baseada em lista que não tinha o aval da oligarquia estadual. Além disso, a competência dos juízes de seção para julgar crimes políticos e a possibilidade de intervenção federal em caso de descumprimento de sentença ou lei federal eram fatores-chave nas disputas políticas, que acabavam sendo introduzidas e reproduzidas no Judiciário Federal. Por outro lado, o autor destaca que, ainda que uma facção da oligarquia tivesse êxito na escolha dos juízes de seção, a vitaliciedade assegurava que facções da oposição obtivessem decisões favoráveis. A efetiva execução material dessas decisões, porém, ficava nas mãos do presidente da República, que concedia as forças requisitadas pelos juízes federais apenas em benefício da oligarquia que apoiava. Com o estabelecimento do Estado Novo em 1937, a extinção da Justiça Federal de primeiro grau foi regulamentada pelo Decreto-lei 6, de 16 de novembro de 1937, que transferiu a competência dos juízes de seções para a justiça local dos estados, do Distrito Federal e do então território do Acre. Além disso, a competência recursal do Supremo Tribunal Federal, nos casos que antes tramitavam perante a Justiça Federal de primeiro grau, foi transferida para os Tribunais de Apelação das justiças locais, mantendo-se no Supremo Tribunal Federal apenas recursos contra sentenças em demandas nas quais a União figurasse como formal interessada.

    O restabelecimento da democracia em 1945 e a Constituição promulgada em 1946 não trouxeram de volta a Justiça Federal de primeiro grau, mas propiciaram a criação de um novo tribunal, o Tribunal Federal de Recursos, com competência para julgar em grau de recurso decisões dos juízes locais quando a União fosse parte ou interessada, além de crimes praticados em detrimento de seus bens, serviços ou interesses.

    O ressurgimento da Justiça Federal só ocorreria sob a ditadura militar, por meio do Ato Institucional nº 2, de 27 de outubro de 1965. As competências inicialmente atribuídas à Justiça Federal, integrada pelo Tribunal Federal de Recursos e por juízes federais nomeados pelo presidente da República, fixaram os contornos de um desenho institucional que, em linhas gerais, seria mantido pela Constituição de 1988. Destaca-se a inclusão de demandas em que a União e suas autarquias sejam partes ou interessadas, inclusive aquelas que envolvam crimes praticados em detrimento de seus bens, serviços ou interesses, além de crimes previstos em tratados e convenções internacionais, hipótese posteriormente modificada e que justificou a atuação da Justiça Federal nas ações criminais que foram se revelando ao longo da Operação Lava Jato.

A efetiva implantação da Justiça Federal de primeiro grau teve início em 1967, mas a instalação plena de uma seção judiciária em cada estado da Federação só ocorreu em dezembro de 1980, com a inauguração da seção de Mato Grosso do Sul[1].

A fase inaugurada com a Constituição de 1988 caracteriza-se pela expansão e descentralização da Justiça Federal, que foi dividida em cinco regiões, com os seus respectivos Tribunais Regionais Federais, sediados em Brasília (TRF da 1ª Região), Rio de Janeiro (TRF da 2ª Região), São Paulo (TRF da 3ª Região), Porto Alegre (TRF da 4ª Região) e Recife (TRF da 5ª Região).

Esses tribunais receberam grande parte das competências outrora atribuídas ao extinto Tribunal Federal de Recursos, substituído com outros contornos pelo Superior Tribunal de Justiça. Houve considerável ampliação das hipóteses de atuação da Justiça Federal. Além das demandas envolvendo questões internacionais e aquelas em que a União, suas autarquias e empresas públicas sejam partes ou interessadas, destacam-se as disputas sobre direitos indígenas, algumas hipóteses de graves violações de direitos humanos e demandas relacionadas a crimes contra a organização do trabalho, o sistema financeiro e a ordem econômico-financeira.

Os Tribunais Regionais Federais, integrados por desembargadores federais, subdividem-se em seções judiciárias, uma para cada estado da Federação e para o Distrito Federal. As seções são formadas por um conjunto de varas federais nas quais atuam juízes

---

[1] Cf. Centro de Memória do Conselho da Justiça Federal: memória virtual. Disponível em: <https://www.cjf.jus.br/memoriavirtual>. Acesso em: 21 jan. 2019. Para uma descrição mais detalhada do processo de implantação das seções judiciárias da Justiça Federal, cf. Freitas (2004).

federais e juízes federais substitutos. A distribuição territorial dos TRFs é a mesma desde quando surgiram, embora ela não coincida com as cinco regiões político-administrativas tradicionais: TRF1 (Acre, Amapá, Amazonas, Bahia, Distrito Federal, Goiás, Maranhão, Mato Grosso, Minas Gerais, Pará, Piauí, Rondônia, Roraima e Tocantins), TRF2 (Rio de Janeiro e Espírito Santo), TRF3 (São Paulo e Mato Grosso do Sul), TRF4 (Rio Grande do Sul, Paraná e Santa Catarina) e TRF5 (Alagoas, Ceará, Paraíba, Pernambuco, Rio Grande do Norte e Sergipe).

O processo de expansão da Justiça Federal em primeiro grau caracteriza-se não apenas pela ampliação da estrutura física e dos recursos humanos (servidores e magistrados), mas também pela interiorização, com a instalação de subseções jurisdicionais no interior dos estados. A expansão da estrutura física pode ser vista no gráfico 1 a seguir, que exibe o número de varas e juizados especiais instalados ao final de cada ano, de 1966 até 2016, em toda a Justiça Federal.

Gráfico 1 – Número de varas federais e juizados federais autônomos instalados na Justiça Federal (1966-2016).

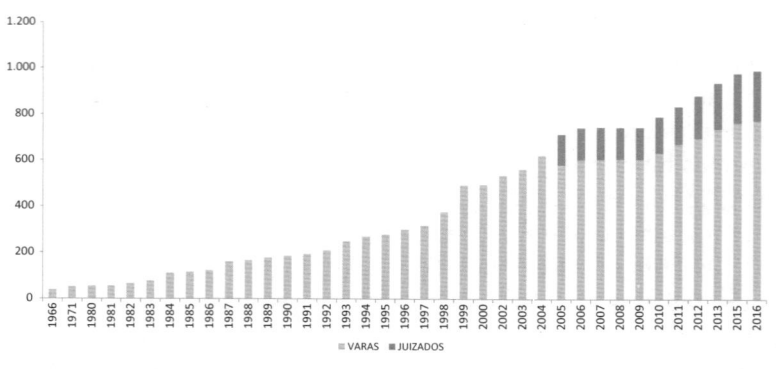

Elaborado pela autora. *Informações sobre varas*: quadro de varas federais – 1966 até 2016.

A expansão também aconteceu nos Tribunais Regionais Federais, que tiveram expressivo aumento no número de cargos de desembargadores federais. A tabela 1 permite verificar a evolução do quadro de magistrados dos cinco TRFs entre 1989 e 2018.

Tabela 1 – Número de cargos de desembargadores nos Tribunais Regionais Federais (1989-2018).

Ano	TRF1	TRF2	TRF3	TRF4	TRF5	Total
1989	18	14	18	14	10	74
1992	18	14	27	14	10	83
1994	18	23	27	23	10	101
2000	27	27	43	27	15	139
2018	27	27	43	27	15	139

Adaptada de Oliveira, 2017.

Os gráficos 2 e 3 mostram o crescimento dos recursos humanos vinculados a cada um dos Tribunais Regionais Federais do país entre os anos de 2009 e 2017. Os dados permitem uma melhor compreensão da dimensão e do crescimento da Justiça Federal na última década.

Gráfico 2 – Servidores efetivos, requisitados e comissionados nos Tribunais Regionais Federais (2009-2017).

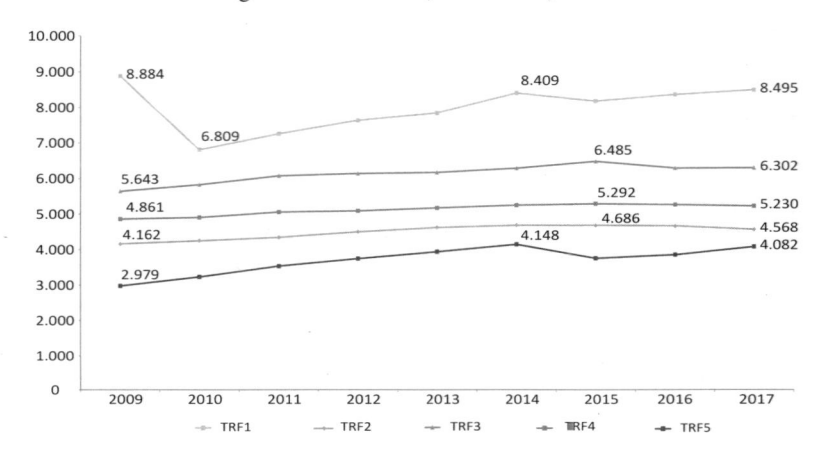

Elaborado pela autora a partir de *CNJ – Justiça em Números Digital*.

Gráfico 3 – Cargos de magistrados providos nos Tribunais Regionais Federais (2009-2017).

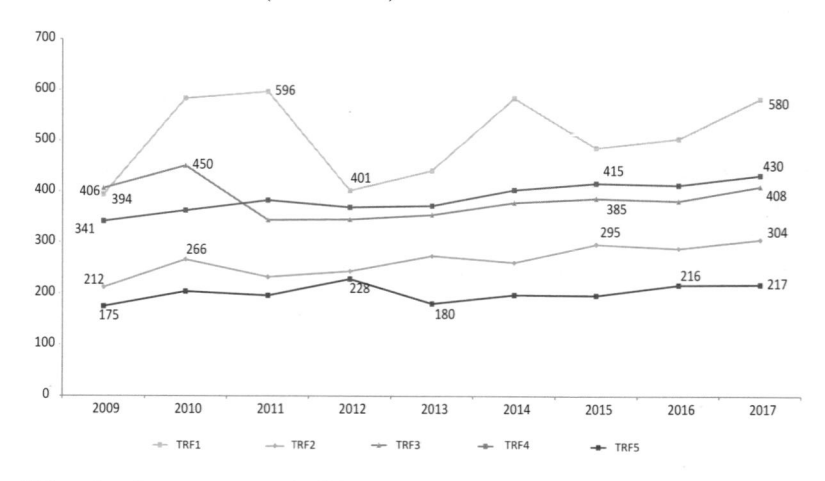

Elaborado pela autora a partir de *CNJ – Justiça em Números Digital*.

A tabela 2 traz dados de 2017 sobre o quadro de lotação de servidores e magistrados vinculados a cada um dos Tribunais Regionais Federais de primeiro e segundo graus. Nela foram incluídas as mesmas informações sobre os Tribunais de Justiça dos estados do Sul do país que integram a área sob jurisdição do TRF4, onde teve início a Operação Lava Jato.

Tabela 2 – Força de trabalho nos Tribunais Regionais Federais e Tribunais de Justiça da Região Sul (2017).

Tribunal	Funcionários		Magistrados	
	Servidores[1]	Auxiliares[2]	1º grau	2º grau
TJ-PR	8.103	10.423	782	120
TJ-RS	8.302	8.080	674	139
TJ-SC	6.537	6.235	394	99
TRF1	8.495	9.256	553	27
TRF2	4.568	2.398	277	27
TRF3	6.302	1.061	366	42
TRF4	5.230	2.684	403	27
TRF5	4.082	1.974	202	15
Total (TRFs)	28.677	17.373	1.801	138

Elaborada pela autora a partir de *CNJ – Justiça em Números Digital*.
[1] Inclui servidores efetivos, requisitados e comissionados.
[2] Inclui auxiliares contratados: terceirizados e estagiários.

A menor dimensão administrativa da esfera federal, em comparação com a estadual, justifica-se pela diferença significativa de demanda por serviço público de prestação jurisdicional, já que a competência federal se restringe a algumas situações expressamente delimitadas na Constituição Federal, enquanto as justiças estaduais têm ampla competência residual.

As formas de seleção e ingresso na magistratura federal também experimentaram mudanças significativas desde o surgimento da Justiça Federal. O processo inicial de escolha, feita pelo presidente da República, eminentemente político, deu lugar a seleção por meio de concurso público. O Ato Institucional nº 2/1965, que restabeleceu a Justiça Federal de primeiro grau, fundamentou a edição da Lei 5.010/1966, que até hoje traz o estatuto básico da instituição. O texto legal passou a prever que o acesso aos cargos deveria ser precedido de concurso público de provas e títulos, com a participação da Ordem dos Advogados do Brasil (OAB), mas as primeiras nomeações ainda seguiram o rito da escolha feita pelo presidente da República, com aprovação do Senado Federal, por expressa previsão nas disposições constitucionais transitórias introduzidas pelo AI-2.

Depois de sete concursos nacionais feitos entre 1972 e 1987, cada Tribunal Regional Federal passou a realizar os próprios concursos para provimento dos cargos de juízes (Freitas, 2004). Desde então, cada um deles já efetuou de catorze a dezoito concursos regionais. O aprimoramento dos processos de seleção teve mais um avanço com a unificação das regras dos concursos para seleção de juízes em todo o Poder Judiciário, por meio da Resolução 75/2009 do Conselho Nacional de Justiça.

A realização de concursos públicos não significa que foram fechadas as portas para a influência política na seleção de novos magistrados. Além da necessidade de graduação em Direito, curso que só recentemente experimentou significativa expansão no país, alguns concursos previam uma entrevista a portas fechadas, com perguntas subjetivas, prática que se estendeu mesmo depois da edição da Resolução 75/2009, que prevê a realização de prova oral em sessão pública para arguição sobre conhecimentos técnicos. Além disso, um quinto das vagas dos Tribunais Regionais Federais é destinada a advogados e membros do Ministério Público Federal, o que dá margem a escolhas eminentemente políticas, já que o único critério objetivo é a exigência de dez anos de experiência e a escolha é feita pelo presidente da República a partir de lista tríplice elaborada pelo TRF, baseada em lista sêxtupla apresentada pelo órgão de representação dos advogados e procuradores da República. A competência da Justiça Federal de primeiro grau resume-se às situações previstas no artigo 109 da Constituição Federal. O dispositivo contém uma cláusula geral referente a quaisquer crimes praticados em prejuízo direto da União, de suas autarquias (como Banco Central do Brasil, Comissão de Valores Mobiliários, Instituto Nacional do Seguro Social, Conselhos Profissionais, Agências Reguladoras, Universidades e Institutos Federais) e suas empresas públicas (como Caixa Econômica Federal e Correios). Essa cláusula geral justifica a tramitação em varas federais, por exemplo, de acusações da prática de estelionato contra o Instituto Nacional do Seguro Social, roubo de funcionário dos Correios, sonegação de tributos federais, contrabando e descaminho.

As demais hipóteses contemplam interesses indiretos da União, relacionados a questões políticas de caráter nacional ou que envolvam a soberania estatal. Incluem-se nesse grupo os crimes cometidos a bordo de navios ou aeronaves, crimes políticos, crimes contra a organização do trabalho, crimes previstos em tratados ou convenções internacionais parcialmente cometidos no país e, desde que haja previsão legal, crimes contra o sistema financeiro e a ordem econômico-financeira.

A influência do desenho de competências da Justiça Federal na sua participação em conflitos políticos foi pouco estudada pela Ciência Política. A realização de concursos públicos desde 1972 certamente é fator relevante que faz o quadro atual diferir de maneira significativa daquele descrito por Koerner (1998) para a Primeira República. Além disso, fatores que eram relevantes na definição da participação da Justiça Federal nos conflitos políticos, como a competência para julgamento de crimes políticos e o uso recorrente de intervenções federais, perderam espaço no regime constitucional pós-1988.

Por outro lado, as grandes operações criminais envolvendo corrupção da classe política podem produzir efeitos significativos no tabuleiro do jogo político. A condenação definitiva por crimes contra a administração pública, com penas iguais ou superiores a um ano, implica a perda de função pública ou do mandato eletivo, conforme previsão do artigo 92 do Código Penal. A Lei Complementar 64/1990 passou a fixar a inelegibilidade, pelo prazo de três anos, como consequência da condenação criminal definitiva por diversos crimes, entre eles os crimes contra a administração pública e o mercado financeiro. Em 2010, o texto legal foi endurecido, com imposição da inelegibilidade por oito anos em condenações que envolvam um longo rol de crimes, além da antecipação desses efeitos à decisão proferida por órgão colegiado, mesmo sem trânsito em julgado[2].

A Justiça Federal tem competência para julgar crimes contra o Sistema Financeiro Nacional e que violem bens, serviços ou interesses da União, suas autarquias e empresas públicas, o que a torna decisiva na definição dos atores que serão excluídos da competição eleitoral. Isso é especialmente relevante ao se considerar que uma investigação que envolva a suposta prática de crimes estaduais e federais pode ser mantida em sua integralidade no sistema de Justiça Federal se há o reconhecimento de que todos os crimes foram praticados num mesmo contexto fático, o que, no jargão jurídico, significa conexão entre os crimes.

Um ator político suspeito de ter praticado vários crimes estaduais sem envolver nenhum interesse da União, mas também suspeito de prática de crime federal, como a remessa ilegal de dinheiro ao exterior (evasão de divisas), poderá ser investigado pela Polícia Federal e processado perante a Justiça Federal se os atores do sistema de Justiça Federal reconhecerem a existência de conexão.

Conforme Mahoney e Thelen (2010), a ambiguidade criada pelas leis e pelos regulamentos confere aos atores políticos ampla

---

[2] Trânsito em julgado é a "situação da sentença que se tornou imutável e indiscutível por não mais estar sujeita a recurso, o que dá origem à coisa julgada" (Superior Tribunal de Justiça, 2016).

discricionariedade[3] na implementação e aplicação das regras formais, o que lhes assegura espaço para agir sem violar tecnicamente a lei. Esse mesmo raciocínio pode ser aplicado na análise do comportamento do Judiciário no controle da corrupção política. A flexibilidade conferida aos operadores do Direito para interpretar as normas relativas à definição da competência pela conexão referida dá margem a ações estratégicas por parte dos atores do sistema de Justiça, o que pode viabilizar o direcionamento de casos considerados prioritários para unidades da Justiça Federal preparadas para imprimir agilidade e/ou rigor nas investigações e ações criminais. Esse comportamento estratégico pode promover seletividade no controle da corrupção política sem violar tecnicamente a legislação. Esse tema será retomado no segundo capítulo, ao se abordar como foi fixada a competência da Justiça Federal do Paraná para processar crimes envolvendo uma sociedade de economia mista que tem sede no Rio de Janeiro.

Como será mostrado, diversas mudanças institucionais ocorridas nos últimos anos incentivam a redefinição da atuação da Justiça Federal criminal na direção de um alinhamento com os órgãos de acusação na atuação de "combate ao crime", em especial a corrupção e a lavagem de dinheiro. Essa questão não é objeto central deste livro, mas permeia a análise da atuação específica dos atores da Operação Lava Jato realizada no segundo capítulo, por isso são trazidos alguns dados sobre o perfil da magistratura nacional que se mostram convergentes com essa hipótese.

As duas principais pesquisas empíricas sobre o perfil da magistratura nacional sugerem que os juízes passaram a enfatizar a intervenção do Judiciário na repressão penal para a consolidação da ordem democrática.

---

[3] Neste livro, o termo "discricionariedade" indica a margem de ação do Judiciário diante da ambiguidade de vocábulos e expressões existentes na legislação e do déficit normativo de determinadas normas jurídicas. Não deve ser confundido, portanto, com o seu uso no campo do Direito, no qual o termo é utilizado para designar a margem de conveniência e oportunidade conferida pela lei ao administrador público.

A pesquisa realizada em 1996, que envolveu 3.927 questionários respondidos, 157 oriundos da Justiça Federal, questiona o grau de prioridade de intervenção do Judiciário em determinadas áreas, duas especificamente relacionadas à atuação criminal: a repressão aos delitos econômicos e o combate à violência e defesa da ordem pública. Apenas 0,8% dos juízes reconheceram a primeira área, diretamente ligada aos crimes de colarinho-branco[4], como de alta prioridade; uma porcentagem significativa de juízes, 76,1%, afirmou que a área deve receber alguma prioridade; 23,2% deles atribuíram baixa ou nenhuma prioridade para a repressão aos delitos econômicos. A avaliação foi semelhante para a prioridade no combate à violência e na garantia da ordem pública: para 2,3% dos juízes, alta prioridade; para 73,8%, alguma prioridade; para 18,7%, baixa prioridade; e para 5,1%, nenhuma prioridade (Vianna et al., 1997).

Os resultados são diferentes daqueles obtidos na pesquisa realizada em 2018, que reuniu uma amostra de 3.851 questionários respondidos, 242 provenientes da Justiça Federal, separados dos juízes de outros ramos do Judiciário. Nessa pesquisa, foram relacionadas oito áreas: repressão aos delitos de caráter econômico; regulação de conflitos de interesse entre grupos, em particular nas relações de trabalho; defesa da ordem pública; exercício inovador da Justiça; controle da probidade administrativa interna e externa; garantia da extensão dos direitos sociais; defesa dos direitos humanos e controle da violência estatal; e regulação de conflitos entre particulares (Vianna et al., 2018). Pediu-se aos respondentes que selecionassem as três que consideravam mais importantes para a atuação do Judiciário numa democracia.

As quatro áreas apontadas como mais importantes para os juízes federais foram: controle da probidade (22,2%), defesa dos direi-

---

[4] Utiliza-se a expressão "crime de colarinho-branco", neste livro, para designar crimes cometidos por pessoas que gozam de respeitabilidade e alto status social no curso de sua atividade, o que está associado a classes socioeconômicas mais altas. A expressão possivelmente tem origem numa diferença no vestuário utilizado nas indústrias em épocas passadas: colarinhos azuis para os trabalhadores braçais e colarinhos brancos para os trabalhadores intelectuais (Sutherland, 2012).

tos humanos (17,2%), defesa da ordem pública (15,7%) e repressão a delitos econômicos (12,6%). Ao se considerar que a defesa da ordem pública tem sido reiteradamente mencionada nas decisões de prisões preventivas da Operação Lava Jato e que o controle da probidade é uma das faces do controle da corrupção política, os dados indicam que os juízes federais atribuem muita importância à atividade repressiva do Judiciário.

Ao comparar as respostas de juízes com as dos desembargadores federais, nota-se que, por parte do segundo grupo, uma parcela da ênfase na defesa da ordem pública (10,3%) e controle da probidade (15,4%) é transferida para as áreas de defesa dos direitos humanos e controle da violência estatal (23,1%) e regulação de conflitos entre particulares (17,9%). A pesquisa não traz considerações analíticas sobre esse resultado, mas pode-se supor que a atuação mais direta dos juízes de primeiro grau na coleta de provas em ações criminais contribui para maior engajamento na atividade repressiva.

DIMENSÃO INTERNACIONAL

O debate atual sobre o combate à corrupção ultrapassa as fronteiras nacionais. Pode-se dizer que, até meados da década de 1990, a atuação dos Estados na prevenção e repressão à corrupção era circunscrita aos seus limites territoriais. Isso começou a mudar a partir da segunda metade dos anos 1990, quando se intensificou um movimento de internacionalização dos mecanismos de combate à corrupção internacional.

A lei norte-americana que passou a punir a corrupção internacional, a Foreign Corrupt Practices Act (Lei de Práticas de Corrupção no Exterior), de 1977, de alguma forma deixou os Estados Unidos em posição de desvantagem com relação aos demais países, que não proibiam a prática de suborno de autoridades públicas estrangeiras. Além de ser o único país que punia a corrupção internacional, outros, como França e Alemanha, permitiam a dedução contábil dos gastos com propinas internacionais. Antes do texto legal, os Estados Unidos já vedavam a dedução de propina paga a funcionário público de governo estrangeiro se a conduta fosse caracterizada como crime pelas leis norte-americanas ou se esse pagamento fosse considerado ilegal pelas leis do país. A FCPA, ao entrar em vigor, alterou o regime de deduções: passaram a ser proibidas deduções fiscais de pagamentos feitos a funcionários públicos de governo estrangeiro considerados ilegais por essa lei.

No Brasil, a repercussão desse movimento internacional de combate à corrupção transnacional evidencia-se no ano 2000, com a publicação do Decreto 3.678/2000, que promulgou a Convenção sobre o Combate à Corrupção de Funcionários Públicos Estrangeiros em Transações Comerciais Internacionais, concluída em Paris em 1997, no âmbito do Conselho da Organização para a Cooperação e Desenvolvimento Econômico (OCDE)[5]. A adesão à convenção significou o compromisso de tipificar o suborno de funcionários estrangeiros, de prestar pronta e efetiva assistência jurídica na condução de investigações e processos criminais relacionados a esse crime, além da adoção de medidas para viabilizar a retenção e o confisco dos valores qualificados como suborno ou produto de corrupção.

O primeiro passo para atender aos compromissos assumidos com a convenção da OCDE foi dado dois anos depois, com a aprovação da Lei 10.467/2002, que introduziu dois novos crimes envolvendo transações comerciais internacionais: corrupção ativa e tráfico de influência.

As denúncias da Operação Lava Jato não mencionam a prática desses crimes, mas é esperado que a internalização desse movimento internacional, que ressalta os efeitos nocivos da corrupção, repercuta na atuação dos operadores do Direito, com a reafirmação de valores institucionais de combate à corrupção. Há ao menos uma evidência que confirma essa hipótese.

---

[5] Para uma reconstrução histórica do processo de consolidação do ambiente normativo de combate à corrupção empresarial, recomenda-se Fagali (2018)

Em dezembro de 2007, o Conselho da Justiça Federal promoveu uma reunião da qual participaram dezenove juízes federais que atuam em varas especializadas em lavagem de dinheiro e crimes financeiros. Nessa reunião, o coordenador-geral do Conselho destacou que o Brasil "foi bem avaliado em relação às medidas que vem adotando para combater a corrupção" na reunião da OCDE, também realizada em dezembro de 2007, ano em que o país se tornou parceiro estratégico e formalizou pedido de acesso a essa organização como membro pleno.

Pouco tempo antes da aprovação da convenção sobre corrupção internacional, teve início a formalização de uma série de atos internacionais de cooperação jurídica em matéria criminal que foram validamente introduzidos como normas internas[6]. Destaca-se, no ano 2000, o Decreto 3.468, que promulgou o Protocolo de Assistência Jurídica Mútua em Assuntos Penais do Mercosul, pelo qual os integrantes do bloco econômico assumiram o compromisso de assistência mútua para investigações e ações criminais, o que abrange a prática de diversos atos processuais, inclusive medidas de apreensão, retenção e transferência de bens.

Em 2001, foram celebrados três acordos bilaterais de cooperação jurídica em matéria criminal, envolvendo os Estados Unidos (Decreto 3.810), a Colômbia (Decreto 3.895) e o Peru (Decreto 3.988).

O segundo ato internacional que tratou especificamente da prevenção e da repressão à corrupção, desta vez sem se restringir ao suborno internacional, foi a Convenção Interamericana contra a Corrupção (CICC), promulgada pelo Decreto 4.410/2002. A internalização desse documento internacional materializou a adesão

---

[6] A promulgação do Acordo de Cooperação Brasil-Itália, pelo Decreto 862, de 9 de julho de 1993, talvez guarde relação com a célebre operação italiana Mani Pulite (Mãos Limpas), que perdurou de 1992 a 1996 e parece ter influenciado a estratégia de alguns dos atores envolvidos com a Operação Lava Jato, notadamente o juiz responsável pelas ações criminais do núcleo do Paraná, Sérgio Moro, e o procurador da República designado para coordenar a força-tarefa da Lava Jato do Ministério Público Federal no Paraná (Dallagnol, 2017; Moro, 2004).

do Brasil aos propósitos principais da convenção: a promoção e o fortalecimento de mecanismos necessários para prevenir, detectar, punir e erradicar a corrupção, além do incentivo à cooperação internacional para assegurar a eficácia no combate à corrupção.

O acordo de cooperação com os Estados Unidos e a CICC entraram em vigor no Brasil pouco tempo antes da divulgação do caso Banestado, no início de 2003, uma das maiores operações policiais brasileiras contra crimes financeiros envolvendo atos praticados em países estrangeiros, em especial os EUA. Adiante serão tratados alguns detalhes da intensa cooperação estabelecida entre as autoridades norte-americanas e a força-tarefa CC5, responsável pelo caso Banestado, integrada por alguns dos personagens que reaparecem na força-tarefa da Lava Jato.

O incentivo à cooperação internacional nas investigações criminais é tema recorrente nos acordos e nas convenções internacionais. A Convenção Interamericana contra a Corrupção enfatiza as medidas preventivas e prevê ampla cooperação entre os países signatários, inclusive por meio do compartilhamento de experiências, formas e métodos mais efetivos de combate à corrupção. O compromisso de prestar assistência judicial recíproca nas investigações e ações criminais também foi destaque na Convenção das Nações Unidas contra a Corrupção (Decreto 5.687/2006), na Convenção Interamericana sobre Assistência Mútua em Matéria Penal (Decreto 6.340/2008), no Acordo Complementar de Assistência Mútua em Assuntos Penais do Mercosul (Decreto 8.331/2014) e na Convenção de Auxílio Judiciário em Matéria Penal entre Países de Língua Portuguesa (Decreto 8.833/2016).

Os incentivos institucionais promovidos por acordos e convenções internacionais não se limitam à mera introdução de seus textos na ordem jurídica interna. Há outros mecanismos de constrangimento que visam produzir efeito nas instituições do sistema de Justiça brasileiro. Um deles é o Mecanismo de Acompanhamento da Implementação da Convenção Interamericana contra a Corrupção (Mesicic), subscrito pelo Brasil em 9 de agosto de 2002, o que sujeitou o país ao controle da Organização dos Estados

Americanos (OEA), visando a efetiva implementação dos dispositivos da convenção.

Esse acompanhamento é realizado por uma comissão de peritos que se reúne duas vezes ao ano para fazer a análise e aprovar relatórios sobre os marcos jurídicos e institucionais voltados à implementação das disposições da convenção. Os relatórios são baseados em informações prestadas pelo governo brasileiro e por entidades da sociedade civil, como a Associação Brasileira de Jornalismo Investigativo e a Transparência Internacional, e trazem diversas recomendações ao país, além de identificar as boas práticas no combate à corrupção.

Esses relatórios constituem um rico material sobre incentivos e constrangimentos internacionais que possivelmente influenciam o conteúdo e o ritmo de aprovação de decisões políticas das autoridades brasileiras relacionadas ao combate à corrupção, além do destaque atribuído às operações criminais que envolvem a Polícia Federal, o Ministério Público Federal e a Justiça Federal.

Algumas recomendações feitas pelo Mesicic ao Brasil, nas quatro rodadas já encerradas[7], dizem respeito a aspectos institucionais que se relacionam diretamente com o controle da corrupção política. Merece destaque o tema central da Quarta Rodada, que envolveu o compromisso assumido pelo Brasil, ao aderir à convenção, de adotar medidas institucionais para criar, manter e fortalecer "órgãos de controle superior, a fim de desenvolver mecanismos modernos para prevenir, detectar, punir e erradicar práticas corruptas", disposição que encontra previsão no artigo III, parágrafo 1º, subparágrafo 9º da convenção da OEA. No quadro 1 há exemplos de mudanças institucionais ocorridas no país que guardam relação com as recomendações formuladas no âmbito do Mesicic e tiveram relevância na produção dos resultados obtidos pela Operação Lava Jato.

---

[7] "Rodada" é o termo utilizado para nomear cada período de trabalho da Comissão de Peritos, que elabora questionário sobre temas previamente selecionados para avaliação dos Estados partes da OEA que aderiram ao Mesicic e formula recomendações para assegurar a implementação dos dispositivos da convenção dessa organização.

Quadro 1 – Recomendações do Mesicic relacionadas a mudanças institucionais no país.

Rodada/ano	Recomendações	Mudanças institucionais
1ª/2006	Continuar a negociar acordos bilaterais de cooperação jurídica relacionada à corrupção.	Acordos/tratados de cooperação promulgados: Coreia do Sul (2006), Ucrânia (2006), China (2007), Cuba (2008), Espanha (2008), Canadá (2009), Suriname (2009), Suíça (2009), México (2011), Nigéria (2011), Panamá (2011), Honduras (2013), Grã-Bretanha e Irlanda do Norte (2013), Mercosul (2014), países de língua portuguesa (2016), Turquia (2017), Bélgica (2017) e Jordânia (2019). Acordos/tratados em tramitação: Angola (DL 287/2007), Alemanha (DL 589/2012), Líbano (DL 176/2017).
1ª/2006	Continuar esforços de intercambiar cooperação técnica com outros Estados sobre meios mais efetivos para combater a corrupção.	
4ª/2012	Implementar reformas no sistema de recursos judiciais ou outros mecanismos para agilizar a conclusão de processos judiciais e o início da execução da sentença.	Fev. 2016 o STF passa a admitir a execução da pena depois da decisão condenatória em segunda instância (Habeas Corpus 126.292).
4ª/2012	Garantir que o foro por prerrogativa de função não seja utilizado para que agentes políticos supostamente responsáveis por atos de corrupção se esquivem da Justiça.	Maio 2018: o STF passa a adotar interpretação restritiva das hipóteses de foro por prerrogativa de função (questão de ordem na Ação Penal 937).

Rodada/ano	Recomendações	Mudanças institucionais
4ª/2012	Agilizar o julgamento de atos de corrupção por meio da criação de órgãos especializados na matéria no Judiciário.	Maio 2003: o Conselho da Justiça Federal determina a especialização de varas federais criminais para julgar crimes contra o sistema financeiro e lavagem de ativos (Resolução 314/2003). Jun. 2006: o CJF inclui os crimes praticados por organizações criminosas na competência das varas especializadas em crimes financeiros (Resolução 517/2006). Dez. 2013: o CJF determina que, onde houver três ou mais varas com competência criminal exclusiva, ao menos duas deverão ser especializadas em crimes financeiros e organizações criminosas (Resolução 273/2013).
4ª/2012	Criar uma unidade de repressão a desvios de recursos públicos da Polícia Federal nos estados que ainda não disponham.	Jan. 2012: criação do Serviço de Repressão a Desvios de Recursos Públicos (Portaria MJ 2.877/2011).
4ª/2012	Criar na estrutura orgânica do Ministério Público Federal uma unidade especializada em atos de corrupção.	Abr. 2014: a Procuradoria-Geral da República reformula a 5ª Câmara de Revisão para atuar exclusivamente em temas de combate à corrupção (Resolução 148/2014). 2014: criação de núcleos de combate à corrupção nos estados. 2016: criação da área de recuperação de ativos na Secretaria de Cooperação Internacional do MPF. Nov. 2018: criação do Grupo Executivo para o Combate à Corrupção Transnacional do MPF (Portaria 927/2018).

Rodada/ano	Recomendações	Mudanças institucionais
		Nov. 2018: criação do Grupo de Apoio à Secretaria da Cooperação Internacional da PGR (Portaria 926/2018).
4ª/2012	Fortalecer a cooperação entre as corregedorias e o Ministério Público Federal para tornar mais efetivas ações penais envolvendo corrupção de servidores públicos.	Set. 2014: Protocolo de Cooperação Técnica entre o MPF e a CGU sobre troca de informações e ações integradas envolvendo corrupção de recursos federais.
4ª/2012	Aumentar a capacidade técnica e institucional do Departamento de Polícia Federal para investigar casos de corrupção.	Jan. 2012: criação do Serviço de Repressão a Desvios de Recursos Públicos, com delegacias especializadas em dezessete estados e no Distrito Federal (Portaria MJ 2.877/2011). Processo de renovação dos quadros da PF, com seu aparelhamento material e de recursos humanos (Arantes, 2011a; 2011b). Participação da PF no Programa Nacional de Capacitação e Treinamento para o Combate à Corrupção e à Lavagem de Dinheiro (PNLD), criado em 2004 e coordenado pelo Ministério da Justiça. 2011: lançamento da primeira edição do Manual de Investigação de Desvio de Recursos Públicos pela Polícia Federal.

Elaborado pela autora.

A análise dos aspectos internacionais relevantes para a construção do cenário no qual ocorreu a Operação Lava Jato não pode ignorar os instrumentos internacionais que envolvem a prevenção e a repressão ao crime de lavagem de dinheiro e aos crimes praticados por organizações criminosas.

A despeito de a Lava Jato ser identificada como uma operação de combate à corrupção, as ações penais que a integram em sua maioria referem-se a acusações de crimes de lavagem de dinheiro[8], e as principais ferramentas processuais utilizadas pelos atores da operação são referidas por eles mesmos a textos legais aplicáveis especificamente à lavagem de dinheiro e a crimes praticados por organizações criminosas. Os acordos de colaboração premiada, por exemplo, fazem menção à Lei 12.850/2013, que trata de organizações criminosas[9]. As inúmeras decisões judiciais de bloqueio do patrimônio dos investigados fazem menção à Lei 9.613/1998, que trata do crime de lavagem de dinheiro e também justifica o acesso da Polícia Federal e do Ministério Público Federal aos dados cadastrais privados de investigados que constam em bancos de dados da Justiça Eleitoral, empresas de telefonia, instituições financeiras, provedores de internet e administradoras de cartão de crédito.

O debate internacional sobre o combate ao crime organizado e à lavagem de dinheiro relaciona-se mais diretamente à prevenção e à repressão ao tráfico de drogas e ao terrorismo, por isso o histórico de desenvolvimento das tratativas e dos acordos internacionais não coincide com o movimento internacional cujo foco é a corrupção.

---

[8] Das 82 denúncias que compõem o banco de dados relativos ao núcleo da Lava Jato de Curitiba, apenas duas contêm acusação de corrupção sem lavagem de dinheiro, e, na quase totalidade das acusações simultâneas de corrupção e lavagem de dinheiro, o maior número refere-se a crimes de lavagem.
[9] A lei sobre organizações criminosas também serviu de fundamento para a realização de sete ações controladas pelo núcleo da força-tarefa que atua perante o Supremo Tribunal Federal nas investigações que envolvem a empresa JBS, uma delas divulgada pela mídia no célebre caso das malas com dinheiro rastreadas, transportadas pelo então deputado Rodrigo Rocha Loures (PMDB). *Consultor Jurídico*, São Paulo, 17 maio 2017. Disponível em: <https://www.conjur.com.br/2017-mai-17/novidade-lava-jato-acao-controlada-foi-reconhecida- stf>. Acesso em: 27 abr. 2019.

Merece destaque a adesão do Brasil à Convenção das Nações Unidas contra o Crime Organizado Transnacional, promulgada pelo Decreto 5.015/2004. O país assumiu o compromisso de adotar medidas para permitir o uso de técnicas especiais de investigação e incentivar investigados a cooperarem com as autoridades, além de empreender esforços para otimizar a cooperação internacional nas investigações desses crimes.

As duas convenções das Nações Unidas referidas, contra o crime organizado transnacional (Decreto 5.015/2004) e contra a corrupção (Decreto 5.687/2006), mencionam a possibilidade de os Estados considerarem a redução de pena daqueles que colaborarem para as investigações ou ações penais, ou mesmo a imunidade, nos casos de cooperação substancial.

Ao falar de lavagem de dinheiro, deve ser mencionado o Grupo de Ação Financeira (Gafi), órgão criado em 1989 no âmbito do G7 (grupo dos sete países mais ricos, na época), que declara ter como objetivo estabelecer padrões e promover a implementação de medidas legais, regulatórias e operacionais para combater a lavagem de dinheiro e o financiamento do terrorismo e proteger a integridade do sistema financeiro internacional.

A atuação do Gafi não é juridicamente vinculante (*hard law*), mas o órgão exerce forte influência e efetividade (*soft law*), num contexto de reconhecida internacionalização do Direito Penal, em que vêm ganhando relevância os instrumentos internacionais propostos por atores não estatais (Machado, 2004). Além das quarenta recomendações que constituem padrão internacional a ser adotado no combate à lavagem de dinheiro e ao financiamento do terrorismo, reconhecidas pelo Banco Mundial e pelo Fundo Monetário Internacional, o Gafi avalia periodicamente os países-membros no que diz respeito à implementação de medidas de prevenção e repressão a esses crimes.

O Brasil tornou-se membro do Gafi no ano 2000 e sujeitou-se a uma visita para avaliação em 2009, semelhante à que ocorre no âmbito do Mesicic. Depois de aplicar um extenso questionário, um grupo de avaliadores oriundos dos governos de outros países-membros verifica a efetividade do sistema de prevenção e repressão à lavagem de dinheiro, apontando deficiências e recomendando medidas a adotar. Entre as inúmeras medidas que integram o plano de ação recomendado ao Brasil em 2010, destacam-se:

- continuar a prestar suporte às varas federais especializadas e adotar outras medidas para garantir efetividade à aplicação final das penas, como mudança nas regras de prescrição;
- dar continuidade e ampliar o Programa Nacional de Capacitação para o Combate à Lavagem de Dinheiro a fim de assegurar que delegados, promotores e juízes federais e estaduais recebam treinamento para atuar em investigações e processos de lavagem de dinheiro;
- adotar medidas para harmonizar a abordagem do sistema judiciário, assegurando que ordens de quebra de sigilo bancário sejam concedidas quando se mostrar apropriado;
- estender recursos judiciais em locais com elevado volume de trabalho para assegurar celeridade em ordens judiciais de quebra de sigilo bancário;
- buscar formas de aprimorar a capacidade das instituições financeiras de atender a ordens judiciais, como a padronização do formato dos registros de clientes ou a exigência de consolidação de forma eletrônica;
- assegurar que relatórios do Conselho de Controle de Atividades Financeiras (Coaf) continuem a agregar valor às investigações e ações criminais;
- adotar medidas para assegurar que os órgãos de persecução penal ampliem o foco nas investigações envolvendo lavagem de dinheiro;
- continuar a adotar medidas para assegurar que a sobreposição de competências estaduais e federais não impeça a efetividade das investigações e a celeridade do sistema.

Além do Gafi, o Brasil participa do Grupo de Trabalho Anticorrupção criado em 2010 no âmbito do G20, integrado pelas dezenove maiores economias mundiais, mais a União Europeia. O grupo emite relatórios de monitoramento e recomendações para a implementação do Plano de Ação Anticorrupção, aprovado na cúpula de Seul em novembro de 2010 e atualizado a cada dois anos, reiterando sempre a importância do combate à corrupção para assegurar o desenvolvimento econômico e a redução da pobreza.

O estímulo que os atos internacionais mencionados promovem para a cooperação internacional refletiu-se na criação de redes de cooperação que visam facilitar o trabalho dos órgãos nacionais responsáveis pela prática dos atos de auxílio mútuo, inclusive com a formação de grupos de trabalho que buscam simplificar e padronizar os procedimentos. O Brasil integra seis dessas redes, duas delas voltadas à recuperação de ativos.

O histórico dos instrumentos internacionais mencionados materializa um processo de incremento de incentivos ao desenvolvimento, no país, de um arcabouço institucional voltado à busca de eficiência no combate à corrupção e à lavagem de dinheiro e ao estímulo à cooperação internacional.

Essa influência manifesta-se no resultado dos debates da Estratégia Nacional de Combate à Corrupção e à Lavagem de Dinheiro (Enccla). Criada em 2003, consiste numa rede de articulação que hoje conta com aproximadamente setenta órgãos e entidades, oriundos da sociedade civil, do Ministério Público e dos poderes Executivo, Legislativo e Judiciário, das esferas estadual e federal. Anualmente, são pactuadas metas ou ações, com indicação dos responsáveis pelas metas e dos coordenadores das ações, além dos órgãos envolvidos com a implementação.

Desde a primeira edição da Enccla, participaram integrantes da Polícia Federal, do Ministério Público e do Conselho da Justiça Federal, órgão central das atividades sistêmicas da Justiça Federal. No ano seguinte, em 2004, a Associação dos Juízes Federais no Brasil (Ajufe) passou a enviar um participante, o que é um indicativo do engajamento institucional da Justiça Federal em atividades de combate ao crime de lavagem de dinheiro e, por tabela, de corrupção.

Diversas metas e ações da Enccla fazem referência direta aos instrumentos de âmbito internacional mencionados aqui, o que sugere o envolvimento dos órgãos que a integram com a força normativa desses instrumentos. Entre 2004 e 2007, o grupo tratou da criminalização do enriquecimento ilícito prevista nas convenções da OEA e da ONU e engajou-se na celeridade da aprovação dos tratados internacionais, com reflexos no "combate à lavagem de dinheiro", e da convenção da ONU contra a corrupção, além da formação de um grupo de trabalho para acompanhamento da aprovação dos tratados já assinados. Também buscou a definição de "pessoas politicamente expostas", em atenção à convenção da ONU sobre corrupção e à recomendação do Gafi, além da ampliação dos prazos de prescrição penal, prevista nas convenções da ONU sobre corrupção e crimes transnacionais. Ao lado das metas, também foi formalizada recomendação a todos os órgãos da Enccla para promover a divulgação das três convenções sobre corrupção (OEA, ONU e OCDE).

A referência a instrumentos internacionais continuou nas plenárias da Enccla desde 2010, o que se evidencia na preocupação em introduzir novos crimes em situações previstas nos tratados, bem como no engajamento no aprimoramento do combate ao suborno internacional e com as mudanças na legislação sobre prescrição penal em resposta ao relatório do Gafi.

Parece razoável supor, ainda, que a contínua reiteração do discurso da importância do combate à corrupção reverbere no interior do sistema de Justiça por meio da construção de missões institucionais convergentes a esse ideário, inclusive no Poder Judiciário. O uso recorrente da expressão "combate ao crime" dentro do Judiciário sugere um processo de redefinição de papéis da instituição no processo penal, mais alinhados aos órgãos que não têm a missão institucional de atuar imparcialmente nas investigações e ações criminais, como Polícia Federal e Ministério Público Federal. Essa hipótese é reforçada pelo resultado das duas grandes pesquisas sobre o perfil da magistratura nacional mencionadas anteriormente.

DIMENSÃO LEGISLATIVA

A corrupção que envolve escalões mais elevados da política ou cifras mais expressivas vem acompanhada de atos sofisticados que permitem a introdução, na economia formal, das vantagens econômicas com ela obtidas. Esses atos, que a ordem jurídica criminaliza como lavagem de dinheiro, são praticados não apenas para permitir o uso dos recursos sem despertar suspeitas sobre sua origem, mas também para evitar a identificação das pessoas neles envolvidas.

Além disso, quando a prática dos atos de corrupção e lavagem de dinheiro envolve várias pessoas, os atores encarregados das investigações criminais por vezes adotam linhas de investigação que pressupõem que os investigados integram uma estrutura organizada, com divisão de tarefas entre eles. E basta esse pressuposto para presumir a existência de organização criminosa, o que permite o uso das ferramentas previstas na legislação que trata do crime organizado.

A importância dos temas lavagem de dinheiro e organizações criminosas para a Operação Lava Jato remete a um histórico de mudanças na legislação ocorridas a partir de 2003, que puseram à disposição dos operadores do sistema de justiça criminal diversos instrumentos convergentes com a busca da efetividade da punição da corrupção envolvendo grandes empresários e atores políticos de médio e alto escalão. As principais mudanças abarcam os seguintes aspectos: rigor na punição, celeridade e ferramentas processuais.

Previsões mais rigorosas na punição

As inovações na legislação ocorridas a partir do ano 2000 imprimiram maior rigor na punição dos três principais crimes que seriam objeto da Operação Lava Jato: corrupção, lavagem de dinheiro e participação em organização criminosa.

Os contornos legais dos crimes de corrupção ativa e passiva são os mesmos, no Código Penal, desde 1940, mas duas modificações, realizadas em 2003, agravaram a punição a esses crimes. Além do aumento significativo do patamar da pena mínima e da máxima, que pularam de um a oito anos para dois a doze anos, a progressão de regime[10] passou a ser condicionada à reparação do dano causado ou à devolução da propina. A medida configura um relevante mecanismo de constrangimento aos condenados por crime de corrupção, em especial porque, desde 2008, há previsão de fixação de valor de dano mínimo na sentença condenatória da justiça criminal. Como será tratado no segundo capítulo, quase todas as sentenças condenatórias da Lava Jato contêm previsão sobre dever de indenização, e os valores estão longe de parecer irrisórios a qualquer condenado. O valor mínimo de indenização fixado na primeira condenação dos executivos da Odebrecht, por exemplo, foi da ordem de 240 milhões de reais.

A lavagem de dinheiro recebe punição no Brasil desde 1998, mas ocorreu um recrudescimento desde 2012, quando foi suprimida a limitação relativa a possíveis infrações antecedentes à lavagem, medida recomendada pela Convenção das Nações Unidas contra o Crime Organizado Transnacional (Decreto 5.015/2004).

Essa mudança não produz efeitos diretos na Operação Lava Jato, pois a listagem inicial prevista na legislação incluía crimes contra o sistema financeiro e contra a administração pública, rubricas que abrangem os crimes antecedentes nas ações penais da Lava Jato: peculato, corrupção, fraude em licitações, gestão fraudulenta. A mudança legislativa não representa recrudescimento na punição da lavagem de dinheiro relacionada à corrupção política; antes, soma-se ao processo de elaboração de medidas institucionais destinadas a permitir maior eficiência na punição dos comportamentos voltados à fruição de bens obtidos de forma ilícita.

Os vínculos associativos entre pessoas construídos com a finalidade de cometer crimes, conhecidos como quadrilhas ou bandos, encontram punição na redação original do Código Penal de 1940.

---

[10] A pena privativa de liberdade é caracterizada pelo tempo de encarceramento e pelo regime inicial de seu cumprimento, que pode ser fechado, semiaberto ou aberto, regimes que se diferenciam pelo tipo de estabelecimento onde deve ser cumprida a pena e pelo rigor imposto ao preso. As penas são cumpridas de forma progressiva, permitindo-se a transferência a regime menos gravoso, o que depende do mérito do condenado e do cumprimento de uma fração da pena no regime mais gravoso. Cf. artigos 33 a 36 do Código Penal e artigos 110 a 119 da Lei de Execuções Penais.

Como mencionado anteriormente, há um movimento internacional de fortalecimento do compromisso dos países de se envolverem no combate ao crime organizado. Esse movimento teve influência na produção legislativa brasileira, que passou por um processo de construção do conceito de organização criminosa e de punição das pessoas que a integram ou financiam.

Ocorreram discussões entre operadores e acadêmicos do Direito sobre o momento em que passou a ser possível a punição por integrar organização criminosa. A criação específica do crime só surgiu com a Lei 12.850/2013, mas há relativo consenso no que diz respeito à aplicabilidade da definição introduzida pela Lei 12.694/2012, ao menos para fins processuais (formação de colegiado de juízes)[11]. Além de definir claramente o novo crime, a lei de 2013 ampliou a possibilidade de criminalização das associações criminosas (quadrilha/bando), que não são estruturadas com a mesma sofisticação das organizações criminosas. O crime de quadrilha/bando, assim considerado se formado por pelo menos quatro membros, passou a ser chamado "associação criminosa", constituída por três ou mais integrantes.

Todas essas mudanças são relevantes para a Operação Lava Jato. Muitas decisões reconhecem a manutenção dos vínculos criminosos associativos depois do início de vigência da Lei 12.850/2013, o que tem justificado sua aplicação, inclusive com pena mais elevada (três a oito anos) do que a prevista para o crime de associação criminosa (um a três anos).

Além disso, a ampliação da possibilidade de criminalização autônoma dos vínculos associativos entre pessoas acusadas da prática de outros crimes pode produzir efeitos relevantes nas investigações e ações criminais. Nos casos que envolvem delitos com pena mínima de até um ano, como o caixa dois em financiamento eleitoral[12], existe a possibilidade de acordo entre os acusados e o

---

[11] Para um sucinto histórico da discussão jurídica acerca da legislação sobre organizações criminosas, recomenda-se Cunha e Pinto (2014).
[12] Entende-se como caixa dois, no financiamento eleitoral, o uso de recursos não declarados na prestação de contas exigida pela legislação eleitoral, conduta que não está prevista nes-

Ministério Público para suspender o trâmite processual durante um período de prova em que os acusados estarão sujeitos ao cumprimento de determinadas condições acordadas entre as partes[13]. Esse benefício deixa de ser possível, no entanto, se, além do crime de baixa gravidade, há acusação simultânea da existência de associação ou organização criminosa.

Pode-se cogitar, ainda, a hipótese de uma investigação federal para apurar crimes de desvio de recursos públicos ou movimentações bancárias com suspeita de lavagem de dinheiro, como ocorre nos casos iniciados a partir de Relatórios de Inteligência Financeira (RIFs) produzidos pelo Coaf. Se o juiz federal reconhecer indícios de organização criminosa, os órgãos de investigação contarão com medidas especiais, como infiltração de agentes policiais, captação ambiental de conversas privadas, ação controlada e colaboração premiada. Além disso, é possível supor que aumentam os danos à reputação de integrantes da classe política e do alto empresariado ao se divulgar que estão sendo investigados por participação em organização criminosa.

O uso estratégico do crime de quadrilha pela Procuradoria-Geral da República e pelo Supremo Tribunal Federal foi abordado por Arantes (2018) em análise do julgamento da Ação Penal 470 (Mensalão). Depois do estudo detalhado e sistematizado dos votos e do resultado do julgamento, o autor concluiu que o crime de quadrilha permitiu a estruturação da denúncia e a articulação dos demais crimes. Estes só ganharam inteligibilidade à luz da tese principal de formação de uma organização criminosa destinada a cometer um crime politicamente orientado, mas o resultado aproximou o Mensalão de um "crime sem autor", pois todos foram absolvidos da acusação de quadrilha.

---

ses moldes em nenhum crime específico, mas que o sistema de Justiça qualifica como crime de falsidade documental, previsto no artigo 350 do Código Eleitoral. Para conhecer mais amplamente as principais diferenças entre corrupção, caixa dois e lavagem de dinheiro no financiamento eleitoral, recomenda-se Leite e Teixeira (2017).

[13] O benefício se chama "suspensão condicional do processo" e é regulado no artigo 89 da Lei 9.099/1995.

Se houver muita flexibilidade no reconhecimento de organização criminosa, cogitando-se a ocorrência desse crime, poderão ser utilizadas medidas de investigação que constam na legislação sobre crime organizado numa operação de combate à corrupção ou para contornar as baixas penas previstas para os crimes eleitorais. Num contexto de voluntarismo dos atores do sistema de Justiça, aumenta a relevância dos estudos sobre o uso estratégico da legislação que trata de organizações criminosas por esses atores.

O maior rigor na punição também se verifica em algumas mudanças relativas à prescrição, tema central em quase todos os debates sobre impunidade da corrupção política.

A primeira modificação ocorreu em 2007, quando foi expressamente incluído o acórdão condenatório como marco de interrupção da contagem do prazo prescricional. As regras sobre prescrição trazem detalhes que dificultam sua compreensão até mesmo para o operador do Direito. A relevância da mudança legislativa pode ser mais bem avaliada ao se considerar que, antes dela, o prazo prescricional que estava em curso, desde o recebimento da denúncia pelo juiz de primeira instância, continuava a correr até o julgamento do último recurso pelos tribunais superiores, quando a sentença fosse de absolvição. Nesse caso, se o recurso do Ministério Público fosse acolhido pelo tribunal de segunda instância, a lei não previa que esse acórdão condenatório permitisse reiniciar a contagem do prazo, efeito que era e continua a ser produzido pela sentença condenatória do juiz de primeira instância[14].

A previsão expressa de recomeço da contagem do prazo elimina quaisquer dúvidas sobre a possibilidade de estender a duração do processo na fase dos recursos, ou seja, reduz os casos de prescrição em função da demora nos julgamentos dos recursos em casos de absolvição na primeira instância.

---

[14] Essa rápida explicação não conseguiria esgotar as discussões sobre o novo marco de interrupção da prescrição, pois seu regramento tem diversas peculiaridades e há divergências entre os operadores do Direito quanto à diferença entre "acórdão condenatório" e "acórdão confirmatório de condenação", além da existência de jurisprudência que já reconhecia a interrupção da prescrição pelo acórdão condenatório que reforma a sentença absolutória.

Em 2010 foram efetuadas duas modificações nas regras de prescrição, objetivando reduzir sua ocorrência. A primeira aumentou o prazo prescricional de dois para três anos nos casos de crimes de baixa gravidade (pena máxima inferior a um ano), mas não teve repercussão na prevenção e repressão aos crimes envolvidos com a corrupção, cujas penas são muito superiores a um ano. Já no caso da outra mudança, operada pela Lei 12.234/2010, há relevante repercussão.

A legislação excluiu a possibilidade de reconhecimento de uma das hipóteses da denominada "prescrição retroativa" no que se refere ao período que antecede o primeiro marco interruptivo da contagem do prazo (recebimento da denúncia). Compreender essa mudança exige uma explicação, mesmo que sucinta, sobre a forma como são contados os prazos para reconhecimento da prescrição.

A suposição geral, em relação à prescrição numa ação penal, é que, ocorrido um crime, os órgãos do Estado devem identificar e comprovar a culpa dos responsáveis em determinado prazo estabelecido na legislação. A complexidade na análise da prescrição decorre do seu regramento, que estabelece diversos prazos e vários marcos de contagem desses prazos, além de prever uma recontagem quando não há mais a possibilidade de aumento da pena em recursos futuros, o que ocorre quando o processo não se encerrou porque resta apenas recurso da defesa a analisar.

Talvez o modo mais simples de entender a mudança operada na legislação em 2010 e seus possíveis efeitos na contagem da prescrição seja através de um caso hipotético. Vamos supor que um servidor público federal, no dia 10 de junho de 2010, tenha recebido uma vantagem ilícita de um particular em troca do cancelamento de uma multa administrativa. A conduta do servidor pode ser punida como crime de corrupção passiva, que prevê pena de dois a doze anos de reclusão. Nesse caso, serão necessárias duas contagens diferentes, uma que leve em conta essa pena máxima de doze anos e outra que considere a pena efetivamente aplicada pelo Judiciário. No nosso exemplo hipotético, vamos supor que a denúncia tenha sido recebida em 10 de julho de 2015, que o juiz federal condenou o servidor à pena de dois anos no dia 10 de agosto de 2018, e que o recurso extraordinário da defesa se encontra em tramitação no Supremo Tribunal Federal.

A pena máxima de doze anos é o parâmetro inicial para verificação do prazo prescricional (prescrição em abstrato), facilmente identificado na tabela geral de prazos, que varia de três a vinte anos. No nosso caso hipotético, uma pena de doze anos conduz a um prazo prescricional de dezesseis anos, lapso temporal que deverá ser respeitado nos três intervalos delimitados na lei pelos marcos de interrupção.

Isso significa que haverá prescrição se decorrerem mais de dezesseis anos em algum dos seguintes intervalos: entre o recebimento da vantagem ilícita e a decisão judicial que recebe a denúncia do Ministério Público; entre o recebimento da denúncia e a primeira decisão condenatória; entre a primeira decisão condenatória e o julgamento do último recurso pelo Judiciário. Até aqui parece indefensável qualquer argumento de que a prescrição constitui um óbice à punição da corrupção, em especial na fase recursal, pois nada justifica que o julgamento de todos os recursos demore mais de dezesseis anos.

A questão se torna mais delicada na segunda contagem, que deve ser realizada depois de proferida uma decisão condenatória, e a pena nela fixada não poderá mais ser aumentada na fase de recursos, o que ocorre nos casos em que pende apenas recurso da defesa.

No nosso exemplo, como o servidor público foi condenado pelo juiz federal à pena de dois anos, mantida pelo Tribunal Regional Federal, o prazo prescricional para a segunda contagem (prescrição em concreto) é de quatro anos, extraído da mesma tabela geral de prazos. Se até então era possível o decurso de até dezesseis anos em cada um dos três intervalos referidos, agora estes não podem superar o novo prazo prescricional de quatro anos. Ou seja, nessa segunda contagem, será preciso reconhecer a ocorrência da prescrição, pois esse prazo foi superado no primeiro intervalo a ser analisado (passaram-se mais de cinco anos entre o recebimento da vantagem ilícita e o recebimento da denúncia pela Justiça).

Essa grande diferença nos prazos a se utilizar em cada uma das contagens (dezesseis anos pela pena em abstrato e quatro anos pela pena em concreto) é uma das explicações para casos que ficam anos em tramitação no Judiciário até que se afirme a ocorrência de prescrição.

Surge, então, um questionamento: esse quadro legislativo permite inferir que, nos casos de corrupção envolvendo grandes empresários e políticos de médio e alto escalão, as defesas são particularmente responsáveis pela impunidade, por fazerem uso abusivo de recursos? Uma resposta a essa questão dependeria de uma pesquisa empírica que abrangesse amplo leque de casos e explorasse em detalhes como se opera o reconhecimento da prescrição nos casos de corrupção, inclusive com identificação do intervalo no qual foi superado o prazo prescricional.

Muitas críticas ao regime de prescrição são baseadas em exemplos casuísticos selecionados para confirmar a tese defendida pelo seu interlocutor. A pesquisa mais abrangente sobre a incidência da prescrição nas ações penais foi realizada pelo Núcleo de Estudos de Políticas Públicas da USP e pela Associação Brasileira de Jurimetria e envolveu a análise de ações criminais sobre corrupção na Justiça Estadual e Federal de primeiro e segundo graus em Alagoas, Rio de Janeiro, São Paulo e Distrito Federal. O estudo revelou um cenário de baixa impunidade, ao identificar taxas de prescrição inferiores a 10%, diagnóstico que vai de encontro a recorrentes argumentos que apontam a prescrição como causa relevante de impunidade. Por outro lado, a pesquisa não faz menção à prescrição calculada pela pena em concreto, talvez mais relevante do que a prescrição calculada pela pena em abstrato, nem especifica o lapso de contagem em que se verificou a prescrição, questão relevante para identificar os gargalos dentro do fluxo processual (Conselho Nacional de Justiça, 2019). De qualquer forma, a amplitude da pesquisa já desautoriza alguns diagnósticos precipitados que tratam a impunidade e imputam a responsabilidade pela ocorrência da prescrição ao sistema recursal e às defesas dos réus.

Dois pontos podem ser acrescentados a esse debate. Em primeiro lugar, a recontagem com base na pena fixada pode justificar o fato de que o decurso do prazo aconteça na fase de investigação ou na fase judicial que antecede a primeira decisão condenatória, o que não tem relação direta com os alegados casos de uso abusivo de recursos nos tribunais superiores. O segundo ponto parte do pressuposto de que a condenação de políticos de médio e alto escalão ou de grandes empresários pela prática de corrupção dificilmente resulta em fixação da pena mínima, seja pela elevada posição social dos envolvidos, seja pelas altas cifras de recursos implicadas.

Qualquer pena acima do mínimo legal já resulta em prazo prescricional de no mínimo oito anos, que deve ser aplicado para cada um dos três intervalos de contagem mencionados. Ou seja, no caso de um ato grave de corrupção, se houver condenação pela primeira instância, os tribunais terão oito anos para julgar a apelação, os eventuais embargos infringentes, o recurso especial (REsp) e o recurso extraordinário (RE), que não demandam produção de prova oral. Caso a primeira condenação tenha ocorrido no julgamento de apelação unânime, sobram oito anos para julgamento do recurso especial e do extraordinário. Se as três instâncias recursais do Judiciário não conseguem julgar três recursos no longo período de oito anos, parece pouco razoável o argumento de que a legislação relativa à prescrição é a causa da impunidade.

Ainda que se reconheça que há desvirtuamento das funções dos tribunais superiores quando eles se tornam mais uma instância de análise de casos criminais, o que se pretende destacar é a carência de pesquisas e discussões sobre a qualidade das decisões judiciais. O eventual uso de todas as possibilidades recursais seria plenamente justificado para evitar a perpetuação de erros judiciais decorrentes do mau funcionamento das instâncias ordinárias da justiça penal[15].

---

[15] A hipótese de que erros judiciais podem ser causa relevante do uso legítimo de sucessivos recursos pelas partes não é fácil de ser testada, pois demanda análise da qualidade dos julgamentos em número expressivo de casos, o que não se limita à mera aferição dos índices de revisão na fase recursal, já que as mesmas deficiências geradoras de erros judiciais podem estar presentes nos tribunais. A plausibilidade dessa hipótese decorre de algumas evidências de fácil rastreio, como: a existência de súmulas que repetem os textos legais, o que sugere que as instâncias inferiores simplesmente ignoram o texto das leis (exemplo: súmula

Por fim, a segunda modificação promovida pela Lei 10.234/2010 refere-se a um aspecto específico da segunda contagem da prescrição (que leva em consideração a pena de dois anos, no nosso exemplo), pois excluiu a possibilidade de reconhecê-la no intervalo de tempo entre o recebimento da vantagem ilícita e o da denúncia. A prescrição deixa de ser reconhecida no nosso caso hipotético, porque a fase de investigações poderia durar até dezesseis anos (prazo considerado pela pena em abstrato).

Busca de celeridade processual

O segundo grupo de mudanças legislativas objetivou maior presteza na tramitação das investigações e ações criminais, o que abrange desde mudanças no rito dessas ações até a especialização de órgãos do Poder Executivo que exercem atividades diretamente ligadas à área criminal e tornam mais ágil a produção de provas. Em relação a este último aspecto, dois órgãos merecem destaque quando se pensa em prevenção e repressão à corrupção de médio e alto escalão, pois é esperado que esteja associada à lavagem de dinheiro: o Coaf e o Departamento de Recuperação de Ativos e Cooperação Jurídica Internacional (DRCI).

O Coaf existe desde 1998 e, entre suas missões, inclui-se a produção de Relatórios de Inteligência Financeira (RIFs), que são disponibilizados a diversos órgãos da rede nacional de *accountability* e compilam dados financeiros relevantes oriundos de comunicações feitas por diversas entidades, públicas e privadas. Essas entidades atuam em setores econômicos que costumam ser utilizados na lavagem de dinheiro e, por essa razão, têm o dever legal de contribuir para o combate a esse crime e ao financiamen-

---

492 do STJ *versus* artigo 122 do Estatuto da Criança e do Adolescente – vedação da internação de menor infrator pelo único argumento de que se trata de ato infracional análogo ao tráfico de drogas); o elevado volume de apelações criminais julgadas em sessões em que não há debate entre os desembargadores e o voto escrito é apenas do relator, cenário que sugere a possibilidade de inexistir real enfrentamento de todos os argumentos das defesas e do conteúdo e valoração das provas.

to do terrorismo, por meio da identificação dos clientes, da manutenção de registros e da comunicação ao Coaf de operações financeiras suspeitas.

Cabe aqui uma breve explicação sobre o conceito de *accountability*, que diz respeito à capacidade de garantir que agentes públicos prestem contas de suas condutas, justifiquem e informem as decisões tomadas, além da possibilidade de punição por desvios. Um dos quadros teóricos mais difundidos sobre *accountability* foi proposto por O'Donnell (1998), que usa como referência o lugar ocupado pelos atores que participam do processo. O autor considera as eleições como a principal ferramenta do que se denomina *accountability* vertical, por meio da qual os ocupantes de cargos públicos eletivos são punidos ou premiados pelos cidadãos, como reflexo das preferências do eleitorado nas escolhas governamentais. O desenho das democracias também costuma prever uma rede de agências intraestatais que operam por meio de controles mútuos, decorrente do sistema de *checks and balances* (freios e contrapesos) da separação de poderes, denominado *accountability* horizontal. Para o autor, sua finalidade é assegurar que a atuação dos agentes públicos se dê em conformidade com o marco constitucional e legal, inclusive para evitar que governos eleitos por maiorias de ocasião modifiquem as regras de funcionamento da democracia. A efetividade da dimensão horizontal do *accountability* em geral depende da difusão e coordenação entre várias agências (*web accountability institutions*) que tenham incentivos adequados para a construção da autonomia institucional, além da participação ativa do setor privado e da sociedade.

A despeito da sua enxuta estrutura administrativa, que contava com cerca de quarenta servidores até o fim de 2018, o Coaf contribui de forma muito relevante para a produção de provas em investigações criminais. Produz RIFs que fornecem dados compilados reveladores da conexão entre pessoas físicas e jurídicas envolvidas em movimentações financeiras atípicas ou suspeitas. Esses relatórios podem ser enviados espontaneamente pelo órgão às autoridades competentes, quando as análises de inteligência financeira apontam indícios de lavagem de dinheiro ou outros crimes, ou a pedido das autoridades, para intercâmbio de informações.

Os relatórios anuais de atividades disponibilizados pelo Coaf trazem dados sobre a quantidade de RIFs produzidos anualmente e sobre o intercâmbio de informações com autoridades policiais e o Ministério Público, que responderam por 75% do total de intercâmbios realizados pelo Conselho em 2017. O relatório de atividades de 2003 destaca a atuação coordenada do Coaf, da Polícia Federal, do Ministério Público Federal e "da própria Justiça" em "operações inéditas que permitiram o bloqueio judicial, no momento de seu saque, de recursos com origem ou destinação ilegal". Entre 2003 e 2017, foram 11.779 atos de intercâmbio de informações com a Polícia Federal, cifra bem superior aos 4.275 atos de intercâmbio com todas as polícias civis do país. O número de RIFs produzidos vem aumentando desde 2010: foram 1.149 naquele ano, e 7.350 em 2018.

Esses dados evidenciam a importância dos RIFs na instrução das investigações e ações criminais, em especial nos casos que envolvem corrupção de médio e alto escalão, que pela sua própria natureza implicam algum tipo de movimentação de recursos financeiros. A relevância desses relatórios nas investigações criminais talvez seja um dos motivos da disputa política em relação à estrutura ministerial que o Coaf deve integrar. A disputa não se explica pela minúscula estrutura de cargos comissionados do órgão, que não atua diretamente em áreas de geração ou arrecadação de recursos públicos, nem de implementação de políticas públicas com visibilidade eleitoral.

O segundo órgão do Poder Executivo que tem grande relevância na ágil produção de provas em investigações e ações criminais, o DRCI, foi criado em 2004, no âmbito do Ministério da Justiça. Entre as suas principais funções, ele responde pela articulação dos órgãos envolvidos com o combate à lavagem de dinheiro e à criminalidade organizada transnacional, com destaque para a recuperação de ativos e os atos de cooperação jurídica internacional. O órgão exerce a função de autoridade central em quase todos os acordos e tratados de cooperação internacional subscritos pelo Brasil[16].

O DRCI faz a intermediação com outros países na cooperação internacional direta, que pode ser usada em diversos atos materiais de interesse da polícia judiciária e do Ministério Público, como: intimações e coleta de depoimentos de pessoas residentes no exterior; busca e apreensão de provas; quebra de sigilo bancário e fiscal; prisão de investigados e condenados; bloqueio provisório para posterior repatriação de recursos mantidos no exterior com suspeita de origem ilícita, entre outros. Esses atos são muito importantes para a produção de provas de ocorrência de crimes e contribuem para a eficácia de decisões judiciais voltadas a assegurar a indenização dos danos pela conduta criminosa, além de impedir que o autor do crime usufrua de suas vantagens econômicas.

Vale mencionar, ainda, que o DRCI coordena o Programa Nacional de Capacitação e Treinamento para o Combate à Corrupção e à Lavagem de Dinheiro (PNLD), concebido em 2004 com o objetivo de capacitar agentes públicos envolvidos com a prevenção e repressão a esses crimes. O órgão também coordena o Programa Nacional de Difusão da Cooperação Jurídica Internacional – Grotius Brasil, lançado em 2009, que tem por objetivo disseminar e aprimorar o uso da cooperação internacional no país, por meio da capacitação de agentes e do fomento à pesquisa e publicação de obras e estudos. Essas atividades de capacitação incluem cursos promovidos nas diversas escolas de magistrados, o que pode habilitar os atores do sistema de Justiça a operar com mais agilidade os requerimentos de cooperação internacional.

Os relatórios de indicadores estatísticos do DRCI exibem curva de tendência ascendente no número de pedidos de cooperação jurídica internacional em matéria penal: os 780 pedidos em 2004

---

[16] Os acordos e tratados internacionais de cooperação preveem que o Ministério da Justiça ocupe o papel de autoridade central brasileira, mas essa função é exercida pelo Departamento de Estrangeiros nos pedidos de extradição e transferência de pessoas condenadas, e pelo DRCI nos demais casos. Há duas exceções na cooperação em matéria penal, que preveem a Procuradoria-Geral da República como autoridade central: tratados bilaterais com Portugal (Decreto 1.320/1994) e Canadá (Decreto 6.747/2009).

passaram para 2.439 em 2018, números que incluem tanto pedidos feitos pelo Brasil como por países estrangeiros. Os relatórios também trazem dados sobre valores repatriados por meio de cooperação internacional, com destaque para onze casos criminais, nove deles em tramitação na Justiça Federal: Material Paleontológico, 2013 (US$ 292,83 – JF/CE); Mensalão, 2016 (US$ 15.733,45 – STF); Lucy, 2015 (US$ 350.000 – JF/RR); Farol da Colina, 2007 (US$ 1.600.000 – JF/PR); repatriação de veículos da Bolívia, 2014 (US$ 2.000.000 – PF); Banestado, 2009 e 2019 (US$ 2.316.257,71 – JF/PR); Tribunal Regional do Trabalho, SP, 2013 (US$ 4.840.000 – JF/SP); Banco Santos, 2010, 2014, 2015 e 2017 (US$ 30.900.000 – JF/SP); Anaconda, 2015 (US$ 19.368.000 – JF/SP); SBM/Petrobras, 2016 (US$ 54.000.000 – JF/RJ) e Lava Jato, 2015, 2017 e 2018 (US$ 175.825.139,66).

Esses dados sugerem que a criação e a estruturação do DRCI, somadas à assinatura de diversos acordos e tratados de cooperação internacional, constituem relevante elemento institucional que poderá permitir maior celeridade nas investigações e ações criminais, pois a cooperação direta dispensa o mais burocrático e longo procedimento das cartas rogatórias[17].

Algumas mudanças na legislação relativas a ritos das ações criminais, ocorridas a partir de 2008, também convergem para reduzir o tempo de duração dos processos.

A remodelação da forma de tramitação das ações criminais na primeira instância, promovida pela Lei 11.719/2008, contribui claramente para isso. Em paralelo com modificações que reafirmam a garantia constitucional de ampla defesa, como a transferência do interrogatório do réu do primeiro para o último ato da audiência, o que permite conhecer todas as provas antes de ele oferecer sua versão dos fatos, a lei previu a realização de uma única audiência para produção da prova oral.

---

[17] Carta rogatória é o "instrumento pelo qual uma autoridade judicial de um país solicita a uma de outro o cumprimento de uma diligência como citação, interrogatório de testemunhas e prestação de informações. A rogatória, em regra, deve ser remetida por via diplomática" (Superior Tribunal de Justiça, 2016).

Essa audiência única concentra os depoimentos de vítimas e testemunhas, os esclarecimentos de peritos e o interrogatório dos réus, além de nela serem feitas as últimas alegações do Ministério Público e da defesa, nos casos sem complexidade, e ser proferida a sentença do juiz.

A busca por maior celeridade também se evidencia na previsão de registro audiovisual das audiências, pois suprime o tempo necessário para transposição em texto do conteúdo dos depoimentos, além de assegurar melhor qualidade da prova, pois permite a fidelidade das informações e o registro da linguagem corporal de quem faz o relato.

O passo seguinte veio com a Lei 11.900/2009, que autorizou o uso de videoconferência para depoimentos de testemunhas residentes em outros municípios e dificultou a indicação de testemunhas residentes no exterior[18], ao exigir do interessado que demonstre a imprescindibilidade do seu depoimento.

As videoconferências talvez não reduzam o tempo necessário para formalização do ato de cooperação entre os dois órgãos da Justiça envolvidos, já que persiste a necessidade de expedição de carta precatória[19] para intimação da pessoa a ser ouvida e para a realização dos atos materiais que viabilizam o depoimento. Por outro lado, parece razoável esperar uma redução da duração do processo, pois a videoconferência possibilita o imediato conhecimento do relato da testemunha ao membro do Ministério Público e ao juiz responsáveis pelo caso, que conhecem, ou deveriam conhecer, o conteúdo da ação penal, permitindo que façam questionamentos de forma mais eficiente.

A importância da videoconferência para a maior brevidade dos procedimentos criminais foi reconhecida em *workshop* realizado

---

[18] Destaque-se que, em 1985, o Conselho da Justiça Federal editou o provimento 276, com determinação para que fosse evitada, durante as audiências, a presença de câmeras fotográficas, equipamentos de radiotransmissão, gravadores ou outras formas de captação sonora (Freitas, 2004).

[19] Carta precatória é o instrumento pelo qual um órgão do Judiciário solicita a outro (de categoria igual ou superior à sua) a prática de ato processual nos limites do território onde atua o órgão requerido (Superior Tribunal de Justiça, 2016).

em 2014 no âmbito do Grotius (cooperação internacional nas fronteiras), no qual foi sugerido o seu fomento nas cooperações internacionais, para agilizar e simplificar o cumprimento das medidas.

Diante das características das ações criminais que envolvem corrupção política e do alto empresariado, pode-se dizer que apenas algumas das mudanças procedimentais descritas poderiam reduzir a duração das ações penais. Espera-se que essas ações se tornem mais complexas e contem com pluralidade de réus, o que já exclui a desejada audiência única descrita no texto legal, em especial porque foi mantida a possibilidade de indicação de até oito testemunhas por réu[20].

A celeridade nas ações da Lava Jato nem de longe é explicada por essa mudança de rito, como será abordado no segundo capítulo. Já o uso da videoconferência certamente pode influenciar no ritmo de tramitação de ações criminais complexas, pois concede ao juiz da causa grande domínio na definição da pauta de audiência. As restrições ao uso da carta rogatória também são especialmente relevantes nos casos mais complexos de corrupção, pois desestimulam a indicação de testemunhas residentes no exterior que não têm conhecimento sobre os fatos, o que às vezes pode ser feito com a única finalidade de protelar o encerramento da ação penal.

Aprimoramento de ferramentas processuais

Diversas mudanças legislativas ocorridas a partir dos anos 2000 introduziram novas ferramentas processuais, além de aprimorar aquelas já existentes. Medidas como captação e interceptação ambiental, ação controlada e infiltração de agentes policiais são previstas na ordem jurídica brasileira ao menos desde 1995, quando entrou em vigor a lei que trata da investigação envolvendo crimes praticados por quadrilhas ou organizações criminosas.

---

[20] Diversos julgados dos tribunais superiores afirmam que as partes podem indicar até oito testemunhas por fato, o que pode resultar em ações com elevado número de testemunhas a serem ouvidas. A título de exemplo, o próprio Ministério Público indicou 39 testemunhas na ação penal relativa ao célebre caso do sítio de Atibaia, e a denúncia relaciona treze réus, entre eles o ex-presidente Lula.

A interceptação telefônica foi regulada pelo parlamento em 1996 e, desde então, vem sendo muito utilizada nas investigações criminais. O uso intenso da medida, vulgarmente conhecida como "grampo telefônico", chegou a gerar ruídos institucionais: críticos apontavam abusos e descontrole nas decisões judiciais que autorizavam essa medida invasiva. A suspeita de que ministros do Supremo Tribunal Federal teriam sido vítimas de grampos ilegais levou à instalação de uma CPI na Câmara dos Deputados, em 2007, que apontou diversos problemas no deferimento e na execução das interceptações, além de identificar elevado número de grampos telefônicos em andamento no país.

O sistema de Justiça respondeu às críticas por meio da edição de resoluções do Conselho Nacional de Justiça (Resolução 59/2008) e do Conselho Nacional do Ministério Público (Resolução 36/2009) que detalharam os procedimentos a adotar nas interceptações e criaram um sistema de estatística para monitorar o uso da medida pelo Ministério Público e pelo Judiciário. A despeito do minucioso e consolidado regramento relativo à interceptação telefônica, veremos no próximo capítulo que isso não impediu a Lava Jato de ser alvo de críticas que apontavam abusos no uso da medida.

A legislação sobre lavagem de dinheiro (de 2012) e organizações criminosas (de 2013) passou a autorizar que o delegado de polícia e o Ministério Público tenham acesso direto a dados cadastrais dos investigados existentes em bancos de dados da Justiça Eleitoral, empresas telefônicas, instituições financeiras, provedores de internet e administradoras de cartão de crédito, independentemente de autorização judicial. Nas investigações que envolvem organizações criminosas, também foi incluída a autorização para acesso direto aos bancos de dados de reserva e registro de viagens mantidos por empresas de transporte. Essas mudanças conferem agilidade à fase de investigação, ao tornar desnecessário o pedido judicial, além de evitar questionamentos sobre a licitude de pedidos diretos que eram objeto de discussão nos tribunais superiores.

As medidas judiciais voltadas ao bloqueio de bens e valores envolvidos na prática de crimes que geram proveito econômico ou produzem danos a terceiros estão previstas na legislação brasileira ao menos desde o início dos anos 1940, mas algumas mudanças ocorridas em 2012 e 2013 tornaram essas medidas mais amplas, num claro movimento voltado aos seguintes objetivos: asfixiar o fluxo financeiro de grupos criminosos, inviabilizar a possibilidade de uso das vantagens econômicas obtidas com práticas criminosas e assegurar a reparação da vítima.

A primeira mudança tem como alvo os casos envolvendo lavagem de dinheiro. O bloqueio de bens com indícios de origem criminosa, nos casos de lavagem de dinheiro, já é possível desde 1995, assim como a imposição ao interessado de comprovar a origem lícita para reaver os bens no curso da ação. Com a mudança ocorrida em 2012, a prova da origem lícita não mais assegura a devolução dos bens, que podem permanecer retidos em valor suficiente para a reparação da vítima e para pagamento de obrigações econômicas fixadas em caso de condenação.

Também houve ampliação dos tipos de bens que podem ser bloqueados, assim como dos possíveis proprietários ou titulares desses bens. Além dos bens em nome do réu, passou a ser expressamente admitido o bloqueio de bens que estejam em nome de pessoas interpostas, vulgarmente conhecidas como "laranjas". A nova lei explicitou ainda que as medidas de bloqueio incluem não apenas os bens e valores movimentados com a finalidade de introduzi-los na economia formal ("lavados"), mas também aqueles relacionados direta ou indiretamente com a infração anterior ao ato de lavagem.

Em 2012 houve outra mudança importante relacionada ao bloqueio e à perda de bens, dessa vez aplicável a qualquer crime: a possibilidade de avançar sobre o patrimônio lícito do investigado ou réu quando os bens e valores relacionados com o crime não são localizados ou se encontram no exterior.

Essas mudanças proporcionam aos operadores do sistema de justiça criminal amplas possibilidades de atingir o patrimônio de pessoas investigadas por crimes de corrupção e lavagem de dinheiro, e também impedem essas pessoas de fruir os bens e valores ao longo de toda a tramitação da ação penal. Esse avanço sobre o patrimônio certamente representa um incentivo para que os investigados e réus recorram ao que tem sido a menina dos olhos dos atores da Operação Lava Jato: a colaboração premiada.

A literatura jurídica aponta uma tendência no direito brasileiro de expansão de mecanismos consensuais ou negociais no processo penal, notadamente diante da forte influência dos institutos norte-americanos em solo nacional, das dificuldades no enfrentamento do maior volume de ações criminais e do crescimento da população carcerária, além da pressão da opinião pública diante dos elevados custos de manutenção da estrutura judiciária criminal. Como já abordado, as convenções da ONU contra o crime organizado transnacional e contra a corrupção, ambas promulgadas pelo Brasil, mencionam a possibilidade de os Estados adotarem institutos de natureza premial nas investigações e ações envolvendo crime organizado e corrupção.

A delação ou colaboração premiada é um dos institutos negociais que foram introduzidos na legislação brasileira nos anos 1990. Os juristas costumam utilizar o termo "delação premiada" em referência aos casos em que o participante de um esquema criminoso recebe benefícios em troca do fornecimento de informações relevantes às autoridades, o que deve incluir a identificação de outros participantes, daí a figura do "delator". Os benefícios concedidos àquele que colabora com as autoridades não se limitam aos casos em que outras pessoas são delatadas, por isso alguns defendem o uso do termo "colaboração premiada", pois o colaborador pode ou não fornecer às autoridades informações sobre outras pessoas que participaram do crime.

Depois da promulgação da Constituição de 1988, o primeiro texto legal que previu a delação premiada foi a Lei 8.072/1990, que regulou a possibilidade de redução da pena do integrante de bando ou quadrilha envolvendo crimes hediondos desde que denuncie o grupo às autoridades, o que permite o seu desmantelamento. O mesmo instituto foi posteriormente previsto em diversos textos legais que regulam situações específicas de crimes praticados por um conjunto de pessoas, podendo-se citar os crimes contra o sistema financeiro e contra a ordem tributária (Lei 9.080/1995), a extorsão mediante sequestro (Lei 9.269/1995), os crimes praticados por organizações criminosas (Lei 9.034/1995), os crimes de lavagem de ativos (Lei 9.613/1998), a lei que regula a proteção de vítimas e colaboradores (Lei 9.807/1999), o tráfico de entorpecentes (Lei 11.343/2006), os crimes contra a ordem econômica e a prática de cartel (Lei 12.529/2011) e os crimes ambientais (Lei 12.651/2012).

Para melhor compreensão do arcabouço institucional que vem sendo desenvolvido nos últimos anos sobre delação/colaboração premiada, pode-se identificar cada um dos principais pontos abordados pelos diversos atos normativos.

No quadro 2 aparecem sintetizadas as regras previstas em cada lei que trata do tema, especificamente no que diz respeito ao objeto da colaboração, aos benefícios para o colaborador e aos resultados que devem ser obtidos para que sejam concedidos.

O leitor poderá observar, no quadro, que a legislação sobre colaboração premiada compõe-se de uma pluralidade de normas jurídicas que se referem a situações concretas diversas (coluna Objeto). Em algumas dessas situações são identificados crimes específicos passíveis de concessão de benefícios (hediondos e tráfico); em outras não são identificados crimes específicos, mas é mencionada a existência de grupos organizados voltados à prática de crimes (quadrilha/bando ou organização criminosa).

O quadro 2 permite perceber que a possibilidade de redução da pena (coluna Benefícios) depende de uma colaboração efetiva, que produza efeitos (coluna Resultados obtidos). Além disso, cada uma das leis só se aplica aos casos descritos no quadro (coluna

Quadro 2 – Histórico da legislação sobre delação/colaboração premiada (1990-2013).

Lei	Objeto	Benefícios	Resultados obtidos
8.072/1990	Membro de quadrilha que pratica crimes hediondos	Redução de um terço a dois terços da pena	Desmantelar a quadrilha.
9.080/1995	Membro de quadrilha em crimes contra o Sistema Financeiro Nacional e a ordem econômica	Redução de um terço a dois terços da pena	Revelar toda a trama delituosa.
9.269/1995	Extorsão mediante sequestro praticado por duas ou mais pessoas	Redução de um terço a dois terços da pena	Denúncia à autoridade, facilitando a libertação do sequestrado.
9.034/1995	Crimes praticados por organização criminosa	Redução de um terço a dois terços da pena	Esclarecimento de infrações penais e autoria.
9.613/1998	Crimes de lavagem de dinheiro praticados por uma pluralidade de pessoas	Redução de um terço a dois terços da pena e regime inicial aberto A pena pode deixar de ser aplicada A pena pode ser substituída por restritiva de direitos	Esclarecimentos que conduzam à apuração das infrações penais e de sua autoria ou à localização dos ativos que são objeto da lavagem.

Lei	Objeto	Benefícios	Resultados obtidos
9.807/1999 (usada na Operação Banestado)	Lei de proteção a vítimas e testemunhas ameaçadas e de proteção de acusados/condenados que voluntariamente prestem efetiva colaboração	Requerimento das partes ou espontaneamente pelo juiz: perdão judicial ao réu primário	Colaboração que resulte em: identificação dos demais autores; localização da vítima; recuperação total ou parcial do produto do crime.
		Redução de um terço a dois terços da pena	Colaborar para a identificação dos demais autores, para a localização da vítima com vida e para a recuperação total ou parcial do produto do crime.
11.343/2006	Crimes da lei de tráfico de drogas praticados por uma pluralidade de pessoas	Redução de um terço a dois terços da pena	Colaborar para a identificação dos demais autores e para a recuperação total ou parcial do produto do crime.
12.529/2011	Crimes contra a ordem tributária, relacionados à prática de cartel e quadrilha/bando	Imunidade criminal (impede o oferecimento de denúncia, mas suspende o prazo prescricional)	Celebrar acordo de leniência com os órgãos administrativos.
12.651/2012	Três crimes da lei ambiental (Lei 9.605/1998)	Imunidade criminal (impede o oferecimento da denúncia, mas interrompe o prazo prescricional)	Assinar termo de compromisso para regularização de imóvel ou posse rural no órgão administrativo.

Lei	Objeto	Benefícios	Resultados obtidos
12.683/2012	Crimes de lavagem de dinheiro praticados por uma pluralidade de pessoas	Redução de um terço a dois terços e regime inicial aberto ou semiaberto A pena pode deixar de ser aplicada A pena pode ser substituída, a qualquer tempo, por restritiva de direitos	Esclarecimentos que conduzam à apuração das infrações penais, à identificação dos demais envolvidos ou à localização dos ativos que são objeto da lavagem.
12.850/2013 (usada na Operação Lava Jato)	Crimes praticados por organizações criminosas	Requerimento das partes: perdão judicial; redução em até dois terços da pena; substituição por restritiva de direitos	Colaboração efetiva da qual advenha um ou mais de um dos seguintes resultados: identificação dos demais integrantes da organização e das infrações por eles praticadas; revelação da estrutura hierárquica e da divisão de tarefas da organização; prevenções de outras infrações cometidas por integrantes da organização; recuperação total ou parcial do produto/proveito das infrações criminais praticadas pela organização; localização de eventual vítima com integridade preservada.
		Requerimento da Polícia Federal ou do Ministério Público, considerando a relevância da colaboração: perdão judicial (ainda que não previsto na proposta inicial)	
		Imunidade criminal (se for o primeiro a prestar efetiva colaboração e não for líder da organização criminosa)	

Elaborado pela autora. Não foi incluída a Lei 12.846/2013 (lei anticorrupção), que prevê os acordos de leniência, porque tais acordos não são homologados na justiça criminal, ao menos no que diz respeito ao conteúdo principal de natureza cível e administrativa, apesar de produzirem relevantes efeitos nas ações penais.

Objeto). Isso significa que, com o surgimento de cada uma dessas leis, aumentaram as possibilidades de uso da delação premiada.

A delação prevista na Lei 8.072/1990, por exemplo, só pode ser utilizada no caso de delatores que sejam membros de quadrilhas envolvidas em crimes hediondos, mas não de delatores que integrem quadrilhas que pratiquem crimes contra o sistema financeiro. Estes só passaram a contar com a possibilidade de delação premiada com a Lei 9.080/1995, que também incluiu os casos de crimes financeiros praticados por um conjunto de pessoas não estruturadas em quadrilhas ("coautoria").

O histórico dessas normas conduz à avaliação de três aspectos relevantes para contextualizar a Operação Lava Jato, que conta com acordos de colaboração que envolvem vários tipos de crimes, em especial lavagem de dinheiro, participação em organização criminosa, corrupção ativa e passiva, associação criminosa e evasão de divisas.

O primeiro aspecto implica identificar o marco legal que autorizou o uso do acordo de colaboração para crimes contra a administração pública, que estão no centro das operações de combate à corrupção política. O segundo diz respeito aos possíveis efeitos de um acordo de colaboração que tenha como conteúdo crimes ou cláusulas estranhas à autorização legislativa. O terceiro passa pela discussão da acomodação dos atores do sistema de Justiça diante de um cenário de déficit legislativo em relação à colaboração premiada.

A delação que envolve os crimes de lavagem de dinheiro já é possível desde 1998 (Lei 9.613/1998), mas falta clareza sobre a possibilidade de redução da pena no que diz respeito a crimes antecedentes à lavagem e, em especial, a outros crimes incluídos na investigação/ação, por causa das regras sobre conexão. Além disso, o sucinto texto legal não trata da formalização de acordo entre as partes, instrumento essencial para viabilizar a ação estratégica da polícia e do Ministério Público na fase de investigação, além de trazer segurança ao colaborador, permitindo-lhe vislumbrar alguma previsibilidade no resultado do processo, em função dos benefícios que o MP se propõe requerer em juízo no caso de efetiva colaboração.

Quando se pensa em grandes operações que tramitam nas varas especializadas em crimes financeiros e de lavagem de dinheiro, parece razoável supor que as investigações e acusações incluirão crimes contra o sistema financeiro. A autorização legal expressa para concessão de benefícios da delação aos crimes financeiros existe ao menos desde 1995, através da Lei 9.080/1995, mas confere ao colaborador apenas o benefício de redução de um terço a dois terços da pena, além de não prever a possibilidade de celebração de acordo entre o investigado e a polícia ou o Ministério Público.

Há relativo consenso de que a Lei 12.850/2013 é o principal marco normativo sobre colaboração premiada. Além de tratar expressamente de "acordo de colaboração" que pode ser formalizado entre as partes (investigado/acusado e delegado de polícia/membro do Ministério Público), também traz o rol de benefícios, o que possivelmente dá maior incentivo ao comportamento colaborativo, pois, entre esses benefícios, consta inclusive a possibilidade de sentença com perdão da pena e até mesmo a imunidade criminal, caso em que o investigado não chega nem a ser denunciado pelo Ministério Público. Além disso, o texto legal permite a inclusão, no acordo de colaboração, de todos os crimes praticados pela organização criminosa, o que amplia a possibilidade de uso da colaboração nas grandes investigações e leva novamente à questão do uso estratégico da indicação da possível existência de organização criminosa pelos atores do sistema de Justiça, o que viabiliza o uso do acordo com a amplitude conferida por essa lei.

A discussão sobre o acordo de colaboração premiada também suscita a questão da possibilidade de ação estratégica dos atores do sistema de Justiça quando existe campo de incidência nebulosa dos textos legais. As divergências provocadas pela falta de clareza da legislação fazem ampliar as margens de ação dos atores que interpretam e aplicam a lei, em especial quando se trata de acordos de colaboração premiada, que por regra só podem ser contestados judicialmente pelas partes que os subscreveram[21].

A lei que trata da proteção de vítimas e testemunhas ameaçadas e de colaboradores parece se referir apenas a crimes com vítima, pois, nas condições para fazer jus aos benefícios da colaboração, determina que a vítima seja localizada. A falta de clareza alimenta a divergência entre os operadores do Direito sobre o alcance da colaboração prevista nessa lei[22], utilizada pela força-tarefa CC5 (caso Banestado), que atuou entre 2003 e 2007, para justificar a celebração de ao menos dezenove acordos de delação premiada que incluíram crimes contra o sistema financeiro e a administração pública e de lavagem de dinheiro.

Como será abordado adiante, os acordos de colaboração formalizados pela força-tarefa da Lava Jato contêm cláusulas que preveem que o colaborador só poderá recorrer da sentença judicial na parte em que ela extrapolar as cláusulas do acordo, as quais, impugnadas, implicam a rescisão. A inclusão desse tipo de cláusula em acordo que não pode ser contestado por terceiros confere ampla liberdade na definição do conteúdo dos acordos, em especial se houver convergência entre o juiz federal e o Ministério Público Federal sobre a concessão, na sentença, dos benefícios acordados a todos que efetivamente colaboraram.

De qualquer forma, ainda que fosse consensual o fato de que a lei de proteção a testemunhas e colaboradores já autorizava a celebração de acordos envolvendo qualquer crime, o novo regramento prevê benefícios mais generosos aos colaboradores, o que constitui um incentivo para a formalização de acordos.

Independentemente das discussões envolvendo a importação desses institutos de justiça consensual, típicos do direito norte-ame-

---

[21] O Supremo Tribunal Federal firmou entendimento de que o delatado não pode contestar judicialmente o acordo de colaboração premiada (não tem legitimidade processual para isso, no jargão jurídico), apesar de poder questionar, na ação penal em que foi denunciado, as declarações do colaborador e as provas por ele indicadas. O fundamento exposto nas decisões do STF é que o acordo tem natureza personalíssima e seu conteúdo só vincula as partes que o subscreveram, na medida em que esse conteúdo não obriga nem vincula terceiros.
[22] Parte dos doutrinadores em Direito e da jurisprudência reconhece que o dispositivo previsto nessa lei pode ser aplicado aos colaboradores acusados de qualquer crime (Greco, 2017).

ricano, dificilmente se contesta que a colaboração premiada facilita identificar provas da prática de crimes em especial daqueles que, por sua natureza, são realizados de forma sorrateira e com o uso de meios sofisticados na tentativa de evitar que sejam descobertos, como a corrupção de alto escalão e a lavagem de dinheiro a ela associada.

Quem acompanha o noticiário sobre a Operação Lava Jato, em especial nos veículos especializados em temas jurídicos, percebe que o debate sobre colaboração premiada muitas vezes é associado à prisão preventiva. Muitas críticas feitas à atuação dos atores envolvidos na operação consideram o uso da prisão como mecanismo de constrangimento à formalização de acordos de colaboração. Esse tema será abordado mais amplamente no segundo capítulo, mas é interessante tratar algumas mudanças no regime de prisão preventiva para melhor delinear o mapa institucional no qual se movem os atores da Lava Jato.

Os pressupostos e requisitos para determinar a prisão preventiva de investigado ou réu são os mesmos desde a entrada em vigor da Lei 5.349/1967. O fato de ter sido publicada cerca de um ano antes do Ato Institucional nº 5/1968, considerado o marco do recrudescimento da ditadura militar, talvez explique por que no texto da lei aparecem expressões com múltiplos significados ou que oferecem ampla margem de interpretação por parte dos operadores do sistema de Justiça.

É importante que o leitor não familiarizado com temas jurídicos tenha algum conhecimento sobre esse regramento, para melhor compreender como e por que o Judiciário produz situações tão divergentes envolvendo pessoas que, aparentemente, apresentavam a mesma "intensidade de culpa". De forma muito sintética, pode-se dizer que a prisão preventiva pressupõe que exista alguma prova da ocorrência de um crime e suspeitas razoáveis de que o investigado/réu o tenha praticado[23]. Além disso – e aqui reside a

---

[23] Desde a entrada em vigor da Lei 12.403/2011 foram introduzidos outros pressupostos: tratar-se de crime doloso com pena máxima superior a quatro anos; existir condenação definitiva por outro crime doloso; o crime envolver violência doméstica; enquanto houver dúvida sobre a identidade civil do investigado.

ampla margem de discricionariedade conferida ao Judiciário –, pressupõe-se que a liberdade do investigado/réu deve gerar riscos à sociedade, o que, no jargão jurídico advindo do latim, é definido como *periculum libertatis*.

A lei prevê quatro categorias de risco que autorizam a prisão preventiva: garantia da ordem pública, garantia da ordem econômica, conveniência da instrução criminal e assegurar a aplicação da lei penal. Pode-se dizer que o alto nível de abstração dos termos utilizados na lei confere um amplo leque de classes de fatos que ela pode abranger. E, como decisões judiciais não seguem metodologias científicas, a amplitude de possibilidades conferidas ao juiz pode facilmente ser manejada com argumentos retóricos, inclusive com apropriação das próprias escolhas morais dele.

A larga amplitude do modelo legal de prisão preventiva talvez tenha justificado o envio ao Congresso Nacional do Projeto de Lei 4.208/2001, de autoria do Poder Executivo, que previa a exclusão dos termos utilizados na legislação e maior clareza na definição dos requisitos para a prisão preventiva: investigado/réu que criar obstáculos à instrução do processo ou à execução da sentença e investigado/réu que venha a praticar infrações relativas ao crime organizado, à probidade administrativa ou à ordem econômica ou financeira consideradas graves, ou ainda nos casos de violência ou grave ameaça à pessoa. Essa parte do projeto não foi aprovada pelos parlamentares, mas o texto remanescente que resultou na Lei 12.403/2001 atendeu a pelo menos dois objetivos que constam na exposição de motivos do projeto: sistematizar o regramento sobre prisão, fiança e liberdade; desincentivar o encarceramento, com a valorização da fiança e a previsão de diversas medidas cautelares alternativas à prisão.

O debate sobre superencarceramento não costuma envolver os crimes de colarinho-branco[24] e não há pesquisas empíricas abran-

---

[24] Dados do Conselho Nacional de Justiça de agosto de 2018 apontam que apenas 35,05% dos presos cumprem pena definitiva em razão de condenação transitada em julgado, 40,03% estão presos sem condenação e 24,65% foram condenados, mas há recursos pendentes. O percentual remanescente é de pessoas que cumprem medida de segurança ou

gentes sobre a forma como os juízes da primeira instância manejam a prisão preventiva nos casos que envolvem grandes empresários e a classe política. Muito se tem discutido sobre os resultados inefetivos desses processos, mas quase nada sobre a existência ou não de uso flexível da prisão preventiva nesses casos, em especial quando se trata de investigados/réus mais ricos ou poderosos.

Isso torna mais temerário dizer quais seriam os efeitos esperados das mudanças no regime de prisão preventiva sobre as operações de combate à corrupção de médio e alto escalão, mas não há dúvidas de que as mudanças trazidas pela Lei 12.403/2011 ampliaram as opções dos operadores do sistema de Justiça: além da fixação de fiança, há a possibilidade de imposição de medidas que podem representar grandes restrições à liberdade do investigado/réu, como prisão domiciliar, proibição de ausentar-se da cidade onde mora, recolhimento domiciliar noturno e nos dias de folga, suspensão do exercício de atividades profissionais e controle estatal integral da sua locomoção, com o uso das famosas tornozeleiras eletrônicas.

Vê-se que, se antes os operadores do sistema de Justiça deparavam apenas com duas situações extremas, prisão ou liberdade, agora podem ter outras ações que, se não constrangem investigados e réus com a mesma intensidade da prisão, possivelmente representam fardos muito incômodos àqueles acostumados à boa vida proporcionada pelo poder e pelo dinheiro.

Por fim, mas não menos relevante, o mesmo texto legal tratou a hipótese de prisão antes do julgamento do último recurso (trânsito em julgado), possivelmente como decorrência do julgamento de um *habeas corpus* pelo Supremo Tribunal Federal, em fevereiro de 2009. A lei modificou integralmente a redação do artigo 283 do Código de Processo Penal: "Ninguém poderá ser preso senão em

---

prisão civil. A relação dos crimes mais recorrentes não inclui lavagem de dinheiro e faz menção a 1,46% de prisões ligadas a crimes contra a administração pública, rubrica que abrange diversos crimes além da corrupção. Cf. Conselho Nacional de Justiça. *Banco Nacional de Monitoramento de Prisões – BNMP 2.0*: Cadastro Nacional de Presos. Brasília: CNJ, 2018. Disponível em: <https://www.cnj.jus.br/wp-content/uploads/2018/01/57412ab-db54eba909b3e1819fc4c3ef4.pdf>. Acesso em: 31 out. 2019.

flagrante delito ou por ordem escrita e fundamentada da autoridade judiciária competente, em decorrência de sentença condenatória transitada em julgado ou, no curso da investigação ou do processo, em virtude de prisão temporária ou prisão preventiva."

O projeto de lei apresenta a motivação para a introdução da regra, aqui transcrita porque contribui para compreender o sentido dessa norma e para perceber a finalidade buscada pelos parlamentares: "a impossibilidade de, antes da sentença condenatória transitada em julgado, haver prisão que não seja de natureza cautelar".

A despeito do artigo 283 e do teor da exposição de motivos, no curso da Operação Lava Jato o Supremo Tribunal Federal reviu a posição adotada em 2009 e passou a autorizar a execução da pena antes do trânsito em julgado, mesmo sem a decretação de prisão cautelar. Essa mudança de posicionamento tem grande potencial para influenciar os resultados da Lava Jato, pois, num contexto de gestão estratégica do tempo processual, a perspectiva de antecipação do início de execução da pena incentiva a busca da colaboração premiada. A posição da Corte foi novamente modificada em novembro de 2019, quando os ministros Dias Toffoli e Gilmar Mendes retomaram a posição anterior, que vedava a prisão antes do trânsito em julgado, e que voltou a ser majoritária.

Parece pertinente uma consideração sobre essas duas mudanças de posicionamento do Supremo Tribunal Federal em relação aos efeitos de precedentes jurisprudenciais, dependendo do tipo de comando prescritivo externado nos julgamentos.

A decisão paradigmática do STF de proibir determinada atuação nos processos penais tem efeitos muito diversos daquela que simplesmente autoriza situações que se enquadram numa categoria delineada no precedente, mas sem impor a efetiva realização desse enquadramento a todos os processos em trâmite no Judiciário. Enquanto a primeira conduz à uniformização das soluções jurídicas de todos os processos criminais, na medida em que a vedação é dotada de universalidade, a segunda pode produzir resultados diversos em ações criminais semelhantes.

Os julgamentos sobre a prisão antes do trânsito em julgado ilustram bem essa questão. Quando o STF autorizou a execução da pena antes do trânsito em julgado, os juízes e desembargadores estavam autorizados a determinar a prisão em segunda instância, o que não assegura isonomia entre todos aqueles que já tiveram condenação mantida por colegiado. Com a proibição da execução da pena antes do trânsito em julgado, o resultado esperado será a inexistência de réus cumprindo pena antes do julgamento do último recurso. Se diversos fatores do sistema de Justiça já produzem seletividade nos resultados do controle criminal da corrupção, esse quadro se agrava com o comportamento oscilante do STF, em especial quando emite comandos prescritivos que permitem soluções jurídicas diversas em casos concretos que podem ser semelhantes.

Considerações sobre a aprovação da legislação

Após percorrer essa trajetória de mudanças legislativas que reforçam os mecanismos de controle criminal da corrupção, parece natural questionar o que levou a classe política a aprová-las. Várias dessas mudanças são identificadas com facilidade como mecanismos de reforço do controle criminal da corrupção, seja por envolverem diretamente crimes contra a administração pública, seja por tratarem medidas de natureza patrimonial, essenciais no combate aos crimes de colarinho-branco.

Nesta parte serão enfocados aspectos da tramitação das oito leis referidas anteriormente, com o objetivo de identificar alguns dos atores que se destacaram no processo legislativo e contextualizar o *timing*[25] da aprovação dessas leis. Uma análise temporal mais ampla pode iluminar o processo em que os atores políticos adaptam suas ações e seus objetivos às regras sistêmicas, na medida em que a compreensão de como e por que as coisas acontecem

---

[25] Utiliza-se o termo *"timing"* no sentido de sensibilidade dos atores envolvidos quanto ao momento propício ou mais pertinente para a realização de um ato.

envolve o estudo do momento em que elas acontecem. A análise do *timing* pode trazer à luz um processo de desenvolvimento e articulação de capacidades sociais especialmente relevantes para a ocorrência de determinado evento que se pretende estudar. A partir desse tipo de abordagem, as consequências das mudanças institucionais não desejadas pelos atores políticos podem ser mais importantes no desenvolvimento da política do que os efeitos por eles antecipados (Pierson, 2004).

Para facilitar a compreensão, no quadro 3 aparecem sintetizadas as informações principais sobre cada uma das leis, aprovadas no período de 2003 a 2013. Na coluna Lei/mudanças principais são apresentadas as principais modificações que as leis tratadas anteriormente trouxeram. A data de apresentação dos projetos de lei e as respectivas autorias aparecem na coluna Data e autor do projeto. Outra coluna traz dados sobre a tramitação do processo legislativo na casa iniciadora e na casa revisora, bem como os casos em que retornou à casa onde teve início, em razão de emenda ou substitutivo: a data de aprovação final na casa legislativa; o nome dos relatores designados nas principais comissões responsáveis pela elaboração do relatório objeto de votação, com indicação dos partidos aos quais estavam vinculados e da sua atividade profissional anterior, caso relacionada ao sistema de Justiça; o nome e o partido de relatores que elaboraram pareceres que não foram objeto de votação final. Aparecem destacados em itálico o cargo dos atores que fazem ou fizeram parte do sistema de Justiça e, em negrito, o nome dos parlamentares que foram ou são investigados na Operação Lava Jato. O quadro 4 traz informações complementares sobre esses parlamentares, sobre as suas ações e as da operação.

Quadro 3 – Trâmite de aprovação das principais leis que envolvem operações de combate à corrupção (2003-2013).

Lei/mudanças principais	Data e autor do projeto	Data da aprovação e relator em comissão 1) Casa iniciadora 2) Casa revisora 3) Emenda/substitutivo
10.763/2003 Aumento da pena por corrupção; progressão da pena condicionada à reparação do dano	06/05/2002 Cmesp – relator deputado Moroni Torgan (PFL/CE – *ex-delegado da PF*)	1) 19/06/2002 – Senado Não se aplica
		2) 08/07/2003 CCJC da Câmara – Denise Frossard (PSDB/RJ – *juíza aposentada*)
		3) 21/10/2003 CCJC do Senado – Juvêncio da Fonseca (PSDB/MS)
11.596/2007 Explicita interrupção da prescrição pelo acórdão recorrível	23/09/2003 Senador Magno Malta (PL/ES)	1) 21/09/2005 CCJC do Senado – **Demóstenes Torres** (PFL/GO – *procurador de Justiça*)
		2) 02/10/2007 CCJC da Câmara – Mendes Ribeiro Filho (PMDB/RS)
11.719/2008 Audiência una; registro audiovisual	12/03/2001 Executivo/FHC (comissão de juristas)	1.1) 20/02/2002 CCJC da Câmara – parecer Ibrahim Abi-Ackel (PP/MG) 1.2) 17/05/2007 CCJC da Câmara – emenda substitutiva **Flávio Dino** (PC do B/MA – *ex-juiz federal*)
		2) 05/12/2007 CCJC do Senado – Ideli Salvatti (PT/SC)
		3) 29/05/2008 CCJC da Câmara – Régis de Oliveira (PSC/SP – *ex-desembargador do TJ*)
12.234/2010 Extinção da prescrição retroativa anterior à denúncia; prescrição mínima muda de dois para três anos	02/07/2003 Deputado Antonio Carlos Biscaia (PT/RJ – *procurador de Justiça*)	1) 06/03/2007 CCJC da Câmara – Roberto Magalhães (PFL/PE)
		2) 05/12/2007 CCJC do Senado – **Demóstenes Torres** (DEM/GO – *procurador de Justiça*)
		3) 08/04/2010 CCJC da Câmara – **Eduardo Cunha** (PMDB/RJ)

Lei/mudanças principais	Data e autor do projeto	Data da aprovação e relator em comissão 1) Casa iniciadora 2) Casa revisora 3) Emenda/substitutivo
12.403/2011 Medidas cautelares diversas da prisão	12/03/2001 Executivo/FHC (comissão de juristas)	1.1) 20/02/2002 CCJC da Câmara – parecer Ibrahim Abi-Ackel 1.2) 25/06/2008 CCJC da Câmara – **José Eduardo Cardozo** (PT/SP)
		2) 01/04/2009 CCJC do Senado – **Demóstenes Torres** (*procurador de Justiça*)
		3) 07/04/2011 CCJC da Câmara – **José Eduardo Cardozo** CSPCCO da Câmara – João Campos (PSDB/GO)
12.683/2012 Muda lei de lavagem de dinheiro: elimina lista de crimes antecedentes; amplia benefícios do réu colaborador; amplia medidas patrimoniais; autoriza acesso a bancos de dados pela polícia e pelo Ministério Público	28/05/2003 Senador Antonio Valadares (PSB/SE)	1) 08/05/2008 CAE do Senado – Pedro Simon (PMDB/RS) CCJC do Senado – **Jarbas Vasconcelos** (PMDB/PE)
		2.1) 01/12/2008 CSPCCO da Câmara – parecer Antonio Carlos Biscaia (*procurador de Justiça*) 2.2) 12/11/2009 CCJC da Câmara – parecer Colbert Martins (PPS/BA); 2.3) 25/10/2011 CSPCCO da Câmara – Miro Teixeira (PDT/RJ) CCJC da Câmara – Alessandro Molon (PT/RJ)
		3) 05/06/2012 CAE do Senado – **José Pimentel** (PT/CE) CCJC do Senado – **Eduardo Braga** (PMDB/AM)
12.694/2012 Medidas patrimoniais podem atingir bens lícitos equivalentes ao proveito	19/09/2007 Comissão de Legislação Participativa (sugestão da Associação dos Juízes Federais – Ajufe)	1) 16/12/2009 CSPCCO da Câmara – Laerte Bessa (PMDB/DF – *delegado de polícia*) CCJC da Câmara – **Flávio Dino** (*ex-juiz federal*)
		2) 09/05/2012 CCJC do Senado – **Aloizio Mercadante** (PT/SP)
		3) 04/07/2012 CCJC da Câmara – Fábio Trad (PMDB/MS) CSPCCO da Câmara – Ronaldo Caiado (DEM/GO)

Lei/mudanças principais	Data e autor do projeto	Data da aprovação e relator em comissão 1) Casa iniciadora 2) Casa revisora 3) Emenda/substitutivo
12.850/2013 Lei das organizações criminosas: define e tipifica organização criminosa; aumenta a pena para associação criminosa; medidas de investigação (infiltração, colaboração premiada etc.); acesso a bancos de dados pela polícia e pelo Ministério Público	23/05/2006 Senadora Serys Slhessarenko (PT/MT)	1) 02/12/2009 CCJC do Senado – **Aloizio Mercadante** (PT/SP) (09/06/2009 – audiência pública)
		2) 05/12/2012 CSPCCO da Câmara – João Campos CCJC da Câmara – Vieira da Cunha (PDT/RS – *procurador de Justiça*)
		3) 10/07/2013 CCJC do Senado – **Eduardo Braga**

Elaborado pela autora a partir do site da Câmara dos Deputados e do Senado Federal. Observações:
1. O projeto de lei apresentado pela Comissão Mista Especial de Segurança Pública teve trâmite diferenciado previsto nos artigos 142 e 143 do Regimento Comum do Congresso Nacional, que não prevê a designação de relatores nas comissões. A deputada Denise Frossard foi designada porque houve superveniente acordo de tramitação firmado entre todas as lideranças depois da apresentação de emenda ao projeto e anexação de outros projetos de lei.
2. A deputada Denise Frossard atuou como magistrada e o deputado Antonio Carlos Biscaia, como procurador-geral de Justiça, respectivamente, no célebre escândalo do jogo do bicho no Rio de Janeiro dos anos 1990.
3. Em 2003, o senador Magno Malta era filiado ao PL, que integrou a coligação do candidato vencedor na eleição presidencial de 2002, Luiz Inácio Lula da Silva.
4. A comissão de juristas foi constituída por José Gregori, ministro da Justiça no governo FHC, em janeiro de 2000, para apresentar propostas de reforma do Código de Processo Penal Brasileiro.
5. Na eleição de 2002, o PSB lançou candidato próprio e, no segundo turno, apoiou a candidatura de Lula.
6. Cmesp (Comissão Mista Especial de Segurança Pública); CCJC (Comissão de Constituição e Justiça e de Cidadania); CSPCCO (Comissão de Segurança Pública e Combate ao Crime Organizado); CAE (Comissão de Assuntos Econômicos).

Quadro 4 – Parlamentares investigados pela Lava Jato que participaram diretamente do processo legislativo descrito no quadro 3.

Parlamentar	Partido/estado	Histórico na Lava Jato
Jarbas Vasconcelos	PMDB/PE	Delatado pelos colaboradores João Antônio Ferreira e Benedicto Barbosa Júnior (executivos do grupo Odebrecht) pelo suposto pagamento de caixa dois na campanha de 2010. O STF reconheceu a prescrição em 10/08/2017, no inquérito 4.402.
Demóstenes Torres	DEM/GO	Delatado pelo colaborador Fernando Luiz Santos Reis (executivo do grupo Odebrecht) pelo suposto pagamento de caixa dois na campanha de 2010. Pedido de declínio de competência da PGR (petição 6.802).
Aloizio Mercadante	PT/SP	Delatado pelo colaborador Delcídio do Amaral (ex-senador – PT/MS) pelo suposto oferecimento de apoio ao ex-senador para evitar a celebração de acordo de colaboração premiada. O inquérito policial 4.243 tramitou no STF até oferecimento da denúncia, que não foi recebida pelo ministro Edson Fachin, por ter reconhecido a incompetência da Corte e determinado o desmembramento e remessa à Justiça Federal do Distrito Federal, em 11/09/2017.
Eduardo Braga	PMDB/AM	Denunciado perante o STF, no inquérito 4.418, pela suposta prática de caixa três (espécie de falsidade ideológica eleitoral). A ministra Rosa Weber reconheceu a incompetência da Corte e determinou a remessa à Justiça Eleitoral em Manaus, no dia 11/04/2019.

Parlamentar	Partido/estado	Histórico na Lava Jato
José Pimentel	PT/CE	Investigado por prevaricação e corrupção passiva pela suposta blindagem do grupo Gerdau na CPI do Carf, relacionada à Operação Zelotes (JF/DF). O ministro Ricardo Lewandowski acolheu pedido da PGR e determinou o arquivamento do inquérito 4.346.
José Eduardo Cardozo	PT/SP	Delatado pelo colaborador Delcídio do Amaral pela participação na nomeação de Marcelo Navarro Ribeiro Dantas para o STJ, com a suposta finalidade de embaraçar a Operação Lava Jato. O ministro Edson Fachin acolheu pedido de arquivamento no inquérito 4.243, em 11/09/2017.
Flávio Dino	PCdoB/MA	Delatado pelo colaborador José de Carvalho Filho (executivo do grupo Odebrecht) pelo suposto pagamento na campanha de 2010, possivelmente relacionado à tramitação do Projeto de Lei 2.279/2007. Petição de declínio de competência da PGR (petição 6.704).
Eduardo Cunha	PMDB/RJ	Denunciado perante o STF por corrupção passiva e lavagem de dinheiro. Com a perda do mandato de parlamentar em 14/09/2016, houve decisão de declínio da competência e de remessa para o TRF2, que determinou o envio à Justiça Federal de Curitiba/PR, em 25/01/2017. A ação não foi sentenciada até julho de 2020.

Parlamentar	Partido/estado	Histórico na Lava Jato
Eduardo Cunha	PMDB/RJ	Na JF/PR, Eduardo Cunha ainda foi condenado por corrupção passiva, lavagem de dinheiro e evasão de divisas, em 30/03/2017, à pena de quinze anos e quatro meses de reclusão, com fixação do dever de indenizar no valor de 1,5 milhão de dólares. A pena foi reduzida a catorze anos e seis meses de reclusão pelo TRF4, em 21/11/2017. O ex-parlamentar foi condenado por corrupção ativa, lavagem de dinheiro e violação de sigilo perante a JF/DF, no dia 01/06/2018, com pena de 24 anos e dez meses de reclusão e dever de indenizar no valor de 7 milhões de reais. Também responde a mais cinco ações penais que até dezembro de 2018 tramitavam na JF/DF, uma delas por integrar organização criminosa e as demais por corrupção passiva e lavagem de dinheiro.

Elaborado pela autora.

A primeira informação que desperta atenção na tramitação das leis é a presença do DNA do sistema de Justiça em todas elas, pois ao menos um dos relatores designados nas comissões é oriundo dos órgãos que atuam nas investigações e ações criminais (polícia, Ministério Público e Judiciário). A lei que permite que as medidas patrimoniais alcancem bens lícitos do investigado ostenta uma marca ainda mais forte da participação do sistema de Justiça, pois o projeto foi desenvolvido a partir de sugestão feita pela Ajufe. A tramitação do projeto dessa lei traz outra peculiaridade: o bloqueio de patrimônio lícito, dispositivo relevante para o combate à corrupção, não foi objeto de controvérsias nos textos aprovados nas três votações das casas legislativas; as diferenças entre eles estão apenas na estrutura do texto.

Tal fato sugere que os parlamentares não esperavam que a norma, no futuro, pudesse ser prejudicial aos seus interesses, hipótese reforçada pelo fato de a lei tratar essencialmente do julgamento colegiado de juízes nos casos de crime organizado. O colegiado parece guardar conexão com casos de facções criminosas associadas ao tráfico de drogas ou a crimes violentos, o que talvez justifique o codinome "lei do juiz sem rosto".

Não parece coincidência o fato de que o projeto de lei tenha sido apresentado em setembro de 2007 e aprovado pelo Senado Federal e pela Câmara dos Deputados entre maio e julho de 2012, durante o período em que aconteceram dois atos de violência pública de grande repercussão e que envolveram o Primeiro Comando da Capital (PCC) – um em 2006, o outro em 2012.

Ao considerarmos a questão dos efeitos não desejados pelos *policy makers* (decisores políticos), merece destaque o caso do deputado Tadeu Filippelli (PMDB), que pediu urgência na tramitação do projeto de lei e, em 16 de maio de 2017, foi alvo de uma medida de indisponibilidade dos seus bens, no valor de 6 milhões de reais, decretada pela Justiça Federal do Distrito Federal na Operação Panatenaico. Essa operação culminou em ação penal na qual ele foi acusado de prática de corrupção, lavagem de dinheiro e de integrar organização criminosa.

A magistratura também aparece numa das sessões do Senado que precederam a aprovação da Lei 10.763/2003, na qual foi lido um ofício de autoria do juiz Ary Casagrande, presidente do conselho executivo da Associação Juízes para a Democracia, que solicitou "exame mais cauteloso e pausado do mérito" do projeto.

Como já mencionado, a Ajufe também participa dos bastidores da elaboração de políticas públicas, ao enviar um representante para participar das reuniões da Estratégia Nacional de Combate à Corrupção e à Lavagem de Dinheiro. Essa entidade deixou sua impressão digital na tramitação da Lei 12.850/2013 sobre organizações criminosas. A audiência pública realizada no Senado, no dia 9 de junho de 2009, contou com a participação da então juíza federal Salise Monteiro Sanchotene, presidenta do Grupo Jurídico da Enccla e que assumiu o cargo de desembargadora do TRF4 em 2015, no qual integra o colegiado responsável pelo julgamento dos embargos infringentes da Operação Lava Jato no Paraná.

Alguns detalhes da tramitação das Leis 10.763/2003, 12.683/2012 e 12.850/2013 também indicam a ausência de ou a baixa expectativa da classe política de ser atingida diretamente pelas mudanças introduzidas pelos textos legais.

A tramitação do projeto transformado na Lei 10.763/2003, além de ter ocorrido quando eram escassas, se não inexistentes, as punições de políticos por corrupção, insere-se num contexto peculiar de aumento da violência que afetava diretamente setores mais abastados da sociedade.

O país viveu uma onda de sequestros entre agosto de 2001 e fevereiro de 2002 da qual foram vítimas celebridades como a filha do apresentador Silvio Santos, o publicitário Washington Olivetto e o então prefeito de Santo André, SP, Celso Daniel (PT), morto dois dias depois. O cenário de violência incluiu um caso de nove reféns num ônibus na cidade de Porto Alegre, RS, um empresário mantido em cativeiro por 120 dias, uma mulher de classe média alta assassinada em frente à própria residência e duas pessoas que conseguiram se libertar de um sequestro graças à ousadia de uma delas. Ousadia também foi a marca do resgate, com o uso de helicóptero, de dois homens que cumpriam pena em presídio de segurança máxima em Guarulhos, SP.

O contexto mobilizou a classe política, o que pode ser ilustrado pela primeira audiência pública, em sete anos, entre o então presidente Fernando Henrique Cardoso (PSDB) e Luiz Inácio Lula da Silva. Além disso, o cenário de violência levou à criação da Comissão Parlamentar Mista Especial de Segurança Pública, composta por vinte deputados e vinte senadores, que apresentaram vários projetos de lei com a declarada finalidade, expressa no relatório do deputado Moroni Torgan, de "superação de tão grave problema". Num dos trechos do relatório, o deputado afirma que uma das causas do ciclo de violência é a "falta de confiança nas instituições governamentais e em seus agentes", o que sugere a preocupação com a corrupção na burocracia de baixo e médio escalão, em especial com relação às atividades de segurança pública.

O parecer do deputado Miro Teixeira destaca a realização de sucessivas reuniões em que, segundo o parlamentar, foram procurados caminhos comuns entre governo e oposição, e todos os partidos "colaboraram para que a lei de crimes de lavagem de dinheiro recebesse os aperfeiçoamentos" até a redação final do substitutivo apresentado pelo deputado Cândido Vaccarezza (PT), então líder do governo na Câmara dos Deputados[26]. Vaccarezza foi denunciado pela força-tarefa da Lava Jato de Curitiba em 15 de agosto de 2018 pelos crimes de corrupção, formação de quadrilha e lavagem de dinheiro, além de ter permanecido preso cautelarmente entre os dias 18 e 22 de agosto de 2017, depois de fixada a obrigação de pagar fiança no valor de 1.522.700 reais.

Por fim, a análise do primeiro texto aprovado pelo Senado (2009) no processo legislativo que culminou com a lei de organizações criminosas (Lei 12.850/2013) sugere que os senadores também não cogitavam ou achavam pouco provável que ela poderia ser utilizada contra seus próprios interesses no futuro.

O texto do Senado criminalizava, com pena de três a dez anos, quem "financia campanhas políticas destinadas à eleição de candidato com a finalidade de garantir ou facilitar as ações de organizações criminosas". No mesmo artigo aprovado pelo Senado, há previsão de pena para quem fornece armas e munições

---

[26] A leitura das edições do jornal *Folha de S.Paulo* no período que antecedeu a aprovação pela Câmara dos Deputados (25/10/2011) e pelo Senado Federal (05/06/2012) sugere que houve mobilização do Poder Executivo, na época ocupado pela presidenta Dilma Rousseff, para a aprovação da lei como resposta à opinião pública, diante de sucessivas acusações envolvendo ministros de Estado. Os ministros Antonio Palocci (Casa Civil) e Alfredo Nascimento (Transportes) foram exonerados em junho de 2011, e em agosto foi a vez de Wagner Rossi (Agricultura). Disponível em: <https://acervo.folha.com.br/index.do>. Acesso em: 7 jul. 2019.

destinadas ao crime organizado ou de qualquer modo "alicia novos membros".

Em 2009, a ideia de criminalizar o financiamento de campanhas políticas ligadas a organizações criminosas possivelmente se restringia a facções conectadas a crimes violentos. O mesmo texto legal muito provavelmente seria utilizado pela Operação Lava Jato nos fatos que envolvem financiamento de campanhas com recursos da Petrobras, haja vista as afirmações não comedidas que os atores do sistema de Justiça fazem ao apontar a existência de organizações criminosas em quase todas as fases da operação. Isso sugere que o regramento buscado pelos senadores voltava-se exclusivamente a grupos envolvidos em atividades associadas ao tráfico de drogas, terrorismo e crimes violentos.

Ainda sobre a lei de organizações criminosas, não houve grandes divergências no que diz respeito às regras de colaboração premiada, o que também sugere que não passou pelo radar dos parlamentares o risco concreto de serem prejudicados no futuro com o uso da lei pelo sistema de justiça criminal. As únicas divergências limitaram-se à inclusão da possibilidade de o delegado de polícia subscrever acordo de colaboração, feita pela Câmara dos Deputados, e à exclusão da autorização para que o juiz reconhecesse benefícios de colaboração, independentemente de pedido das partes, feita pelo Senado.

Alguns analistas consideram as manifestações ocorridas a partir de junho de 2013 como elemento de pressão para a aprovação da lei de organizações criminosas. O trâmite legislativo enfraquece essa conclusão, pois os parlamentares do Senado e da Câmara dos Deputados, nas votações realizadas em 2009 e 2012, já haviam concordado com a redação de 2013. A única emenda aprovada pelo Senado, naquele ano, tratou a questão do acesso direto a bancos de dados pela polícia e pelo Ministério Público, simplesmente para manter o que havia sido acordado pelo Congresso Nacional sobre o mesmo tema ao aprovar a Lei 12.683/2012.

Essas considerações reforçam a hipótese de que os efeitos gerados com a aprovação da legislação tratada no quadro 3, inclusive a lei de organizações criminosas, não eram desejados e possivelmente nem sequer esperados pelos parlamentares. O fato de que alguns relatores das comissões acabaram sendo investigados na Operação Lava Jato, vários deles por terem sido mencionados em acordos de colaboração premiada homologados pelo Judiciário, confirma isso. Eis o elemento de imprevisibilidade que escapou aos cálculos de risco da classe política: a autonomia dos atores do sistema de Justiça ao atribuir sentido às normas jurídicas quando são aplicadas aos casos concretos[27].

DIMENSÃO ORGANIZACIONAL

A literatura da Administração emprega o termo "organização" para se referir a entidades coletivas que operam em ambientes sociais e que, nos moldes tradicionais, trazem como marca distintiva um modelo burocrático baseado em princípios da ordem e da racionalidade. No ambiente organizacional, as pessoas obedecem às regras porque aceitam ou acreditam que as ordens são emitidas de acordo com um conjunto de princípios legais e normas racionalmente definidos, que decorrem da posição ocupada na hierarquia pelo seu emissor.

O termo "organizacional" não é usual na Ciência Política, mas será utilizado neste livro, numa apropriação da literatura da Administração, por ser compatível com a natureza da Justiça Federal e com o repertório analítico do Direito, que descreve as instituições descentralizadas do Estado como órgãos. Além disso, o termo permite a distinção entre os aspectos institucionais gerais (leis e normas editadas pelo Poder Legislativo e pelo Executivo) que re-

---

[27] O noticiário do mês de julho de 2019 trouxe outra informação que reforça as conclusões aqui apresentadas. No contexto envolvendo uma carta escrita por José Adelmário Pinheiro Filho (Léo Pinheiro), executivo da OAS e delator que implicou o ex-presidente Lula na Lava Jato, o senador Jaques Wagner (PT) manifestou arrependimento pela contribuição com a aprovação da lei de organizações criminosas. Disponível em:
<https://www1.folha.uol.com.br/poder/2019/07/apos-carta-de-ex-oas-contra-lula-jaques-wagner-se-diz-arrependido-sobre-delacao.shtml>. Acesso em: 15 ago. 2019.

percutem na Operação Lava Jato e as questões institucionais endógenas que envolvem o Poder Judiciário.

Essa distinção é relevante para a análise porque a ordem jurídica nacional confere a alguns órgãos do Judiciário poder normativo em questões burocráticas aparentemente menores, mas que podem produzir efeitos relevantes no funcionamento da máquina judiciária. Essas questões endógenas, que serão tratadas a seguir, consistem em: especialização de órgãos judiciais, capacitação de recursos humanos e controle burocrático do tempo do processo judicial.

Especialização de órgãos judiciais

Além do aparelhamento da estrutura burocrática da Justiça Federal no país, houve um movimento de especialização de varas federais e de turmas nos Tribunais Regionais Federais, com destaque para temas relacionados diretamente com o controle da corrupção política: matéria criminal, lavagem de dinheiro e improbidade administrativa.

O Centro de Memória Virtual do Conselho da Justiça Federal (CJF) relata que o processo de especialização na Justiça Federal ganhou destaque com a implantação de diversas varas especializadas em questões agrárias a partir de 1985, com a finalidade de priorizar ações de interiorização. Desde então, o CJF estabeleceu diversas diretrizes sobre especialização de varas federais, com a justificativa de permitir que os magistrados elaborem decisões mais técnicas e precisas.

Merecem destaque, como espaços de discussão e formulação de decisões político-administrativas no sistema de Justiça Federal, o CJF e a Enccla[28].

O Centro de Estudos Judiciários, unidade do Conselho da Justiça Federal responsável por atividades de formação e aperfeiçoamento de magistrados e servidores da Justiça Federal, promoveu

---

[28] A conexão que o sistema de Justiça estabelece entre lavagem de dinheiro e corrupção se faz visível na Enccla, que começou restrita à lavagem de ativos e fazendo uso da sigla Encla, mas passou a incorporar a corrupção a partir da quarta plenária, realizada no final de 2006.

ampla pesquisa, em 2001, com delegados federais, procuradores da República e juízes federais, com o objetivo de detectar deficiências institucionais e apresentar propostas de aprimoramento para a prevenção e repressão à lavagem de dinheiro.

Na pesquisa foram feitas perguntas sobre as dificuldades para investigar os crimes de lavagem de dinheiro e solicitadas sugestões para aumentar a eficácia no seu enfrentamento. Os delegados federais apontaram como uma das dificuldades a "falta de setores especializados no trato da matéria no MPF e Judiciário". Os juízes federais sugeriram o aparelhamento e a especialização da Polícia Federal, do Ministério Público e do Judiciário, além da criação de "varas especializadas ou com especialização quanto a esses crimes". Os três grupos foram unânimes no que diz respeito à falta de pessoal qualificado nas três instituições e à necessidade de aprimorar a formação especializada para crimes dessa natureza (Conselho da Justiça Federal, 2002). O resultado da pesquisa indica que, ao menos desde 2001, os operadores envolvidos com atividades de prevenção e repressão à lavagem de dinheiro defendiam a especialização dos órgãos do sistema de Justiça.

A Enccla certamente se destaca como um dos principais ambientes de discussão e formulação de políticas públicas voltadas ao aprimoramento de mecanismos de prevenção e combate a esses crimes.

Na primeira plenária da Enccla, realizada em dezembro de 2003, foram aprovadas 32 metas ligadas a cinco objetivos, e um deles é o desenvolvimento no Brasil de uma cultura de combate à lavagem de dinheiro. Associada a esse objetivo, foi aprovada a meta que estabelece que o Ministério Público Federal deveria avaliar, em conjunto com o Ministério Público do Estado de São Paulo, a criação de procuradorias e promotorias especializadas no combate à lavagem de dinheiro. No ano seguinte, a Polícia Federal recebeu a meta de criar unidades de repressão a crimes financeiros nos locais onde foram criadas varas especializadas em crimes contra o sistema financeiro e a lavagem de dinheiro.

Além das metas referidas, foram aprovadas quatro recomendações nas plenárias da Enccla realizadas em 2010 e 2012. Duas se referem à especialização de unidades policiais de repressão à corrupção e à lavagem de dinheiro. Também foram aprovadas duas recomendações direcionadas ao Poder Judiciário: a especialização de câmaras e turmas nos tribunais para julgar casos relacionados à prática de corrupção e a manutenção das varas especializadas em crimes financeiros, reiterando-se sua imprescindibilidade, em razão de permitirem a melhoria da eficiência da persecução criminal.

Entre a realização da pesquisa do Centro de Estudos Judiciários e a constituição da Enccla, foram criadas as varas federais especializadas em crimes financeiros, por determinação do Conselho da Justiça Federal, que editou a Resolução 314, publicada em 14 de maio de 2003, fixando o prazo de sessenta dias para que todos os Tribunais Regionais Federais promovessem a especialização. Posteriormente, a Resolução 516/2006 permitiu a inclusão de crimes praticados por organizações criminosas na competência dessas varas, atendendo a uma recomendação do Conselho Nacional de Justiça.

A reconstrução da trajetória institucional dos órgãos envolvidos com a Lava Jato certamente é relevante para compreender como e por que a operação atingiu seus resultados.

Desde 1987, com a edição da Resolução CJF 341/1987, Curitiba conta com vara especializada em matéria criminal. Além disso, as três capitais da Região Sul, vinculadas ao Tribunal Regional Federal da 4ª Região, foram as primeiras no país a contar com vara especializada em crimes contra o Sistema Financeiro Nacional e de lavagem de ativos, todas instaladas em junho de 2003 por meio da Resolução TRF4 20/2003. Na ocasião, a vaga de juiz federal na vara especializada em Curitiba era ocupada por Sérgio Moro, que atuou como juiz responsável pela Operação Banestado, na qual foram antecipadas algumas estratégias utilizadas na Lava Jato, como será visto no segundo capítulo.

Varas especializadas também foram criadas no Rio de Janeiro em datas bem anteriores ao início da Operação Lava Jato, por meio de resoluções editadas pelo TRF2. Em julho de 2003, a capital fluminense passou a contar com uma vara especializada em crimes contra o Sistema Financeiro Nacional e de lavagem de dinheiro, que ganhou o reforço de mais três varas em 2005, entre elas aquela onde hoje tramitam os processos da Lava Jato. A 10ª Vara Federal, em Brasília, também se especializou em crimes financeiros bem antes do início da operação, em janeiro de 2004, e passou a compartilhar esses casos com a 12ª Vara Federal a partir de 2017, possivelmente em decorrência da Operação Greenfield.

Essa fase inicial foi marcada pela diferenciação entre as varas especializadas, talvez pela perspectiva de que a prática desses crimes e o número de investigações seria maior nas cidades com mais concentração de atividades financeiras. A vara especializada em crimes financeiros de Porto Alegre, por exemplo, ficou apenas com as infrações de menor potencial ofensivo e execução penal, enquanto a unidade especializada de Florianópolis manteve sua competência criminal geral, e a de Curitiba limitou-se apenas a crimes financeiros e de competência do júri. As quatro varas do Rio de Janeiro especializadas em crimes financeiros continuaram responsáveis por casos envolvendo os demais crimes federais, mas a partir de 2006 outras cinco varas criminais passaram a receber todos os casos do estado que alcançassem crimes não financeiros praticados por organizações criminosas.

O rastreio do histórico de especialização das varas criminais em temas específicos, como lavagem de dinheiro, Sistema Financeiro Nacional e organizações criminosas, revela que esse processo não segue um padrão no país, mas percebe-se que as mudanças relacionam-se com a busca de equalização do volume de processos entre as varas. No quadro atual, apenas as três varas criminais especializadas de São Paulo têm competência exclusiva para crimes financeiros (SFN e lavagem de dinheiro), o que talvez esteja relacionado ao fato de que a cidade sedia grande parte das instituições financeiras que funcionam no país. Atualmente, há 43 varas federais que atuam exclusivamente em temas criminais e com competência especializada para os crimes financeiros distribuídas no país, como mostra o quadro 5.

Quadro 5 – Numeração das varas especializadas em crimes contra o Sistema Financeiro Nacional e de lavagem de dinheiro (2019).

Tribunal	Cidade	Vara
TRF1	Salvador, BA	2ª
	Cuiabá, MT	5ª
	Brasília, DF	10ª, 12ª
	Goiânia, GO	11ª
	São Luís, MA	1ª
	Belo Horizonte, MG	4ª, 11ª
	Manaus, AM	4ª
	Teresina, PI	1ª
	Belém, PA	4ª
TRF2	Rio de Janeiro, RJ	2ª, 3ª, 5ª, 7ª
	Vitória, ES	1ª, 2ª
TRF3	São Paulo, SP	2ª, 6ª, 10ª
	Campinas, SP	1ª, 9ª
	Ribeirão Preto, SP	4ª
TRF4	Campo Grande, MS	3ª, 5ª
	Curitiba, PR	9ª, 13ª, 14ª, 23ª
	Chapecó, SC	1ª
	Criciúma, SC	1ª
	Florianópolis, SC	1ª, 7ª
	Itajaí, SC	1ª
	Joinville, SC	1ª
	Porto Alegre, RS	7ª, 11ª, 22ª
TRF5	Fortaleza, CE	11ª, 32ª
	Recife, PE	4ª, 13ª
	Natal, RN	2ª

Elaborado pela autora a partir de informações recebidas dos TRF1, TRF2, TRF4 e TRF5 e sites dos TRF1 e TRF3.

Os três Tribunais Regionais Federais onde tramitam as ações analisadas contam com turmas especializadas em matéria criminal ao menos desde 2005, distribuídas como mostra o quadro 6.

Quadro 6 – Competência das turmas dos Tribunais Regionais Federais (2019).

Turma	TRF1	TRF2	TRF4
1ª Turma 2ª Turma	Previdenciário e servidores públicos	**Penal**, previdenciário e propriedade industrial	Tributário e execuções fiscais
3ª Turma 4ª Turma	**Penal**, improbidade e desapropriação	Tributário	Administrativo, civil e comercial
5ª Turma 6ª Turma	Administrativo, civil e comercial	Administrativo	Previdenciário e assistência social
Suplementar PR Suplementar SC	–	–	Previdenciário e assistência social
7ª Turma 8ª Turma	Tributário, financeiro e conselhos profissionais	Administrativo	**Penal**

Elaborado pela autora a partir dos sites dos Tribunais Regionais Federais e do regimento do TRF1.

Pode-se supor, nesse caso, que o processo de especialização das varas de lavagem de dinheiro operou-se por meio de um mecanismo endógeno de aprendizado que se apresenta num contínuo movimento de vaivém: mudança de regras internas em função dos resultados esperados e obtidos com essas mudanças, um processo de aprendizado no qual os problemas e êxitos são administrados na forma de tentativa e erro (Hall, 1993; March, Olsen, 1984).

Essa hipótese é compatível com a recente especialização em matéria criminal nas Justiças Eleitorais da Bahia e do Rio Grande do Sul, que replicaram o modelo da Justiça Federal depois que o Supremo Tribunal Federal decidiu, em março de 2019, que a Justiça Eleitoral deve julgar os casos de corrupção e lavagem de dinheiro que tenham conexão com crimes eleitorais.

A determinação da especialização das varas em lavagem de dinheiro ocorre num contexto de pressões internacionais, decorrentes dos diversos acordos firmados pelo Brasil, que preveem mecanismos de constrangimento para que seja aprimorada a estrutura administrativa e judicial voltada ao controle da corrupção, da lavagem de dinheiro e da criminalidade organizada transnacional. Como vimos anteriormente, essa prática foi recomendada pelo Grupo de Ação Financeira no plano de ação formulado para o Brasil em 2010 e, na OEA, no relatório da quarta rodada do Mesicic, ocorrida em 2012.

Destaque-se que a especialização judicial viabiliza construir atalhos no enfrentamento da corrupção em diversos aspectos, pois permite a concentração de atividades similares num mesmo órgão, a definição de rotinas relacionadas exclusivamente aos crimes financeiros e a concentração dos esforços de capacitação em número reduzido da força de trabalho. Ao considerarmos que acusados de crimes de colarinho-branco em geral têm maior poderio econômico, a atividade judicial especializada ajuda a estruturar o sistema de Justiça para dar vazão à esperada avalanche de questionamentos e impugnações feitos por grandes e estruturados escritórios de advocacia.

É interessante destacar que cada Tribunal Regional Federal tem autoridade para definir quando e como ocorre a especialização de varas e o modo de distribuição de processos, um poder de agenda que se encontra fora da esfera de controle dos atores do sistema político e que foi manejado de forma estratégica na Operação Lava Jato, como será abordado no segundo capítulo.

Capacitação de recursos humanos

Há pelo menos oito órgãos relevantes no que concerne às atividades de formação e capacitação de servidores e magistrados da

Justiça Federal: o Centro de Estudos Judiciários (CEJ) do Conselho da Justiça Federal (CJF), o Conselho Nacional de Justiça (CNJ), a Escola Nacional de Formação e Aperfeiçoamento de Magistrados (Enfam) e as cinco Escolas de Magistratura que integram a estrutura administrativa de cada um dos cinco Tribunais Regionais Federais.

O CJF é órgão central das atividades sistêmicas da Justiça Federal. Seu colegiado, composto por cinco ministros do Superior Tribunal de Justiça e pelos presidentes dos cinco Tribunais Regionais Federais do país, tem o poder de supervisionar todo o Judiciário Federal de primeiro e segundo graus, no que se refere a temas administrativos e orçamentários. Além disso, a estrutura desse Conselho inclui o CEJ, unidade criada em 1992 que coordena as atividades de formação e aperfeiçoamento de magistrados e servidores da Justiça Federal, por meio da promoção de pesquisas sobre as atividades do Judiciário, da realização de cursos e seminários e da centralização dos sistemas de informação e gestão documental. Esta última missão institucional inclui a disponibilização de amplo material de pesquisa, com sistematização e divulgação de periódicos de grande circulação, bem como informação doutrinária, legislativa e jurisprudencial, em meio digital ou físico, na biblioteca mantida pelo CJF e nas 27 bibliotecas existentes em unidades da Justiça Federal.

O histórico de atividades do CJF descritas nos relatórios de atividades de 2006 a 2017 sugere um processo de aprimoramento da estrutura administrativa voltada à formação e à capacitação de magistrados e servidores da Justiça Federal (de primeiro e segundo graus).

Em 2007, ressaltam dois marcos institucionais: o lançamento do Plano Nacional de Aperfeiçoamento e Pesquisa para Juízes Federais (PNA) e do Programa Permanente de Capacitação dos Servidores da Justiça Federal (PNC). Cada um deles traçou diretrizes para as ações e metas de capacitação. O PNA unificou os programas de ensino das cinco Escolas de Magistratura do país (uma para cada Tribunal Regional Federal), sob a coordenação do CEJ, com o objetivo de criar programas e estabelecer diretrizes e metas para viabilizar processos contínuos de avaliação das atividades de capacitação de juízes. Os relatórios não trazem dados sistematizados sobre a relação total dos cursos oferecidos, carga horária, número de participantes e cargos ocupados, mas neles há informações que indicam a concretização da missão de ampliar o nível de capacitação dos recursos humanos em temas que não se restringem ao Direito, pois incluem assuntos que vão da língua portuguesa e da lógica à informática e à gestão. Ainda em 2007, merece destaque a celebração de acordo de cooperação entre o CJF e a Controladoria-Geral da União, com o objetivo de produzir e disseminar conhecimentos sobre corrupção e gestão adequada de recursos públicos. O relatório de 2010 descreve o início da implementação do ensino a distância no Judiciário, tema central do 1º Fórum da Educação a Distância promovido naquele ano pelo CNJ, que tem incentivado essa modalidade de ensino.

Ainda no âmbito do CJF, algumas medidas institucionais representam incentivos internos à capacitação, destacando-se: permissão para que servidores se afastem de suas atividades para ingressar em programas de pós-graduação *stricto sensu*, no Brasil ou no exterior, regulamentada a partir de 2002, antes mesmo da introdução dessa modalidade de afastamento no estatuto geral dos servidores públicos; regulamentação do aumento da remuneração dos servidores em razão de atividade discente em áreas de interesse dos órgãos da Justiça Federal, a partir de 2010; retribuição paga por atividade docente exercida nos órgãos do Judiciário, a partir de 2011, que varia em função do grau de titulação; regulamentação da obrigatoriedade imposta a ocupantes de cargos e funções de natureza gerencial, desde 2007, de realizar cursos de aperfeiçoamento a cada dois anos.

O tema capacitação recebe especial destaque nos relatórios do CJF desde 2015, que fazem referência à aprovação do Plano Estratégico da Justiça Federal para o ciclo 2015-2020, além do Glossário de Metas do Planejamento Estratégico desse ciclo. Entre as metas fixadas inicialmente, adaptadas nos anos seguintes, três orientam a formação e o aperfeiçoamento de recursos humanos:

dobrar, até 2020, o número de magistrados federais capacitados em relação a 2014 e melhorar anualmente o seu desempenho; aumentar a cada ano, em 10%, o número de servidores capacitados; dobrar, até 2020, o número de atendimentos a magistrados pela Central de Atendimento ao Juiz Federal (Caju) em relação a 2014[29].

Ainda que tenha sido feita uma esperada readequação das metas nos anos seguintes diante das dificuldades de dimensionamento da capacidade das diversas unidades da Justiça Federal[30], o aperfeiçoamento das medidas administrativas voltadas à gestão de recursos humanos sugere um processo incremental de formação e capacitação de servidores e magistrados federais. Esse movimento encontrou reforço institucional depois da Emenda Constitucional 45/2004, que criou o CNJ, instituído em 2005, e a Enfam, em 2006.

O CNJ recebeu poderes para exercer o controle administrativo e financeiro das atividades de órgãos e membros do Judiciário nacional, o que inclui a edição de atos normativos com parâmetros gerais sobre capacitação e formação de recursos humanos. Desde a sua instituição, editou diversos atos com potencial para gerar incentivos e constrangimentos, com vista ao aprimoramento da formação e qualificação dos recursos humanos do Judiciário.

Em 2007, esse Conselho regulamentou a obrigatoriedade imposta aos magistrados de realizar cursos de aperfeiçoamento, como condição para vitaliciamento e promoção na carreira. Desde então, exige-se o aproveitamento de ao menos sessenta horas-aula anuais em cursos para fins de vitaliciamento, e de ao menos quarenta horas-aula anuais para promoção. A fixação dessa carga horária mínima levou o Conselho a modificar as regras orçamentárias das Escolas de Magistratura, que passaram a gerenciar de forma autô-

---

[29] O Caju é uma unidade do CJF que fornece aos magistrados subsídios para realização de pesquisas e obtenção de informações e conhecimento que possam auxiliar no julgamento de processos. Inclui desde o acesso digital a diversos periódicos até o envio de material existente nas bibliotecas da Justiça Federal.

[30] Algumas dificuldades que já justificaram a modificação de metas foram registradas pelo CJF durante a execução do Planejamento Estratégico da Justiça Federal para o período de 2009 a 2014, entre elas: dificuldades na coleta de indicadores e existência de indicadores não mensuráveis e de projetos que não evoluíram ou não tiveram acompanhamento.

noma parte dos valores do orçamento do respectivo Tribunal Regional Federal. Além disso, foi vedado o contingenciamento de valores destinados aos cursos obrigatórios.

Em 2009 teve início o processo de formulação, pelo CNJ, de metas nacionais a serem atingidas anualmente por todo o Judiciário. Entre as metas formuladas para 2009 e 2010, duas referem-se diretamente à capacitação de recursos humanos. A meta 6, de 2009, previu a capacitação, em gestão de pessoas e de processos de trabalho, dos administradores de cada unidade judiciária. A meta 8, de 2010, também tratou da formação na área de gestão, prevendo a capacitação de ao menos 50% dos magistrados em administração judiciária, em cursos de no mínimo quarenta horas.

O relatório do CNJ informa que a meta de 2009 teve média de cumprimento de 61,87% na Justiça Federal, superior às médias das Justiças Estaduais (41,96%), da Justiça do Trabalho (61,08%), da Justiça Militar (50,83%) e dos tribunais superiores (38,38%). A meta de qualificação fixada para 2010 teve cumprimento médio de 68,9% na Justiça Federal, superior à média dos tribunais superiores (51,28%), mas aquém do cumprimento médio das Justiças Estaduais (84,23%), das Justiças Militares (100%) e da Justiça do Trabalho (84,54%).

As metas nacionais definidas a partir de 2011 não previram temas diretamente relacionados à formação e ao aperfeiçoamento, mas eles estão presentes nas metas complementares do Plano Estratégico da Justiça Federal de 2015-2020, mencionadas anteriormente.

Além disso, em 2010, o CNJ instituiu o Centro de Formação e Aperfeiçoamento de Servidores do Poder Judiciário (CEAJud), que promove cursos, seminários e outras ações relacionadas à capacitação desses servidores, com priorização e fomento do ensino a distância. A aprovação foi precedida do 1º Fórum de Educação a Distância do Poder Judiciário, organizado pelo CNJ, que no início de 2010 realizou pesquisa nos tribunais do país para diagnosticar o grau de maturidade das práticas de ensino a distância no Judiciário. As iniciativas dessa modalidade de ensino nos diversos tribunais passaram a ser objeto de política de integração pelo CEAJud.

No âmbito da Justiça Federal, o CJF oferece cursos a distância desde 2010 e prevê, ao menos desde 2013, que as Escolas de Magistratura tenham estrutura organizacional para a área de educação a distância, o que já existe nos cinco Tribunais Regionais Federais do país há alguns anos. O Plano Nacional de Capacitação Judicial, aprovado em 2011, fixou diretrizes para nortear a ação das escolas judiciárias do país e também priorizou a educação a distância.

Outra medida do CNJ visando incentivar o aprimoramento das ações de capacitação no Judiciário foi a aprovação da Política Nacional de Formação e Aperfeiçoamento dos Servidores do Poder Judiciário, em 2014. Além de fixar diretrizes que devem ser seguidas por todo o Judiciário, a medida cria um ambiente de competição entre os tribunais, ao divulgar os dados anuais relacionados às ações formativas realizadas por cada um deles, inclusive com discriminação do volume total de recursos empregados e do valor do investimento em capacitação por servidor.

A contextualização do aparato institucional sobre formação e capacitação no Judiciário não pode deixar de incluir as Escolas de Magistratura e a Enfam, criada pela Emenda Constitucional 45/2004.

O movimento de implementação dessas escolas no Brasil ocorreu por iniciativa dos Tribunais de Justiça, desde a década de 1970, e por algumas associações de juízes. O ciclo de criação das cinco Escolas de Magistratura da Justiça Federal teve início no Tribunal Regional Federal da 3ª Região, em 1991, e se encerrou quase dez anos depois, no ano 2000, com a instalação da escola vinculada ao Tribunal Regional Federal da 1ª Região.

A ideia de criar uma escola nacional de formação e aperfeiçoamento de juízes no país é anterior ao regime constitucional instaurado em 1988, mas foi impulsionada com os debates sobre a reforma do Judiciário, em especial a partir de análises que associavam o aumento da eficiência ao aprimoramento dos processos de seleção, recrutamento e promoção de juízes. Desde a sua instalação em 2006, ano em que o CJF unificou o programa de ensino das cinco escolas da magistratura federal, a Enfam assumiu as funções de regular os cursos de ingresso, formação inicial e aperfeiçoamento de magistrados, inclusive pela instituição dos critérios mínimos de aproveitamento dos cursos oficiais na promoção da carreira dos juízes, além de proporcionar o intercâmbio entre as diversas escolas do país.

O histórico das mudanças institucionais descrito converge com a busca de aprimoramento técnico do corpo de servidores e juízes, mas não se devem desconsiderar elementos indicativos de um cenário um pouco diverso. A questão que se pretende discutir pode ser sintetizada numa pergunta: esse processo de desenvolvimento institucional imprimiu níveis satisfatórios de qualidade ao serviço público prestado pelo Judiciário? A resposta talvez não seja animadora.

Um dos problemas relaciona-se com a dificuldade de formular indicadores de qualidade para as decisões judiciais, o que é decorrência do caráter hermético do vocabulário jurídico e da ausência de bancos de dados públicos de decisões judiciais que sejam alimentados com indexadores pertinentes a esse tipo de análise. Não se pretende aqui aprofundar essa discussão, mas uma análise preliminar desse tema permite ao menos deixar em suspenso eventuais juízos superficiais sobre a confiabilidade da tecnicidade e da justiça das decisões judiciais, inclusive na Operação Lava Jato.

Tais juízos ou opiniões têm sido reafirmados com o uso de argumentos circulares, que consideram corretas as decisões pelo fato de terem sido mantidas pelas instâncias superiores, como se os mesmos vícios não pudessem ser repetidos por membros dos tribunais. Além de o processo de aprimoramento da estrutura administrativa de capacitação ser relativamente recente, existem indicativos de que os incentivos a esse aperfeiçoamento são restritos e há um longo caminho a percorrer na busca de prestação jurisdicional de qualidade.

As regras relativas à carga horária mínima para fins de promoção, por exemplo, talvez incentivem um número reduzido de magistrados, em especial na Justiça Federal, pois a estrutura da carreira permite apenas duas promoções: de juiz substituto para juiz titular, e deste cargo para o de desembargador federal. Além dos juízes substitutos, supõe-se que apenas os juízes titulares mais antigos, com reais chances de ocupar as limitadas vagas disponíveis nos Tribunais Regionais Federais, sejam o alvo dos incentivos gerados pela regra da carga mínima[31]. O acesso aos tribunais superiores está longe de sofrer influência das políticas de capacitação do Judiciário, pois a escolha é essencialmente política e, sendo assim, o incentivo criado pela regra não alcança os desembargadores[32].

Além disso, apesar de ser bastante razoável supor que o aparelhamento de uma estrutura administrativa voltada para a formação e a capacitação seja condição necessária para produzir mais qualidade nas decisões judiciais, apenas isso não parece suficiente. Em vez disso, há evidências de que a estrutura administrativa de controle do Judiciário priorizou, desde 2011, a busca da eficiência, mas entendida como encerramento célere de processos judiciais, sem controle efetivo da qualidade da atividade-fim por ele produzida[33].

Uma primeira evidência desse fato pode ser identificada no histórico das metas nacionais do CNJ, em que temas sobre capacitação só foram incluídos em 2009 e 2010. As metas fixadas a partir de 2011 revelam apenas a busca de maior velocidade nos processos judiciais. Nelas aparece definido um número mínimo de processos a serem julgados anualmente, a prioridade de julgamento de processos mais antigos, o aumento das soluções de litígios por meio de conciliação, o julgamento de processos mais antigos envolvendo corrupção e improbidade, a priorização do julgamento de

---

[31] A resolução CNJ 106/2010 estabelece que o acesso às vagas de desembargador pelo critério de merecimento restringe-se aos juízes que se encontram na quinta parte mais antiga da lista de juízes titulares. Como é usual no Direito, houve controvérsias sobre as regras da promoção por merecimento.

[32] O Superior Tribunal de Justiça compõe-se de 33 ministros onze oriundos dos Tribunais Regionais Federais, escolhidos pelo presidente da República e aprovados pelo Senado Federal, a partir de lista tríplice elaborada pelo próprio tribunal. Os onze ministros do STF devem ser escolhidos entre cidadãos com idade de 35 a 65 anos, "de notável saber jurídico e reputação ilibada". Cf. artigos 101 e 104 da Constituição Federal.

[33] Gomes e Guimarães (2013) trazem o ranking das dimensões de desempenho de judiciários que mais foram tratadas em artigos científicos publicados entre 1992 e 2011. Os dados apontam que as avaliações sobre a qualidade dos judiciários envolvem, ao lado de indicadores gerais de desempenho, aspectos mais restritos relacionados ao mérito das decisões. Neste último caso, são utilizadas variáveis intermediárias, como a quantidade de decisões reformadas em instâncias superiores, a existência de recursos e a publicação de decisões.

processos envolvendo grandes litigantes e recursos repetitivos e o emprego de novas tecnologias na gestão dos processos.

Uma segunda evidência que sugere a pouca confiabilidade da qualidade técnica das decisões judiciais é a existência de súmulas dos tribunais superiores que repetem textos de lei. As súmulas, por definição, devem ir além do texto legal, pois registram o entendimento dos tribunais sobre um tema, exigindo que sejam interpretadas para extrair delas o que não está expresso pela mera literalidade da lei[34]. Sem a pretensão de esgotar esse tema, destacam-se aqui apenas duas súmulas do Superior Tribunal de Justiça.

A súmula 617, editada em 2018, explicita um dispositivo da lei de execuções penais que prevê que a pena de encarceramento será extinta se expirar o prazo do livramento condicional sem revogação. A necessidade de edição da súmula possivelmente decorreu da insistência de juízes e desembargadores em não reconhecer o direito à extinção da pena depois de decorrido o prazo sem revogação do benefício[35]. É importante ressaltar que foram necessários diversos recursos, negados pelos Tribunais de Justiça e Tribunais Regionais Federais, para finalmente a questão chegar ao Superior Tribunal de Justiça.

A súmula 492, editada em 2012 e aplicável apenas às justiças estaduais, traz explícito que o mero envolvimento de menor de dezoito anos em ato infracional definido como tráfico não justifica a medida de internação. A necessidade de edição da súmula talvez se explique pelo fato de que o STJ recebe inúmeros recursos contra decisões de juízes que insistem em aplicar medida de internação a menores envolvidos em tráfico, exclusivamente por se tratar

---

[34] A súmula é um registro que resume o entendimento vigente num tribunal sobre uma tese jurídica discutida e serve de referência para os julgamentos sobre a mesma matéria. A edição de uma súmula é o resultado da aplicação reiterada de uma mesma jurisprudência, decorrente do entendimento coincidente dos magistrados acerca do tema. As súmulas do Superior Tribunal de Justiça não têm efeito vinculante, isto é, não são de aplicação obrigatória pelos ministros ou por outros tribunais e juízes (Superior Tribunal de Justiça, 2016).

[35] Os exemplos citados têm a finalidade de promover o questionamento em relação ao discurso recorrente de que a manutenção de decisões judiciais pelos tribunais constitui evidência da qualidade e da correção do conteúdo decisório. Afirmações categóricas sobre a qualidade da prestação jurisdicional no país certamente dependem de pesquisas empíricas abrangentes.

de tráfico, quando a lei autoriza a internação apenas em casos de reincidência, descumprimento injustificado de medida anterior ou atos que envolvam violência ou grave ameaça.

As estatísticas de *habeas corpus* (HC) no STJ e no STF trazem uma terceira evidência que recomenda cautela no que se refere à confiança na qualidade das decisões das Justiças de primeiro e segundo graus.

O HC é uma ação constitucional que tem por objetivo afastar ilegalidade ou abuso de poder que resulte em constrangimento ou ameaça à liberdade de locomoção. Diante dessa ampla abrangência, somada à gratuidade e à prescindibilidade de advogado, essa ação pode aumentar de maneira significativa o acervo de processos nos tribunais superiores. Os gráficos 4 e 5 a seguir ilustram o histórico das estatísticas de HC e de recursos ordinários em HC (RHC) no STJ e no STF.

Gráfico 4 – Estatísticas de HC e RHC no Supremo Tribunal Federal (2009-2018).

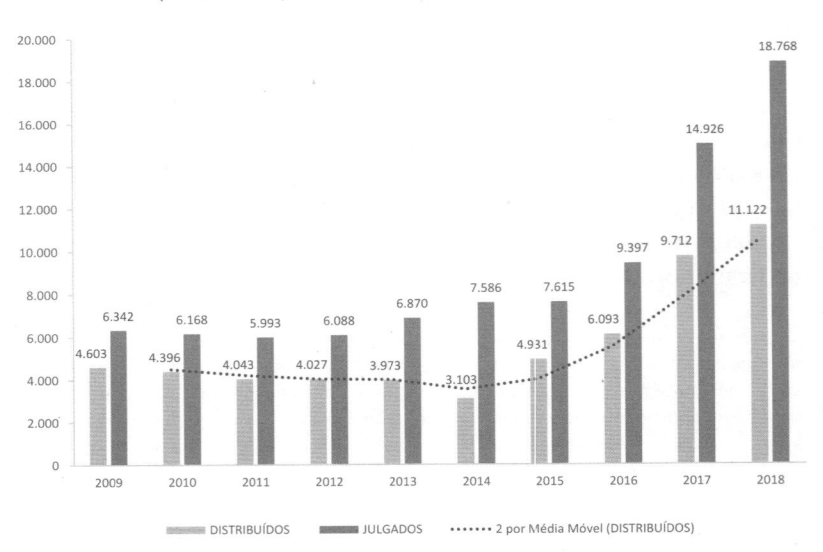

Ano	Distribuídos	Julgados
2009	4.603	6.342
2010	4.396	6.168
2011	4.043	5.993
2012	4.027	6.088
2013	3.973	6.870
2014	3.103	7.586
2015	4.931	7.615
2016	6.093	9.397
2017	9.712	14.926
2018	11.122	18.768

Elaborado pela autora a partir de *STF – Estatísticas*.

Gráfico 5 – Estatísticas de HC e RHC no Superior Tribunal de Justiça (2009-2018).

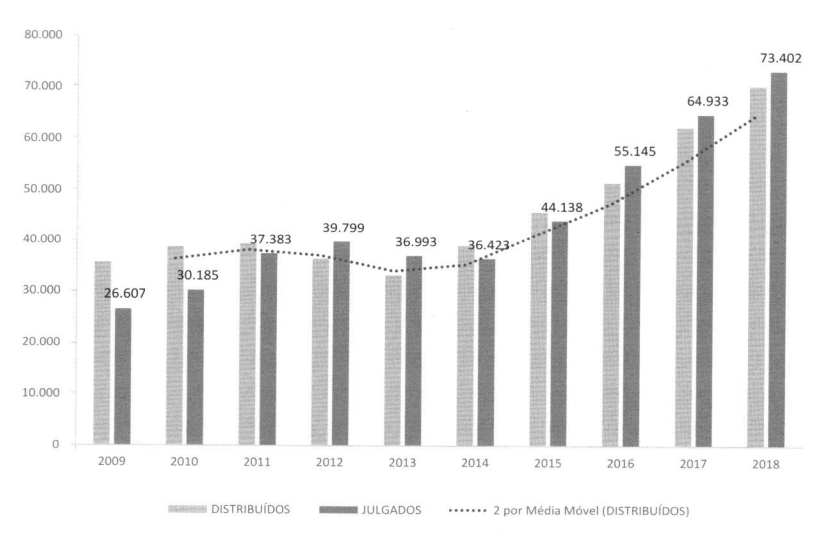

[Gráfico de barras com os seguintes valores: 2009: 26.607; 2010: 30.185; 2011: 37.383; 2012: 39.799; 2013: 36.993; 2014: 36.423; 2015: 44.138; 2016: 55.145; 2017: 64.933; 2018: 73.402. Legenda: DISTRIBUÍDOS, JULGADOS, 2 por Média Móvel (DISTRIBUÍDOS)]

Elaborado pela autora a partir de *STJ – Relatórios estatísticos*.

Esse quadro ajuda a explicar a existência de diversas súmulas do STF que restringem o uso do HC, o que sugere que os dois tribunais superiores são rigorosos na sua análise, ou seja, em meio à enxurrada de casos que ingressam a cada ano nos tribunais, supõe-se que apenas as ilegalidades mais evidentes são efetivamente analisadas e corrigidas e que os HCs, em grande parte, não são analisados quanto ao mérito, por não superarem os diversos filtros processuais.

Essa hipótese se coaduna com os resultados de duas pesquisas financiadas pelo Instituto de Pesquisa Econômica Aplicada (Ipea) sobre HC nos tribunais superiores, compiladas e analisadas por Amaral (2016). A partir de informações extraídas de amostras de HC e RHC distribuídos no STJ e no STF no período de 2006 a 2014, o autor aponta taxas de sucesso de 21,26% no STJ e de 9,2%

no STF. Mesmo com o grande volume de novos HCs que ingressam nesses tribunais a cada ano, surpreende o percentual de pedidos acolhidos, em especial quando se observa que os casos que efetivamente tiveram julgamento sobre o mérito correspondem a 40,54% no STJ e a 31,95% no STF, como mostra o gráfico 6.

O reconhecimento de ilegalidades nesses HCs, depois de superados todos os filtros processuais e ultrapassadas as dificuldades operacionais decorrentes do gigantismo dos dois tribunais, sugere não apenas a existência de recorrentes erros judiciais nas decisões de instâncias inferiores, mas também a possibilidade de que parte deles se consolide ao longo do tempo, sem serem corrigidos, seja porque não são objeto de recurso, seja porque os tribunais superiores não dispõem de tempo e estrutura para analisar efetivamente todos os casos.

A quarta evidência do assunto em discussão relaciona-se a uma questão nuclear das decisões do Judiciário: a fundamentação.

Gráfico 6 – Resultado de julgamentos de HC e RHC no Supremo Tribunal Federal e no Superior Tribunal de Justiça (2006-2014).[1]

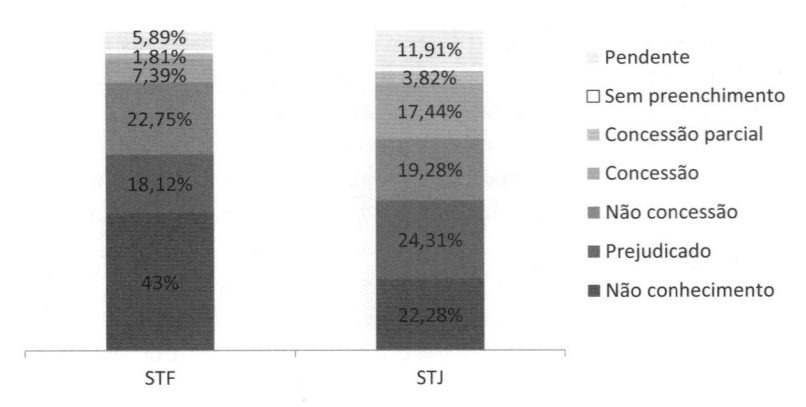

	STF	STJ
Pendente	5,89%	11,91%
Sem preenchimento	1,81%	3,82%
Concessão parcial	7,39%	17,44%
Concessão	22,75%	19,28%
Não concessão	18,12%	24,31%
Prejudicado	43%	22,28%
Não conhecimento		

Adaptado de Amaral (2016).
[1] Foi considerado 0,97% "sem preenchimento" porque, no gráfico original, o somatório não atingiu 100%.

O Poder Judiciário exerce parcela da soberania do Estado e seus membros não passam pelo sufrágio popular. Por esse motivo, alguns teóricos ressaltam, na análise da legitimidade democrática do Judiciário, o imperativo de decisões racionalmente fundamentadas.

A necessidade de fundamentar decisões judiciais parece intuitiva a qualquer pessoa que se imagina potencialmente sujeita a seus efeitos, mas isso teve que ser reafirmado em súmulas dos tribunais superiores e em dispositivos do recente Código de Processo Civil, além de ter sido destacado no *Manual prático de decisões penais* publicado pela Enfam em 2018. Na apresentação do manual está explicitado que ele não se ocupa de aspectos teóricos ou acadêmicos e que tem o objetivo de "fornecer ao magistrado, de qualquer grau de jurisdição, subsídio de natureza objetiva e simples para produzir decisões criminais em conformidade com o dever constitucional de motivação".

O fato de ser o único manual publicado pela Enfam desde o seu surgimento, em 2006, sugere que existe um diagnóstico de significativa falta de fundamentação nas decisões judiciais, algo que está na essência de uma atividade que se manifesta essencialmente por meio da palavra escrita.

A plausibilidade da hipótese de mau funcionamento das instâncias inferiores do Judiciário permite ressignificar o histórico de grandes operações que foram anuladas, o que tem sido qualificado como evidência de impunidade, muitas vezes fazendo eco apenas à versão dos próprios atores das instâncias inferiores do Judiciário e do Ministério Público, que dificilmente reconheceriam as deficiências técnicas dos próprios trabalhos.

Controle do tempo do processo judicial

A gestão do tempo do processo tem sido tema central de debates dentro da estrutura do Poder Judiciário. Como já mencionado, desde 2009 o Conselho Nacional de Justiça passou a fixar metas a serem atingidas anualmente pelos órgãos judiciais. A "Carta do Judiciário", divulgada no 1º Encontro Nacional do Poder Judiciário, ocorrido em 2008, e que marca o estabelecimento das metas pelo CNJ, elegeu a celeridade como uma das principais diretrizes que passaram a nortear a atividade do Judiciário, ao lado da facilidade e da simplificação da prestação jurisdicional e do acesso à Justiça; do aprimoramento do atendimento ao público e da gestão de recursos materiais e humanos; e da evolução no uso de tecnologias de informação.

O delineamento das metas que se seguiram sugere que a redução do tempo de duração dos processos e do acervo existente está entre os principais objetivos pretendidos e incentivados. Além de esses objetivos constituírem os efeitos esperados da maior parte das metas, há diversas evidências da ênfase atribuída à gestão do tempo dos processos. Serão abordadas em seguida as principais metas.

A meta 2 recebe especial atenção nos encontros nacionais e nos relatórios do CNJ. Nela são definidos os parâmetros para julgamento dos processos até o final de cada ano, basicamente através da fixação de um percentual mínimo de julgamento dos casos mais antigos, com adaptações para cada ramo do Judiciário. A título de exemplo, em 2009, todos os ramos da Justiça deveriam identificar os processos mais antigos e adotar medidas concretas para julgar aqueles que ingressaram nos diferentes órgãos até 2005. Em 2012, a meta, reformulada, já previa percentuais diversos para cada ramo do Judiciário, com indicação do mínimo de 50% de julgamento dos processos distribuídos até 2007 na Justiça Federal.

Com a introdução de mais de um patamar de meta, em função do tempo de existência dos processos, em 2016 a Justiça Federal assumiu a tarefa de julgar todos os processos não vinculados aos Juizados Especiais que foram distribuídos até 2011 e 70% dos casos de 2012. O destaque dado a essa meta é percebido já no 3º Encontro Nacional do Poder Judiciário, ocorrido em 2010. Nele, a cerimônia de apresentação do desempenho dos tribunais seguiu a ordem numérica, com exceção da meta 2, a última a ser abordada, e com mais profundidade do que as outras, que contaram com no máximo oito slides, ao passo que a exposição da meta 2 apresentou dezenove slides.

A readequação das metas anuais dificulta a compilação de um quadro temporal sintético sem perda de conteúdo, considerando-se a grande quantidade de detalhes que são modificados anualmente. As observações a seguir não têm a pretensão de esgotar o tema, apenas apresentar uma síntese de alguns aspectos relevantes que podem ser percebidos no histórico das metas e no que tem sido destacado nos encontros nacionais, ocasião em que elas são fixadas e avaliadas, com mostras de priorização do elemento temporal dos processos judiciais.

Além da meta 2, há outras que abordam a agilização no encerramento de processos, como: a manutenção ou a superação do saldo entre julgamentos e a distribuição de novos processos; a redução dos processos em fase de execução, das ações coletivas e das ações que envolvem improbidade administrativa e crimes contra a administração pública; e o aumento dos casos solucionados por meio de conciliação. Algumas metas refletem de maneira indireta na celeridade dos processos em andamento, ao buscarem a redução do acervo de casos repetitivos, como a priorização de ações envolvendo grandes litigantes e aquelas que buscam a otimização de rotinas, com a informatização dos processos e a implementação de métodos de gestão de trabalho.

O relatório do 6º Encontro Nacional do Poder Judiciário, ocorrido em 2012, destaca a preocupação com o tema da improbidade administrativa, o aprimoramento da gestão da Justiça e a necessidade de aperfeiçoamento do sistema de comunicação. Nele ressalta uma inovação: participaram do encontro convidados não pertencentes aos quadros do Judiciário. Um empresário que participou do painel "Gestão do Poder Judiciário: o olhar do administrador" teceu elogios ao planejamento estratégico "focado na otimização dos recursos públicos e na busca de maior celeridade na tramitação dos processos judiciais".

O relatório do 10º Encontro Nacional do Poder Judiciário, realizado em 2016, também traz evidência da priorização da gestão do tempo processual. Um dos membros do CNJ declarou que as metas nacionais buscam, "entre outras finalidades, a celeridade da prestação jurisdicional, a diminuição do estoque de processos e incentivar a política de conciliação e de justiça restaurativa". As três finalidades relacionam-se diretamente com a gestão do tempo do processo, na medida em que a conciliação contribui para a redução antecipada do acervo de processos, permitindo aos juízes e servidores dedicarem-se mais aos processos em andamento, que podem tramitar de forma mais célere.

A preocupação institucional com a celeridade, a partir de 2013, nos casos envolvendo improbidade administrativa e corrupção, talvez justifique o destaque a metas específicas, com o fim de acelerar o julgamento dessas ações. As metas seguem o padrão da meta 2, com fixação do ano de distribuição e do percentual de processos que devem ser julgados anualmente. Em 2018, por exemplo, a Justiça Federal recebeu a meta de julgar 70% das ações de improbidade administrativa e as ações penais relacionadas a crimes contra a administração pública distribuídas até 31 de dezembro de 2015. Explicitamos essa meta porque será retomada no segundo capítulo, pois foi utilizada pelo Tribunal Regional Federal da 4ª Região para fundamentar o ritmo de tramitação do recurso de apelação de Lula, mas com subtração parcial de seu texto.

No âmbito do Conselho da Justiça Federal, já foi mencionado o processo de especialização de varas em lavagem de dinheiro e crimes financeiros, a partir de 2003, que permite agilizar o trâmite dos processos ao restringir a variedade de questões a serem enfrentadas por servidores e magistrados na tramitação das ações.

No segundo capítulo serão tratadas as mudanças que a Justiça Federal promoveu nas varas especializadas no curso da Operação Lava Jato. O contexto dessas mudanças sugere que elas não se inserem num processo de definição de uma estrutura estável e nacional dentro da Justiça Federal, mas correspondem a respostas pontuais a situações conjunturais. A importância do rastreamento desse processo burocrático de adaptação da Justiça Federal à Lava Jato reside no fato de que mudanças meramente conjunturais dependem mais da discricionariedade e do voluntarismo dos atores envolvidos. Isso repercute não só em análises sobre a possibilidade de replicação da Lava Jato, mas também no diagnóstico sobre a possível seletividade das grandes operações com resultados semelhantes aos dessa operação.

Ainda sobre a gestão do tempo, mas agora no que se refere às investigações criminais, em 2009 ocorreu uma mudança implementada pelo CJF que poderia passar despercebida, mas que é capaz de reduzir o tempo de tramitação das investigações criminais. Os inquéritos policiais na área federal submetiam-se a uma tramitação triangular entre Polícia Federal, Ministério Público Federal e Justiça Federal, pois dependiam de sucessivas concessões de prazo feitas pelo juiz federal para que a autoridade policial desse prosseguimento às investigações. Desde 2009, o CJF simplificou essa tramitação: dispensou a atuação do Judiciário nos casos de simples pedidos de prorrogação de prazo das investigações e manteve apenas a tramitação bilateral, para viabilizar o controle do Ministério Público sobre a polícia judiciária. É difícil não reconhecer que a medida tem como foco a celeridade, pois esse é o principal resultado esperado nos inquéritos que demandam meses ou anos de investigações, o que possivelmente ocorre nos casos mais complexos de corrupção e lavagem de dinheiro.

DIMENSÃO TECNOLÓGICA

A atuação criminal da Justiça Federal está sob o raio de ação de diversos avanços tecnológicos ocorridos nos últimos anos, em especial na área de tecnologia da informação. Além do desenvolvimento do processo integralmente eletrônico, diferentes ferramentas informatizadas voltadas à produção de provas foram desenvolvidas e ampliadas, com grande potencial para agilizar a tramitação das ações e facilitar a análise de dados financeiros complexos.

O desenvolvimento e a implementação de processos judiciais eletrônicos na Justiça Federal foram marcados pela relativa autonomia de cada Tribunal Regional Federal, por isso ainda hoje são diferentes os graus de informatização dos tribunais e os tipos de processos eletrônicos utilizados em cada um deles. Os relatórios de atividades do CJF e as metas anuais do CNJ trazem marcos relevantes de um processo de evolução institucional que busca a digitalização total dos processos e a unificação ou interoperabilidade entre os sistemas utilizados pelos tribunais e pelos órgãos que atuam no Judiciário.

Em 2009, o CNJ fixou a meta nacional de implementar o processo eletrônico em parte das unidades judiciárias e, naquele mesmo ano, celebrou acordo de cooperação técnica com os Tribunais Regionais Federais e o CJF com o objetivo de estabelecer parceria para o desenvolvimento do processo judicial eletrônico. Os tribunais elaboraram seus planos de ação de informatização dos processos judiciais, aprovados pelo CJF, que passou a acompanhar os cronogramas de implementação. Em 2012, esse Conselho regulamentou a implementação do Processo Judicial Eletrônico (PJe) e designou um comitê gestor para dar início à execução em 2013, cabendo a cada Tribunal Regional Federal executar seu plano de ação, acompanhado pelo CJF.

Especificamente no que diz respeito aos três Tribunais Regionais Federais que concentram os núcleos da Lava Jato analisados neste livro, há grande diferença nos estágios de informatização dos processos.

O TRF4 desenvolveu seu próprio sistema (eproc) em 2003, que já atende a todas as unidades judiciais desde 2010 e, segundo dados do próprio tribunal, permitiu a redução do tempo de tramitação das ações em até 60%.

O TRF2 começou a implementar o processo eletrônico em 2004, nos Juizados Especiais de São Gonçalo, gradativamente, até que, em 2010, o sistema regional de autos eletrônicos (Apolo) foi implementado em todas as unidades da primeira instância, com exceção das varas criminais. Em 2014, todos os novos processos passaram a adotar o formato eletrônico regional, até que, em 2017, depois de um período de transição para o modelo nacional (PJe), o tribunal optou pelo modelo desenvolvido na Justiça Federal da

4ª Região (eproc), integralmente implementado em junho de 2018 para novos processos.

A implementação do processo digital (PJe) no TRF1 tem ritmo bem mais lento do que o dos demais tribunais, talvez pelo fato de esse tribunal atuar em ampla extensão territorial, que inclui regiões de difícil acesso. A implementação do processo eletrônico teve início em dezembro de 2014, num primeiro momento apenas para processos novos em alguns temas, restritos ao TRF1 e à seção judiciária do Distrito Federal. As varas criminais do DF só passaram a receber novos processos em formato digital em 2017 e, no final de 2018, a média de processos eletrônicos em tramitação na 1ª Região foi de apenas 34%.

A forma de comunicação entre as unidades da Justiça Federal também experimentou avanços tecnológicos. Em 2008, o CJF lançou a Rede do Judiciário, para viabilizar uma comunicação mais veloz, segura e econômica entre os órgãos da Justiça Federal, com conexão intranet, transmissão de base de dados e videoconferência. Em 2010, o CNJ fixou a meta de realizar, por meio eletrônico, 90% das comunicações entre órgãos do Judiciário, mesmo ano em que o CJF instituiu um sistema unificado de comunicação de dados na Justiça Federal (Infovia), licitado e contratado em 2015.

As ordens para diversos atos materiais comuns em investigações e ações criminais, que no passado eram expedidas em papel, passaram a contar com o trâmite digital, muito mais rápido. Serão tratadas, a seguir, as mudanças mais relevantes, relacionadas às ordens judiciais para obtenção de extratos bancários, dados cadastrais e bloqueio de valores, além de convênios que viabilizaram ao Judiciário o acesso a bancos de dados informatizados mantidos por outros órgãos.

Em 2001, foi celebrado convênio entre o Superior Tribunal de Justiça, o CJF e o Banco Central do Brasil (Bacen) para viabilizar o uso do Bacen Jud 1.0, um sistema de comunicação entre o Judiciário e as instituições financeiras para a requisição de informações relativas a contas bancárias (existência, saldo, extrato e endereço) e o bloqueio/desbloqueio de valores do cliente. As respostas, porém, eram enviadas em papel pelas instituições financeiras. Entre 2005 e 2008, houve progressiva desativação desse sistema e foi implementado o Bacen Jud 2.0, que passou a permitir o envio das informações bancárias através do próprio sistema informatizado, sendo dispensado o uso de papel. Em 2008, um novo convênio com o Banco Central viabilizou o acesso ao cadastro de clientes do Sistema Financeiro Nacional (sistema CCS), o que permite rápido acesso aos dados cadastrais e à relação de instituições financeiras com as quais esses clientes mantêm vínculos.

A série histórica de ordens judiciais via Bacen Jud sugere que a informatização foi essencial para assegurar agilidade na troca de informações entre o Judiciário e o sistema bancário, conforme ilustrado no gráfico 7 a seguir.

Gráfico 7 – Solicitações do Poder Judiciário via Bacen Jud 2.0 (2005-2018).

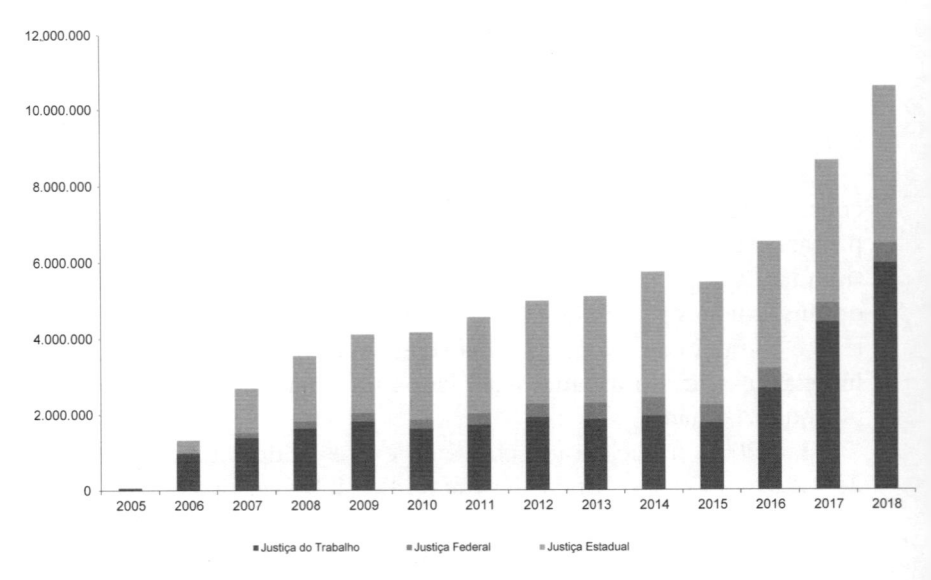

Banco Central do Brasil. Disponível em: <https://www.bcb.gov.br/acessoinformacao/estatbacenjud2> Acesso em: 1 jul. 2019.

O trâmite digital das informações bancárias passou a ser realizado em formato padronizado a partir de 2010, depois de longa negociação entre as instituições que participam da Enccla. Os órgãos responsáveis pelas investigações criminais, que antes precisavam registrar em planilha os dados bancários descritos em papel ou em CD-ROM, passaram a receber as informações em layout único por meio do Sistema de Movimentação Bancária (Simba), software livre desenvolvido pela Procuradoria-Geral da República que valida os dados bancários, garante a formatação padronizada deles e realiza a transmissão dos dados criptografados. O Ministério Público Federal foi coordenador da ação n. 20 da Enccla, realizada em 2009, que teve por objeto a disponibilização e a disseminação da tecnologia Simba para atingir o maior número de órgãos interessados.

Quando se pensa em investigações de crimes de colarinho-branco que envolvem múltiplas transações bancárias, essas mudanças na obtenção e na formatação dos dados bancários certamente contribuem para acelerar as investigações e otimizar a capacidade de análise das informações.

Em 2006, o CJF celebrou convênios com a Receita Federal e o Ministério da Justiça que permitem agilizar as investigações e ações criminais, ao tornar desnecessária a expedição de ofícios em papel na execução de ordens judiciais. O primeiro convênio possibilitou à Justiça Federal ter acesso, a partir de 2008, à base de dados das declarações de bens e dados cadastrais de pessoas físicas e jurídicas (consulta ao CPF/CNPJ e Sistema de Informações ao Judiciário – Infojud), o que foi objeto da meta 4 da Enccla realizada em 2005. O convênio com o Ministério da Justiça viabilizou o compartilhamento com a Justiça Federal do acesso ao Sistema Nacional de Informações de Segurança Pública (Infoseg)[36], cuja rele-

---

[36] A nova rede Infoseg foi instituída pelo Decreto 6.138/2007 para funcionar no âmbito do Ministério da Justiça, com o objetivo de interligar bancos de dados de diversos órgãos públicos, federais e estaduais, de segurança pública, fiscalização e do Judiciário. Para mais detalhes sobre as bases de dados que integram a rede, que foi substituída pelo Sinesp/Infoseg em 2017, recomenda-se consultar os relatórios de gestão da Secretaria de Segurança

vância para as atividades de repressão à corrupção e lavagem de dinheiro foi reconhecida em duas plenárias da Enccla.

O CNJ disponibilizou aos magistrados mais dois sistemas informatizados de pesquisas patrimoniais: o Sistema de Restrições Judiciais de Veículos Automotores (Renajud), em 2008, e o Sistema de Registro Eletrônico de Imóveis (SREI), em 2016. O primeiro faz a ligação do Judiciário com o Departamento Nacional de Trânsito (Denatran) e possibilita a efetivação, em tempo real, de ordens judiciais para restrição e liberação de veículos cadastrados na base de índice nacional do Registro Nacional de Veículos Automotores (Renavam), com repasse sucessivo das informações aos órgãos estaduais de trânsito responsáveis pelo registro

O SREI permite a busca, através de CPF ou CNPJ, de bens imóveis registrados em base compartilhada pelos cartórios de Registro de Imóveis, além da visualização eletrônica da matrícula e da inserção de pedido de certidão.

A realização de leilões de bens apreendidos judicialmente passou a contar com hastas públicas virtuais, a partir de 2009, realizadas diretamente pelos Tribunais Regionais Federais ou por meio de convênios com entidades públicas e privadas. A medida permite agilizar a alienação de bens, o que tem especial relevância para as investigações de crimes de colarinho-branco, diante do endurecimento da legislação voltada a impedir a fruição das vantagens econômicas obtidas de forma ilícita.

Os investigados da Lava Jato também depararam com uma medida tecnológica introduzida no país em 2010 e que tem sido amplamente usada pela Justiça Federal nos casos envolvendo crimes de colarinho-branco: o monitoramento por tornozeleira eletrônica. O acessório se tornou uma espécie de tatuagem temporária dos condenados que assinaram acordos de colaboração premiada, os quais preveem fases de cumprimento da pena de prisão na própria residência do condenado, outra inovação introduzida pela Lava Jato de Curitiba.

Pública do Ministério da Justiça dos exercícios de 2016 e 2017.

Por fim, deve ser registrada a importância do Laboratório de Tecnologia contra Lavagem de Dinheiro (LAB-LD) no aprimoramento das ferramentas tecnológicas utilizadas pela Polícia Federal e pelo Ministério Público Federal para a produção de provas em investigações e ações criminais.

O LAB-LD surgiu por iniciativa da Enccla e foi instalado em 2007 dentro da estrutura do DRCI, com a finalidade de superar dificuldades em investigações de lavagem de dinheiro e corrupção na análise de grande volume de informações bancárias, fiscais e telefônicas. O laboratório funciona como modelo para desenvolver e difundir as melhores práticas tecnológicas e de capacitação, o que foi replicado para outros órgãos federais e estaduais a partir de 2009, com a formalização da Rede Nacional de Laboratórios de Tecnologia (Rede-LAB), que possui 58 unidades em operação e cinco em instalação. O relatório de gestão de 2018 do Ministério da Justiça aponta que, entre 2009 e 2018, os laboratórios da Rede--LAB analisaram mais de 11 mil casos com indícios de ilicitude.

O uso de ferramentas de informática para mineração automática de grande volume de dados reduz o material com o qual os investigadores precisam lidar, antecipando o encerramento de investigações criminais e a elaboração de laudos periciais que devem ser apresentados na ação penal pelo Ministério Público.

A presteza na produção do material probatório é especialmente relevante em ações penais em que os acusados são presos preventivamente, pois reduz a chance de revogação das prisões por excesso de prazo. Será abordado no segundo capítulo que a gestão do tempo dos processos foi um dos elementos centrais da estratégia dos atores do sistema de Justiça envolvidos com a Lava Jato, que ainda fizeram uso de outros recursos tecnológicos especialmente desenvolvidos para a operação.

Neste capítulo foram apresentadas as principais mudanças institucionais relacionadas às atividades de controle criminal da corrupção de alto escalão, com foco na esfera federal. Esse aprimoramento do quadro institucional anticorrupção no país é convergente com os resultados obtidos pela Operação Lava Jato, pois as mudanças permitem maior eficiência na produção de provas nos casos de crimes de colarinho-branco e conferem maior agilidade às investigações e ações criminais correlatas. Esse cenário também sugere a progressiva construção de um discurso institucional, no sistema de justiça criminal federal, que dá ênfase a uma Justiça que clama por velocidade e especialmente preocupada com as ações envolvendo corrupção e lavagem de dinheiro, mas sem mecanismos claros para controlar as amplas margens de escolha dos atores do sistema de Justiça.

II. A Operação Lava Jato

Antes de iniciar a análise da Operação Lava Jato, devem ser feitas algumas considerações. Na análise realizada neste livro, não são examinados os fatos presumidamente criminosos que foram discutidos nas investigações e ações criminais. Por isso, não cabe aqui tratar questões relativas à correção das decisões judiciais que reconheceram ou não a culpa das dezenas de pessoas investigadas e condenadas, nem compreender o contexto da corrupção que se afirma existir nas contratações envolvendo a Petrobras e outros órgãos públicos.

Além disso, apesar de serem numerosas as críticas a aspectos jurídicos da Operação Lava Jato, até o momento nenhuma análise consistente foi capaz de negar a ocorrência de desvios de recursos públicos que motivaram as ações penais examinadas neste capítulo. Pelo contrário, e a título de exemplo, o DRCI relata que, em cinco anos de operação, houve a confirmação oficial de bloqueio no exterior de cerca de 612 milhões de dólares e a repatriação definitiva de 166 milhões de dólares, cifra que representa mais de 50% do total repatriado historicamente (Brasil, 2019). Sendo assim, não se toma como ponto de partida nem se questiona aqui a ocorrência de tais desvios; o interesse é pela maneira como foram processados criminalmente pela Justiça. Isso também se aplica ao conteúdo dos acordos de colaboração premiada celebrados pela operação: os fatos neles narrados não constituem o ponto de partida nem são questionados; o interesse, neste caso, é pela forma como foram firmados.

O foco aqui está na identificação das estratégias adotadas pelos operadores do sistema de Justiça, sobretudo da Justiça Federal, na gestão das investigações e ações criminais. Não se quer sugerir, com o termo "gestão das investigações", que a Justiça Federal conduzia as investigações. Fazer essa afirmação exigiria apresentar evidências de que os juízes agiram contra a lei e de que as autoridades policiais e os membros do Ministério Público, responsáveis pela condução das investigações, foram omissos. A divulgação, pelo *The Intercept Brasil*, em 2019, de parte da comunicação privada mantida entre membros da força-tarefa da Lava Jato de Curitiba e o juiz Sérgio Moro sugere a ocorrência dessas ilegalidades, mas essas informações não foram incluídas na análise feita neste livro, baseada exclusivamente na movimentação das investigações e ações penais. Por esses motivos, a expressão "gestão das investigações", aqui, restringe-se à atuação formal e previsível do Judiciário nas investigações, ao analisar pedidos de medidas invasivas, como busca e apreensão e prisão cautelar.

Outra consideração importante sobre as análises feitas neste capítulo envolve o modo de rastrear e analisar o comportamento estratégico dos atores do sistema de Justiça, que agem sob constrangimento de diversas normas jurídicas que regulam os procedimentos criminais. Sob a ótica da legislação, a atuação desses operadores transita da inequívoca vedação legal de praticar determinada ação à obrigatoriedade da conduta prevista em lei. Entre esses dois extremos, há uma ampla gama de comportamentos possíveis, que inclui zonas cinzentas sobre a vedação ou a imposição, além de um campo residual de comportamentos autorizados mas não impositivos. A análise do comportamento estratégico apresentada neste capítulo é feita essencialmente a partir desses pressupostos, na medida em que pouco se pode concluir sobre a existência de ação estratégica quando há a prática do comportamento obrigatório ou a abstenção de uma conduta proibida. A estratégia dos atores está essencialmente na forma como manejam as zonas cinzentas e no *timing* escolhido para a prática de atos, incluindo aqueles que lhes são impostos.

O ponto de partida para abordar a Operação Lava Jato deve passar pelo reconhecimento de que os atores envolvidos com as investigações e ações criminais estão sujeitos a normas institucionais que lhes impõem o dever de investigar e punir agentes públicos e particulares envolvidos em crimes. Nos casos de corrupção e lavagem de dinheiro, o histórico de desenvolvimento das instituições de incentivo ao combate a esses crimes, descrito no capítulo anterior, revela a construção de um cenário propício à definição de missões institucionais voltadas à busca de resultados efetivos na punição da corrupção política. Não se quer com isso excluir a possível influência de outros fatores no desenrolar da Operação Lava Jato, mas ressaltar o forte arcabouço institucional que vem sendo desenvolvido há mais de uma década, direcionado ao objetivo final de obter punições rápidas e rigorosas a políticos e empresários envolvidos em crimes de corrupção.

Por esses motivos, nesta análise evitou-se extrair do comportamento dos atores mais do que eles representam em comparação com o que se espera na condução de investigações e ações criminais, não só quanto ao conteúdo, mas sobretudo quanto ao *timing*. E especialmente na gestão do tempo dos processos foram identificados diversos rastros de ação estratégica que indicam não só a atuação seletiva baseada em critérios meramente discricionários, quase arbitrários, mas também adaptações que materializam arranjos momentâneos que não se direcionam a regular de modo geral as operações anticorrupção, que entretanto foram essenciais para a obtenção dos resultados. Por essa razão, entende-se que, da forma e com a velocidade com que foram alcançados esses resultados, isso só foi possível graças ao forte engajamento dos atores do sistema de justiça criminal.

O termo "voluntarismo" e a expressão "ação estratégica" estão sendo utilizados aqui de modo intercambiável, a fim de identificar como a operação foi desenhada para atingir determinados alvos e como o processo judicial foi conduzido para alcançar esse objetivo. A expressão "voluntarismo político" foi cunhada por Arantes (2002) em sua análise sobre o desenvolvimento institucional do Ministério Público, depois retomada por esse autor e por Moreira (2019) na análise comparativa de três instituições do campo da Justiça: Ministério Público, Polícia Federal e Defensoria Pública. Do conceito de voluntarismo aproveita-se neste livro, e considera-se especialmente útil, a noção de ação estratégica, isto é, a ação de atores do sistema judicial que põem os fins acima dos meios e calculam seus passos e suas decisões em função dos resultados que pretendem alcançar.

LAVA JATO: NÚCLEOS, FASES, AÇÕES

As abordagens sobre a Lava Jato em geral começam com a deflagração da primeira fase ostensiva da operação, em 17 de março de 2014, quando quatrocentos policiais federais cumpriram quatro decisões da 13ª Vara Federal de Curitiba autorizando a realização de 81 medidas de busca e apreensão, dezoito prisões preventivas, dez prisões temporárias e dezenove conduções coercitivas. Até a 57ª fase da operação, em 5 de dezembro de 2018, nas várias fases ostensivas da Lava Jato em Curitiba, foram executados 1.130 mandados de busca e apreensão, 101 de prisão preventiva, 161 de prisão temporária e 228 conduções coercitivas[1].

No banco de dados coletados para o trabalho que originou este livro constam 84 denúncias oferecidas contra 622 réus (383 pessoas, sem repetição de nomes), das quais 46 foram sentenciadas[2].

---

[1] As informações contidas neste capítulo são baseadas em fontes primárias, ou seja, nos processos judiciais em que foram autorizadas as fases ostensivas da operação e nas ações criminais propostas pelo Ministério Público Federal. As informações não localizadas nos processos, em razão de sigilo ou devido à não identificação precisa dos dados, foram obtidas nas divulgações oficiais da Polícia Federal e do Ministério Público Federal. Apenas quando exauridas essas duas fontes recorreu-se a documentos judiciais divulgados pela imprensa.
[2] Três ações apresentam duas sentenças porque houve um desmembramento (ações 5, 18 e 19 do quadro 7), o que resultou em 49 sentenças (incluindo a rejeição da denúncia relativa

As acusações envolvem 22 espécies de crimes, sendo os mais recorrentes: lavagem de dinheiro (337 pessoas em 515 acusações), integrar organização criminosa (170 pessoas em 178 acusações)[3], corrupção ativa (173 pessoas em 165 acusações), corrupção passiva (91 pessoas em 157 acusações), quadrilha/associação criminosa (66 pessoas em 66 acusações), evasão de divisas (37 pessoas em 57 acusações), operação não autorizada de instituição financeira (31 pessoas em 32 acusações)[4] e gestão fraudulenta de instituição financeira (39 pessoas em 32 acusações)[5].

O objeto e a duração das ações, na primeira e na segunda instância, dos núcleos de Curitiba, Rio de Janeiro e Brasília, aparecem nos quadros 7, 8 e 9, no final desta seção do livro (páginas 129-43). Em vários momentos, nesta e em outras seções, será feita remissão a esses dados.

A despeito da constante referência ao "clube das empreiteiras" e ao desvio de recursos públicos em licitações fraudadas, mencionadas doze vezes no site da força-tarefa do Ministério Público Federal no Paraná, que também cita quinze vezes o crime de cartel[6], houve apenas uma ação com acusação da prática de cartel (sete réus)[7] e duas envolvendo crimes de licitação (dez réus), uma delas

---

à ação 22). Os números referentes ao núcleo do Paraná não incluem a denúncia decorrente da Operação Radioatividade, remetida à Justiça Federal do Rio de Janeiro em 11 de novembro de 2015.
[3] A segunda acusação de integrar organização criminosa, feita contra cinco pessoas, foi excluída em razão da duplicidade (ação 6 do quadro 7). Três pessoas foram acusadas de pertencer a organização criminosa em duas ações: Eduardo Musa (ações 39 e 40), Matheus Oliveira (ações 15 e 65) e Rodrigo Tacla Duran (ações 63 e 73).
[4] Alberto Youssef respondeu a duas acusações, uma delas relacionada a investigações do caso Banestado (ações 3 e 12 do quadro 7).
[5] Alberto Youssef foi acusado em quatro denúncias ligadas ao caso Banestado (ações 9 a 12 do quadro 7).
[6] O crime de cartel só aparece em uma ação penal do núcleo do Rio de Janeiro, sentenciada em 12 de setembro de 2018, com seis condenados, três absolvidos e cinco beneficiados com suspensão do processo (ação 12 do quadro 8). Essa mesma ação contém acusação de fraude à licitação, assim como outra denúncia (ação 39 do quadro 8). Não há acusação de fraude à licitação ou prática de cartel no núcleo Greenfield de Brasília.
[7] Cf. artigo 2º, inciso II, parágrafo 1º da Lei 9.613/1998. A nota emitida pelo Ministério Público Federal quando foi oferecida a única denúncia de cartel envolvendo a Petrobras traz o

não relacionada com a Petrobras e nenhuma das três julgada até dezembro de 2018[8].

O núcleo da Lava Jato do Rio de Janeiro teve início depois que o Supremo Tribunal Federal retirou da Justiça Federal do Paraná uma ação penal envolvendo a Eletronuclear, em novembro de 2015. A possível participação do então senador Edison Lobão (PMDB) justificou a suspensão da ação, que tramitava em Curitiba, pelo ministro Teori Zavascki, que reconheceu a violação à competência do STF, órgão ao qual cabe decidir sobre desmembramento de investigações que incluem autoridades detentoras de foro naquela Corte. Por se tratar de fatos envolvendo a Eletronuclear e de crimes que teriam sido praticados na cidade do Rio de Janeiro, sem qualquer conexão com a Petrobras, o ministro determinou a remessa das investigações à capital fluminense. Zavascki seguiu o precedente fixado pelo STF, ao desmembrar investigações da Lava Jato de Curitiba que envolviam o Ministério do Planejamento e que foram remetidas à Justiça Federal de São Paulo em setembro de 2015[9].

Esses desmembramentos iniciais fizeram que fossem mantidos em Curitiba apenas os casos relacionados à Petrobras. O Rio de Janeiro ficou com os casos da Eletronuclear e as investigações deles decorrentes, que, de maneira diferente do núcleo de Curitiba, envolvem fatos criminosos supostamente praticados em terri-

---

seguinte comentário do procurador Diogo Castor: "O crime de cartel é muito difícil de comprovar. Contudo, o ajuste entre as grandes construtoras foi comprovado por colaborações premiadas, que quebraram a corrente de silêncio, e por documentos apreendidos bastante ilustrativos, como aquele chamado de 'regulamento do campeonato esportivo', o qual regulava a conduta das empresas do cartel, e aquele de premiação de um suposto 'bingo fluminense', o qual na verdade dividia obras do Comperj entre as construtoras." (Cf. Ministério Público Federal. Lava Jato denuncia executivos da Queiroz Galvão e da Iesa pelos crimes de cartel e fraudes à licitação na Petrobras. *Notícias*, 13 set. 2016. Disponível em: <http://www.mpf.mp.br/pr/sala-de-imprensa/noticias-pr/lava-jato-denuncia-executivos-de-queiroz-galvao-e-iesa-pelos-crimes-de-cartel-e-fraudes-a-licitacao-na-petrobras>. Acesso em: 25 jul. 2019

[8] Ações 48, 49 e 81 (obras de duplicação da rodovia BR-323) do quadro 7. As denúncias das ações 15-18, 30 e 31 fazem menção à pretensão de futuro ajuizamento de denúncia envolvendo fraude à licitação.

[9] As decisões sobre a Eletronuclear foram tomadas na Reclamação 21.082 e Ação Penal 963, que utilizaram o precedente fixado em Questão de Ordem do Inquérito 4.130.

tório sujeito à atuação da Justiça Federal fluminense. O critério territorial também determinou o envio dos primeiros casos da Lava Jato/Greenfield para a Justiça Federal do Distrito Federal, seja por abrangerem desmembramentos de investigações iniciadas no STF implicando autoridades que atuam em Brasília, seja por envolverem recursos do Fundo de Garantia do Tempo de Serviço (FGTS), do Banco Nacional de Desenvolvimento Econômico e Social (BNDES) ou de fundos de pensão sediados na capital federal, como Funcef e Postalis.

As investigações que se seguiram na capital fluminense culminaram em 29 fases ostensivas da operação até o final de 2018, nas quais foram realizadas 446 buscas e apreensões, 168 prisões preventivas, 43 prisões temporárias e 38 conduções coercitivas[10]. Até dezembro de 2018, foram oferecidas 43 denúncias contra 445 réus (301 pessoas, sem repetição de nomes), das quais dezesseis foram sentenciadas[11]. As acusações do Rio de Janeiro envolvem dezesseis espécies de crimes, e os mais recorrentes são: lavagem de dinheiro (190 pessoas em 258 acusações), pertencimento a organização criminosa (221 pessoas em 206 acusações)[12], corrupção passiva (51 pessoas em 99 acusações), evasão de divisas (69 pessoas em 88 acusações) e corrupção ativa (47 pessoas em sessenta acusações).

Apenas dois casos da Lava Jato no Distrito Federal foram mencionados na página de divulgação da força-tarefa do Ministério Público Federal, que nem sequer foi atualizada depois do julgamento em primeira instância, ocorrido em junho e julho de 2018. Somados aos quinze casos da Operação Greenfield analisados nes-

---

[10] Consideram-se as fases indicadas no site da força-tarefa da Lava Jato do Ministério Público Federal, com algumas correções, em razão de divergência com o conteúdo das decisões judiciais analisadas, além da inclusão na fase 11 (Ponto Final) dos dados identificados em duas decisões, cumpridas entre os dias 2 e 5 de julho de 2017.

[11] Os números relacionados ao núcleo do Rio de Janeiro incluem a denúncia da Operação Radioatividade, apresentada na Justiça Federal do Paraná, mas remetida à Justiça Federal do Rio de Janeiro em 11 de novembro de 2015.

[12] Há duas acusações de crime de organização criminosa envolvendo Álvaro Novis (ações 6 e 22 do quadro 8), Claudio Barbosa de Sousa (ações 8 e 38), Cláudio de Freitas (ações 21 e 38), Juan Bitllonch (ações 33 e 38) e Vinicius Claret Barreto (ações 8 e 38). João Vaccari Neto foi acusado pela força-tarefa de Brasília (ação 17 do quadro 9) e pela do Rio de Janeiro (ação 42 do quadro 8).

te livro, temos o total de 140 réus (89 pessoas, sem repetição de nomes), com três ações sentenciadas até dezembro de 2018.

Os casos mais recorrentes em Brasília divergem dos núcleos do Rio de Janeiro e do Paraná pelo fato de que as principais acusações se referem a lavagem de dinheiro (trinta pessoas em 57 acusações), corrupção passiva (dez pessoas em trinta acusações), apropriação indébita financeira (22 pessoas em 26 acusações), gestão temerária (dezoito pessoas em 22 acusações) e integrar organização criminosa (dezessete pessoas em dezoito acusações)[13]. Nas dez fases policiais ostensivas realizadas pelo núcleo de Brasília foram realizadas 284 buscas e apreensões, oito prisões preventivas, doze temporárias e 82 conduções coercitivas.

As denúncias do Paraná e do Rio de Janeiro apresentam média de sete testemunhas, e no núcleo de Brasília há uma média de onze testemunhas por denúncia, número que cai para seis se desconsiderarmos duas ações com mais de dez testemunhas de acusação[14].

A quantidade de testemunhas pode influenciar na duração dos processos. A denúncia traz a descrição de fatos criminosos que devem ser comprovados durante o processo pelo Ministério Público. Há fatos que podem ser comprovados por documentos ou por exame pericial, como a transferência da titularidade de uma empresa ou a falsidade de uma assinatura. Já os fatos que não são comprovados por documentos ou exames periciais demandam a realização de audiência para ouvir testemunhas, sendo esperado que a acusação e a defesa tenham interesse em provar suas versões dos fatos sobre os quais haja controvérsia. A indicação de maior número de testemunhas pela acusação sugere a existência de controvérsias fáticas não comprovadas por documentos, o que deve elevar a quantidade de testemunhas arroladas pelas defesas, pro-

---

[13] Os dados não incluem os crimes imputados na ação 7 do quadro 9, pois não foi localizada a denúncia, oferecida na Justiça Federal de São Paulo e remetida à Justiça Federal do Distrito Federal em 22 de julho de 2016. O ex-presidente Lula foi acusado de integrar organização criminosa em duas denúncias (ações 2 e 17 do quadro 9).

[14] Os dados não incluem a ação 43 do quadro 8 e as ações 7 e 10 do quadro 9, pois não foi possível acessar a íntegra das denúncias.

longando-se a fase de depoimentos e o número de atos cartorários necessários para a realização das audiências.

No banco de dados feito para o trabalho que originou este livro aparece catalogado apenas o número de testemunhas que constam nas denúncias. Além de ser dispendioso o rastreio das testemunhas de todos os réus, considera-se que o rol do Ministério Público Federal já oferece um bom referencial sobre o volume de controvérsias que não pode ser comprovado por documentos. Parte-se do pressuposto de que os casos em que o próprio MPF incluiu muitas testemunhas, o que fez demorar mais a obtenção da condenação requerida pelo órgão, possivelmente envolveram mais testemunhas indicadas pelos réus e depoimentos mais longos, estendendo o tempo de duração das audiências.

O gráfico 8 oferece uma visão geral do número de testemunhas indicadas em cada denúncia apresentada no Paraná, no Rio de Janeiro e no Distrito Federal.

Percebe-se no gráfico uma concentração de denúncias em que o MPF relacionou de duas a treze testemunhas, que correspondem a 87% dos casos, além de algumas situações extremas, ocorri-

Gráfico 8 – Número de testemunhas relacionadas nas denúncias.

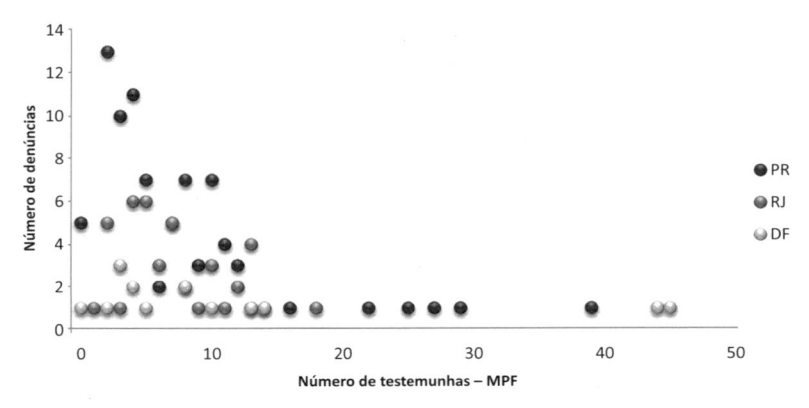

Elaborado pela autora.

das em Curitiba e Brasília, em que foi elevado o número de pessoas ouvidas a pedido do MPF. Os dois casos do Distrito Federal com mais de quarenta testemunhas são desmembramentos originários do Supremo Tribunal Federal, relativos às acusações de integrar organização criminosa contra lideranças do PMDB e do PT.

A denúncia oferecida no Paraná, com pedido para oitiva de 39 testemunhas, tem por objeto acusação envolvendo Lula, relacionada a um imóvel na cidade de Atibaia, SP. Ele também aparece como réu em duas das quatro ações que contam com mais de vinte testemunhas de acusação (22 e 27), a primeira relativa ao Instituto Lula e a segunda relacionada a um apartamento tríplex no Guarujá, SP, julgada em pouco menos de dez meses (301 dias).

Os dois casos de Curitiba com 25 e 29 testemunhas do MPF envolvem a denúncia oferecida contra Sérgio Cabral, ex-governador do Rio de Janeiro, caso julgado em 180 dias, e a primeira acusação contra os executivos da Odebrecht, caso julgado em 228 dias.

Esse quadro geral sobre o número de testemunhas apresentado no gráfico 8 será uma das referências utilizadas neste livro ao se comparar o ritmo de tramitação das ações criminais. Essa análise mostra-se especialmente relevante diante do diagnóstico que aponta a morosidade do sistema de Justiça Federal como uma das causas da ineficiência no controle da corrupção política. A literatura traz como possível causa da morosidade a existência de alguns institutos jurídicos[15] que podem ser usados pela defesa do acusado, como a prerrogativa de indicar até oito testemunhas por fato (Taylor, 2011), entre outros.

No que diz respeito ao tempo de duração das ações criminais na primeira instância, observa-se que, nas 49 sentenças proferidas até dezembro de 2018 pela Justiça Federal de Curitiba, esse tempo variou de 92 a 1.616 dias[16], enquanto no Rio de Janeiro foram proferidas dezesseis sentenças em processos que duraram de 130 a 520 dias desde a apresentação da denúncia. Esse intervalo variou de 337 a 948 dias nos três casos julgados pela Justiça Federal de

---

[15] Os institutos jurídicos abrangem prerrogativas, direitos, ações impugnativas e recursos, entre outros.
[16] Estão incluídos os processos desmembrados das ações 5, 18 e 19 do quadro 7.

Brasília[17]. Se os casos de Brasília não fornecem parâmetro suficiente para uma comparação entre os núcleos, já que há apenas três processos julgados, os dados de Curitiba e do Rio de Janeiro sugerem que a agilidade nos casos paranaenses não foi exatamente pautada por critérios de isonomia, que pressupõe tratamento igualitário entre réus, o que será abordado de modo mais amplo adiante.

Vários fatores influenciam a duração das ações criminais, mas parece razoável supor que o número de réus é fator especialmente relevante: se elevado, são maiores o número de manifestações a serem apreciadas pelo juiz antes do julgamento e o número de testemunhas a ouvir. O gráfico 9 traz uma visão geral das ações criminais julgadas pelos três núcleos da Lava Jato até 31 de dezembro de 2018, cada uma

Gráfico 9 – Número de réus e duração das ações julgadas em primeira instância (até 31 de dezembro de 2018).

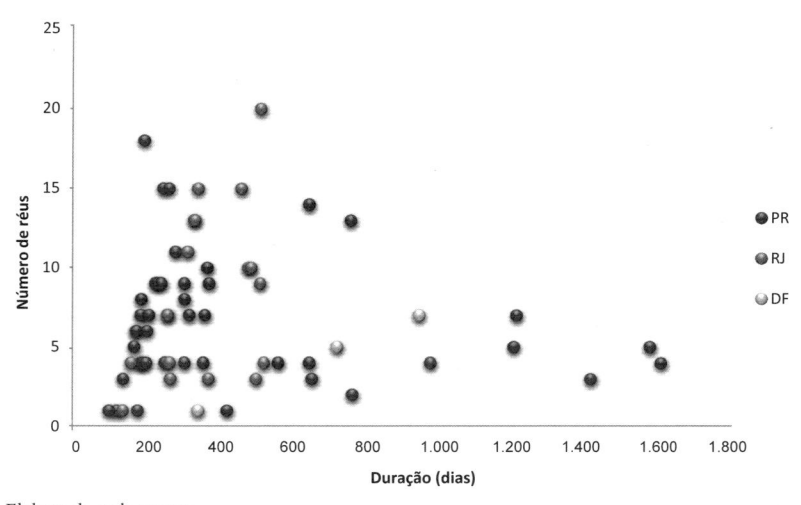

Elaborado pela autora.

---

[17] Os casos de Curitiba incluem três processos desmembrados, que resultaram em seis sentenças relativas a três denúncias (ações 5, 18 e 19 do quadro 7).

delas identificada por um ponto no gráfico, a partir do número de réus e da duração das ações entre a denúncia e o julgamento.

A variação significativa na duração dos processos na primeira instância revela-se ainda mais marcante se consideramos aqueles que não foram julgados até 31 de dezembro de 2018, data que encerra o banco de dados já mencionado.

Em Curitiba, até essa data tramitavam trinta processos havia mais de dois anos (730 dias), reunindo um grupo de ações em que vinte casos com mais de três anos (1.095 dias) permaneciam sem julgamento[18]. No Rio de Janeiro não havia processos com tempo de tramitação superior a dois anos sem julgamento, o que se explica pelo fato de a primeira denúncia da força-tarefa desse estado ter chegado aos balcões da Justiça Federal em 27 de julho de 2016. No núcleo de Brasília, dois casos tramitavam havia mais de dois anos sem julgamento, ambos com histórico de mudança dos juízes por eles responsáveis[19], o que remete à estratégia da Justiça Federal de Curitiba de manter todos os casos nessa cidade sob os cuidados de um mesmo juiz, como abordaremos adiante.

Apenas cinco sentenças do núcleo de Curitiba não trazem indenização a ser paga por condenados que não assinaram acordo de colaboração premiada. Os valores fixados como danos causados pelos crimes vão de 389.606,04 reais a 241.134.065 reais, mas não se aplicam aos colaboradores: para estes foram aceitos os valores previstos nos acordos[20]. Os valores de indenização, nos casos do Rio de Janeiro, variam de 275 mil reais a 224 milhões de reais,

---

[18] Esses números incluem doze casos desmembrados de denúncias que tiveram início em Curitiba e não abrangem processos suspensos porque o acusado não foi localizado. Ao desconsiderar os autos desmembrados, tem-se dezesseis processos que tramitavam havia mais de dois anos sem julgamento, que incluem oito casos em tramitação por período superior a três anos.

[19] Ações 2 e 7 do quadro 9.

[20] Não houve pedido nem condenação em danos nas ações 4, 5 e 67 do quadro 7; o pedido de condenação não foi aceito pela Justiça nas ações 21 e 29. O valor de 241.134.065 reais, referente à ação 31 do quadro 7, corresponde à soma de 35 milhões de dólares com 108.809.565 reais. Foi utilizada a taxa de câmbio do dia da sentença (8 de março de 2016), conforme cotação do Banco Central do Brasil.

excluídos os colaboradores, que também tiveram reconhecido o direito de pagar apenas o valor combinado com o Ministério Público Federal. A única sentença condenatória da Justiça Federal de Brasília menciona danos fixados em 1 milhão de reais e 7 milhões de reais, e também a previsão de manutenção da indenização prevista em acordos de colaboração premiada.

Ao analisar os julgamentos da Lava Jato feitos pela segunda instância, verifica-se que a primeira apelação[21] do núcleo de Brasília foi enviada ao Tribunal Regional Federal da 1ª Região em 24 de agosto de 2018, o que explica a inexistência de julgamentos até 31 de dezembro daquele ano. O TRF sediado no Rio de Janeiro julgou apenas uma apelação, o que levou 369 dias desde a sua remessa pela primeira instância. Já o trâmite das revisões das sentenças de Curitiba exibe dados interessantes para compreender a gestão estratégica do tempo que marca a atuação da Lava Jato.

O gráfico 10, apresentado a seguir, exibe um quadro geral que dá uma ideia da enorme discrepância no tratamento dos recursos julgados pelo TRF4. Cada figura no gráfico representa uma apelação julgada pelo tribunal, identificada quanto à duração do julgamento e ao número de réus que figuram no recurso. A duração abrange o tempo decorrido entre a remessa do processo e a sessão de julgamento da apelação. A quantificação dos réus inclui apenas aqueles que tiveram a sua situação reanalisada pelo tribunal – informação relevante, porque os acordos de colaboração premiada analisados preveem restrições ao uso de recursos pelo colaborador. No gráfico aparecem algumas referências sobre esses casos, destacando a primeira apelação de Lula, os julgamentos das primeiras condenações dos empreiteiros e o caso relacionado à CPI da Petrobras.

Pelo gráfico verifica-se que o grupo de três desembargadores do Tribunal Regional Federal da 4ª Região levou de 138 a 764 dias para julgar 34 apelações até dezembro de 2018, que envolveram

---

[21] "Apelação" é o recurso cabível contra as sentenças finais dos juízes de primeira instância, que permite o reexame e novo julgamento das questões decididas (Superior Tribunal de Justiça, 2016).

Gráfico 10 – Apelações julgadas no TRF4 identificadas pela duração e pelo número de réus.[1]

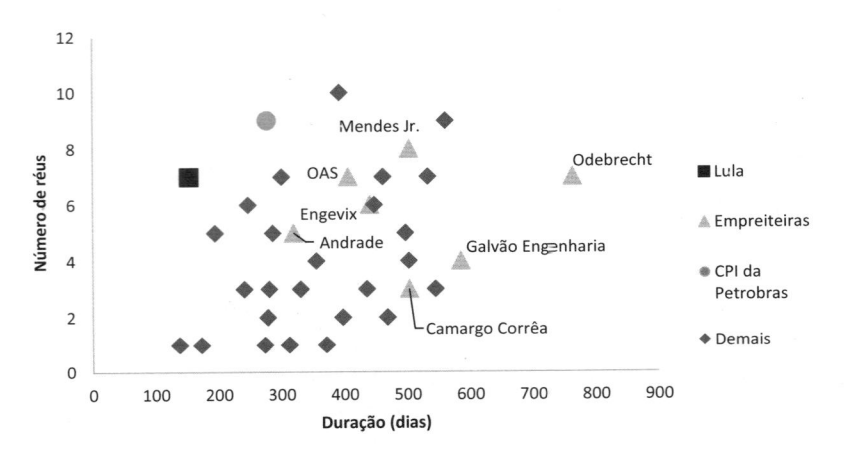

[Gráfico de dispersão: eixo Y "Número de réus" (0 a 12), eixo X "Duração (dias)" (0 a 900). Pontos destacados: Lula, OAS, Mendes Jr., Odebrecht, Engevix, Andrade, Galvão Engenharia, Camargo Corrêa. Legenda: Lula, Empreiteiras, CPI da Petrobras, Demais.]

Elaborado pela autora.

[1] As apelações destacadas no gráfico referem-se às ações 5 (Lula), 15 (OAS), 16 (Galvão Engenharia), 17 (Engevix), 18 (Mendes Júnior), 19 (Camargo Corrêa), 30 (Odebrecht), 31 (Andrade Gutierrez) e 43 (CPI da Petrobras). Com exceção de Renato Duque, os réus da apelação do caso Odebrecht (ação 30) já haviam celebrado acordo de colaboração antes da sessão de julgamento, sendo mantidas as penas previstas no acordo.

158 réus. Essa variação temporal significativa também foi encontrada nos 21 embargos infringentes julgados até dezembro de 2018: a seção do TRF4 que apreciou os embargos demorou de 146 a 341 dias para solucionar a divergência[22]. Esse aspecto será analisado com mais detalhes adiante, trazendo dados que sugerem escolha puramente arbitrária da pauta de julgamentos desse tribunal, sem apresentar critérios objetivos que permitam o controle sobre o tratamento igualitário entre os réus que aguardam julgamento de seus recursos.

[22] Os embargos infringentes podem ser manejados exclusivamente pelo réu nos casos de apelação não unânime (cf. artigo 609 do Código de Processo Penal). Os dados não incluem casos em que houve decisão monocrática do relator que não admitiu os embargos infringentes, mas incluem casos em que o recurso não foi admitido pelo colegiado (exemplos: ações 35 e 51 do quadro 7).

Ao se analisar o resultado das apelações no TRF4, observa-se que nove pessoas reverteram integralmente as condenações em primeira instância, 38 conseguiram reduzir suas penas e 27 tiveram suas penas mantidas. O Ministério Público Federal conseguiu elevar a pena de 45 pessoas e reverter oito das 39 absolvições contestadas em recurso da acusação. O índice de sucesso dos réus nos embargos infringentes foi significativamente menor: das 41 pessoas que tiveram suas pretensões analisadas pelo colegiado ampliado, apenas cinco conseguiram, uma delas só de modo parcial.

Objeto e duração das ações dos núcleos da Lava Jato

Quadro 7 – Objeto e duração (em dias) das ações do núcleo de Curitiba na primeira e na segunda instâncias.

Número	Objeto	Tipo (O – autos originários; D – autos desmembrados)	Autos[1]	Duração	
				Primeira instância	Segunda instância
1	Obstrução da Justiça envolvendo Paulo Roberto Costa (ex-diretor da Petrobras) e família	O	5025676-71.2014	1.585	–
2	Crimes financeiros envolvendo Carlos Alexandre Rocha	O	5025695-77.2014	–	–
3	Crimes financeiros envolvendo Alberto Youssef (Operação Bidone)	O	5025699-17.2014	–	–
4	Lavagem de dinheiro de tráfico internacional de drogas	O	5025687-03.2014	181	281
		D	5043130-64.2014	–	–
		D	Não identificado	–	–

Nú-mero	Objeto	Tipo (O – autos originários; D – autos desmem-brados)	Autos[1]	Duração	
				Primeira instância	Segunda instância
5	Crimes financeiros envolvendo Raul Srour (Operação Casablanca)	O	5025692-25.2014	764	372
		D	5014430-44.2015	1.423	–
		D	Não identificado	–	–
6	Lavagem de dinheiro envolvendo desvios da Petrobras	O	5026212-82.2014	363	503
7	Crimes financeiros envolvendo Nelma Kodama (Operação Dolce Vita)	O	5026243-05.2014	181	247
		D	Não identificado	–	–
8	Crimes financeiros envolvendo Carlos Chater (Operação Lava Jato)	O	5026663-10.2014	1.616	–
		D	5059126-05.2010	–	–
9	Caso Banestado	O	5035110-84.2014	–	–
10	Caso Banestado	O	5049485-90.2014	–	–
11	Caso Banestado	O	5035707-53.2014	112	–
12	Caso Banestado	O	5061472-26.2014	–	–
13	Lavagem de dinheiro ligada ao ex-deputado José Janene (PP)	O	5047229-77.2014	300	469
		D	5048373-86.2014	–	–
14	Crimes financeiros envolvendo contas no exterior (Youssef e Nelma)	O	5049898-06.2014	–	–
15	Desvio de recursos da Petrobras relacionados à OAS	O	5083376-05.2014	237	407
16	Desvio de recursos da Petrobras relacionados à Galvão Engenharia	O	5083360-51.2014	356	586
17	Desvio de recursos da Petrobras relacionados à Engevix	O	5083351-89.2014	368	441

Número	Objeto	Tipo (O – autos originários; D – autos desmembrados)	Autos[1]	Duração	
				Primeira instância	Segunda instância
18	Desvio de recursos da Petrobras relacionados à Mendes Júnior	O	5083401-18.2014	327	504
		D	5028608-95.2015	1.218	–
19	Desvio de recursos da Petrobras relacionados à Camargo Corrêa	O	5083258-29.2014	221	504
		D	5027422-37.2015	560	–
20	Desvios relacionados à contratação de navios-sonda pela Petrobras	O	5083838-59.2014	246	398
21	Lavagem de dinheiro relacionada a Nestor Cerveró (ex-diretor da Petrobras)	O	5007326-98.2015	92	138
		D	5012581-37.2015	–	–
22	Crimes financeiros envolvendo Carlos Chater	O	5012718-19.2015	980[2]	–
23	Desvio de recursos da Petrobras relacionados às obras na Replan, Repar, Gasoduto Pilar-Ipojuca e Gasoduto Urucu-Coari--Manaus	O	5012331-04.2015	189	534
		D	5025847-91.2015	–	–
24	Lavagem de dinheiro envolvendo João Vaccari Neto (ex-tesoureiro do PT) e Renato Duque (ex-diretor da Petrobras)	O	5019501-27.2015	–	–
25	Embaraço à investigação ligada a Guilherme Esteves de Jesus	O	5020227-98.2015	–	–
26	Corrupção envolvendo o ex-deputado André Vargas (PT)	O	5023121-47.2015	131	546
		D	5029145-91.2015	–	–

Número	Objeto	Tipo (O – autos originários; D – autos desmembrados)	Autos[1]	Duração	
				Primeira instância	Segunda instância
27	Corrupção envolvendo o ex-deputado Luiz Argôlo (PP)	O	5023162-14.2015	186	313
28	Corrupção envolvendo o ex-deputado Pedro Corrêa (PP)	O	5023135-31.2015	168	498
29	Lavagem de dinheiro envolvendo o ex-deputado André Vargas	O	5029737-38.2015	653	331
30	Desvio de recursos da Petrobras relacionados à Odebrecht	O	5036528-23.2015	228	764
		D	5054697-58.2015	–	–
		D[3]	5039296-19.2015	–	–
31	Desvio de recursos da Petrobras relacionados à Andrade Gutierrez	O	5036518-76.2015	759	320
32	Desvio de recursos da Petrobras relacionados à *offshore* Hayley S/A	O	5037093-84.2015	1.209	–
33	Desvio de recursos da Petrobras relacionados à contratação de navio-sonda e contas mantidas em Mônaco	O	5039475-50.2015	180	436
		D	Não identificado	–	–
		D[4]	5045529-32.2015	–	–
34	Desvio de recursos relacionados à usina de Angra 3 (Operação Radioatividade)	O[5]	5044464-02.2015	–	–
35	Desvio de recursos da Petrobras relacionados a José Dirceu (PT)	O	5045241-84.2015	257	393
		D[6]	Não identificado	–	–
36	Desvio de recursos da Petrobras relacionados à Odebrecht	O	5051379-67.2015	–	–

Número	Objeto	Tipo (O – autos originários; D – autos desmembrados)	Autos[1]	Duração Primeira instância	Duração Segunda instância
37	Desvio relacionados ao navio-sonda Vitória e empréstimo do Banco Schahin	O	5061578-51.2015	276	562
38	Evasão imputada a Renato Duque	O	5001580-21.2016	–	–
39	Desvio de recursos relacionados à diretoria internacional da Petrobras	O	5012091-78.2016	–	–
39		D[4]	5012091-78.2016	–	–
40	Desvio de recursos da Petrobras relacionados à Sete Brasil e ao publicitário João Santana	O	5013405-59.2016	313	195
40		D	5029508-44.2016	–	–
41	Setor de Operações Estruturadas da Odebrecht	O	5019727-95.2016	–	–
41		D	5028344-44.2016	–	–
42	Lavagem relacionada a empréstimo do Banco Schahin e Ronan Maria Pinto	O	5022182-33.2016	300	301
43	Corrupção envolvendo o ex-senador Gim Argello (PTB) (CPI da Petrobras)	O	5022179-78.2016	160	278
44	Lavagem envolvendo a esposa do ex-deputado Eduardo Cunha	O	5027685-35.2016	352	356
45	Corrupção envolvendo o ex-tesoureiro do PP	O	5030424-78.2016	162	241
46	Desvio de recursos da Petrobras relacionados a José Dirceu	O	5030883-80.2016	254	462
47	Desvio de recursos da Petrobras relacionados ao Consórcio Novo Cenpes	O	5037800-18.2016	644	–

Número	Objeto	Tipo (O – autos originários; D – autos desmembrados)	Autos[1]	Duração	
				Primeira instância	Segunda instância
48	Corrupção relacionada à CPI da Petrobras e à Queiroz Galvão	O	5045575-84.2016	–	–
49	Desvio de recursos da Petrobras relacionados à Queiroz Galvão	O	5046120-57.2016	–	–
50	Corrupção envolvendo o ex-presidente Lula (apartamento tríplex)	O	5046512-94.2016	301	154
51	Corrupção envolvendo o ex-deputado Eduardo Cunha	O[7]	5051605-23.2016	171	173
52	Lavagem relacionada a empréstimo do Banco Schahin e o ex-tesoureiro do PT	O	5052995-43.2016	–	–
53	Desvio de recursos da Petrobras relacionados a Antonio Palocci (PT)	O	5054932-88.2016	241	448
54	Corrupção envolvendo o ex-secretário-geral do PT	O	5056533-32.2016	–	–
55	Lavagem envolvendo a Caixa Econômica Federal e o ex-deputado André Vargas	O	5056995-71.2016	645	–
56	Corrupção envolvendo Lula (Instituto Lula)	O	5063130-17.2016	–	–
57	Corrupção envolvendo o ex-governador Sérgio Cabral (PMDB)	O	506327_-36.2016	180	287
58	Desvio de recursos envolvendo contratos no Porto de Suape	O	5000553-66.2017	418	–

Número	Objeto	Tipo (O – autos originários; D – autos desmembrados)	Autos[1]	Duração	
				Primeira instância	Segunda instância
59	Desvio de recursos da Petrobras relacionados à Sete Brasil	O	5050568-73.2016	–	–
60	Desvio de recursos relacionados à contratação de navios-sonda	O	5014170-93.2017	202	–
		D	5032680-57.2017	–	–
61	Corrupção envolvendo o ex-gerente de engenharia da Petrobras	O	5015608-57.2017	167	279
62	Lavagem de dinheiro envolvendo José Dirceu e as empresas Engevix e UTC	O	5018091-60.2017	–	–
63	Lavagem de dinheiro envolvendo Rodrigo Tacla Duran	O	5019961-43.2017	–	–
64	Corrupção envolvendo Lula (sítio de Atibaia)	O	5021365-32.2017	–	–
65	Corrupção envolvendo a área de gás e energia da Petrobras	O	5024266-70.2017	242	–
66	Corrupção envolvendo a área internacional da Petrobras (Benim)	O	5024879-90.2017	141	274
67	Corrupção envolvendo Aldemir Bendine, ex-presidente da Petrobras	O	5035263-15.2017	197	–
68	Corrupção envolvendo a Transpetro	O	5054186-89.2017	194	–
69	Corrupção envolvendo obras no Comperj (RJ)	O	5054787-95.2017	–	–
70	Corrupção envolvendo a aquisição da refinaria de Pasadena	O	5055008-78.2017	–	–
		D	5014087-43.2018	–	–

Número	Objeto	Tipo (O – autos originários; D – autos desmembrados)	Autos[1]	Duração	
				Primeira instância	Segunda instância
71	Corrupção envolvendo o campo de Benim e o grupo Mossack Fonseca	O	5055362-06.2017	–	–
72	Corrupção envolvendo o ex-deputado Eduardo Cunha	O[7]	5053013-30.2017	–	–
73	Desvio de recursos envolvendo a Econorte e o DER/PR	O	5013339-11.2018	–	–
74	Desvio de recursos envolvendo obras no Complexo Petroquímico de Suape	O	5017409-71.2018	–	–
75	Desvio de recursos da Petrobras relacionados à Odebrecht e ao PMDB	O	5023942-46.2018	–	–
76	Desvio de recursos envolvendo obras na Refinaria Abreu e Lima	O	5023952-90.2018	–	–
77	Desvio de recursos envolvendo a empresa Vantage Drilling (EUA)	O	5029000-30.2018	–	–
78	Corrupção envolvendo o ex-senador Gim Argello (CPI da Petrobras)	O	5029497-44.2018	–	–
79	Corrupção envolvendo os ex-ministros Guido Mantega (PT) e Antonio Palocci	O	5033771-51.2018	–	–
80	Corrupção envolvendo o ex-deputado Cândido Vaccarezza (PT)	O	5034453-06.2018	–	–

Número	Objeto	Tipo (O – autos originários; D – autos desmembrados)	Autos[1]	Duração	
				Primeira instância	Segunda instância
81	Desvios envolvendo a duplicação da rodovia PR-323	O[8]	5039163-69.2018	–	–
82	Desvios envolvendo o Complexo Petroquímico de Suape	O	5036808-86.2018	–	–
83	Desvios na área de comércio externo de óleos combustíveis da Petrobras	O	5058533-34.2018	–	–
		D	5059754-52.2018	–	–
84	Desvio de recursos da Petrobras envolvendo a *trading* Vitol	O	5059754-52.2018	–	–
85	Desvio de recursos da Petrobras envolvendo a Torre Pituba	O	5059586-50.2018	–	–

Elaborado pela autora.
[1] Todos os números contêm mais sete dígitos no final (404.7000).
[2] Decisão de rejeição da denúncia.
[3] Ação transferida para a Justiça da Suíça.
[4] Ação transferida para a Justiça de Portugal.
[5] Ação redistribuída ao núcleo da Lava Jato do Rio de Janeiro (ação 1 do quadro 8).
[6] Recurso em decisão que rejeitou parcialmente a denúncia.
[7] Processo teve início no Supremo Tribunal Federal.
[8] Ação redistribuída para a 23ª Vara Federal de Curitiba.

Quadro 8 – Objeto e duração (em dias) das ações do núcleo do Rio de Janeiro na primeira e na segunda instâncias.

Número	Objeto	Tipo (O – autos originários; D – autos desmembrados)	Autos[1]	Duração	
				Primeira instância	Segunda instância
1	Desvio de recursos relacionados à usina de Angra 3	O	0510926-86.2015	337	–
2	Desvio de recursos relacionados à usina de Angra 3	O	0100511-75.2016	457	–
3	Lavagem de dinheiro relacionada à usina de Angra 3	O	0106644-36.2016	483	–
		D[2]	Não identificado	–	–
4	Crimes envolvendo o ex-governador Sérgio Cabral em obras no Rio de Janeiro	O	0509503-57.2016	329	369
5	Corrupção envolvendo Eike Batista e o ex-governador Sérgio Cabral	O	0501634-09.2017	509	–
6	Lavagem de dinheiro envolvendo o ex-governador Sérgio Cabral	O	0015979-37.2017	309	–
7	Lavagem de dinheiro envolvendo a empresa Gralc/LRG Agropecuária	O	0501853-22.2017	261	–
8	Crimes envolvendo o ex-governador Sérgio Cabral	O	0502041-15.2017	–	–
9	Lavagem envolvendo desvios em obras na usina de Angra 3	O	0035102-21.2017	254	–
10	Desvio de recursos relacionados a obras da linha 4 do Metrô	O	0104045-90.2017	498	–
11	Lavagem envolvendo recursos desviados de obras na linha 4 do Metrô	O	0104011-18.2017	520	–

Número	Objeto	Tipo (O – autos originários; D – autos desmembrados)	Autos[1]	Duração	
				Primeira instância	Segunda instância
12	Cartel e fraude em licitações em obras do Maracanã e PAC Favelas	O	0017513-21.2014	511	–
13	Embaraço à investigação envolvendo o ex-secretário de Saúde Sérgio Côrtes	O	0503608-81.2017	366	–
14	Desvio de recursos relacionados à Secretaria Estadual de Saúde	O	0503870-31.2017	–	–
15	Desvios envolvendo obras do Arco Metropolitano, PAC Favelas e Metrô	O	0504113-72.2017	476	–
16	Lavagem de dinheiro envolvendo Luiz Carlos Bezerra	O	0504446-24.2017	153	–
17	Lavagem de dinheiro envolvendo uso da empresa Survey Mar e Serviços	O	0504466-15.2017	–	–
18	Embaraço à investigação envolvendo Thiago Aragão	O	0133004-71.2017	130	
19	Lavagem envolvendo compra de joias	O	0135964-97.2017	259	–
20	Corrupção envolvendo contratos do governo do Rio de Janeiro na área de alimentação	O	0504938-16.2017	–	–
21	Desvio de recursos relacionados à Fetranspor	O	0505915-08.2017	–	–
22	Desvio de recursos relacionados à Fetranspor	O	0505914-23.2017	–	–
23	Desvio de recursos envolvendo obras na Bacia de Jacarepaguá e Transcarioca	O	0174071-16.2017	–	–

Número	Objeto	Tipo (O – autos originários; D – autos desmembrados)	Autos[1]	Duração	
				Primeira instância	Segunda instância
24	Corrupção envolvendo o empresário Arthur Soares ("Rei Arthur")	O	0507524-26.2017	–	–
25	Corrupção envolvendo eleição para cidade-sede dos Jogos Olímpicos de 2016	O	0507813-56.2017	–	–
26	Desvio de recursos envolvendo a Fundação Departamento de Estradas de Rodagem do Rio de Janeiro	O	0509799-45.2017	–	–
27	Corrupção envolvendo o ex-chefe da Casa Civil, Régis Fichtner (PMDB)	O	0231438-95.2017	–	–
28	Desvios envolvendo a contratação da empresa Gelpar Empreendimentos e Participações Ltda.	O	0231415-52.2017	–	–
29	Desvios envolvendo obras de asfaltamento na Baixada Fluminense	O	0509842-79.2017	–	–
30	Lavagem envolvendo o ex-secretário de obras municipais	O	0004639-62.2018	–	–
31	Lavagem de dinheiro envolvendo o grupo Dirija	O	0012275-79.2018	–	–
32	Desvio de recursos envolvendo o Consórcio Dynatest-TCDI	O	0021748-89.2018	–	–
33	Desvios envolvendo o ex-secretário de obras Alexandre Pinto	O	0022096-10.2018	–	–

Número	Objeto	Tipo (O – autos originários; D – autos desmembrados)	Autos[1]	Duração	
				Primeira instância	Segunda instância
34	Desvio de recursos envolvendo a Fecomércio	O	0039777-90.2018	–	–
35	Desvios envolvendo a Secretaria de Administração Penitenciária (Seap)	O	0055772-46.2018	–	–
36	Lavagem de dinheiro relacionada a desvios da Seap	O	0055758-62.2018	–	–
37	Desvios envolvendo fundos de pensão	O[3]	0066693-64.2018	–	–
38	Crimes relacionados ao doleiro Dario Messer	O	0073766-87.2018	–	–
38	Crimes relacionados ao doleiro Dario Messer	D	Não identificado	–	–
39	Crimes relacionados às *offshore* Casius Global S/A e Caltex Holding Corp.	O	0506899-55.2018	–	–
40	Desvio de recursos em obras com participação da Odebrecht	O	0507030-30.2018	–	–
41	Desvio de recursos em obras com participação da Odebrecht	O	0507170-64.2018	–	–
41	Desvio de recursos em obras com participação da Odebrecht	D	0507338-66.2018	–	–
42	Desvio de recursos envolvendo a OS Pró-Saúde	O	0507310-98.2018	–	–
43	Crimes financeiros relacionados a pedras preciosas	O[4]	0506900-40.2018	–	–

Elaborado pela autora.
[1] Todos os números contêm mais sete dígitos no final (402.5101).
[2] Desmembrados em razão de incidente de insanidade.
[3] Em novembro de 2018, o Superior Tribunal de Justiça determinou a remessa à 12ª Vara Federal de Brasília.
[4] Ação da 2ª Vara Federal do Rio de Janeiro.

Quadro 9 – Objeto e duração (em dias) das ações do núcleo de Brasília na primeira e na segunda instâncias.

Número	Objeto	Tipo (O – autos originários; D – autos desmembrados)	Autos[1]	Duração Primeira instância	Duração Segunda instância
1	Obstrução de Justiça envolvendo o ex-senador Delcídio do Amaral	O[2]	0042543-76.2016	948	–
2	Corrupção envolvendo Lula (obras da Odebrecht em Angola)	O	0016093-96.2016	–	–
2		D	0051083-79.2017	–	–
3	Desvios envolvendo o ex-deputado Eduardo Cunha e o FI-FGTS	O[2]	0060203-83.2016	722	–
4	Corrupção envolvendo o ex-procurador da República e o grupo J&F	O	1011826-96.2018	–	–
5	Corrupção envolvendo o FI-FGTS e a Odebrecht	O	1016001-33.2018	–	–
6	Embaraço a investigações envolvendo o ex-ministro Geddel Vieira Lima (PMDB)	O	0035001-70.2017	337	–
7	Desvio e gestão fraudulenta envolvendo o fundo de pensão dos Correios	O[3]	0024162-83.2017	–	–
8	Desvio e gestão fraudulenta da Funcef envolvendo o fundo RG Estaleiros	O	1019222-24.2018	–	–
9	Apropriação de recursos e gestão fraudulenta/temerária da Funcef	O	0051079-42.2017	–	–
10	Lavagem de dinheiro envolvendo o ex-ministro Henrique Eduardo Alves (PMDB)	O	0051080-27.2017	–	–

Nú-mero	Objeto	Tipo (O – autos originários; D – autos desmem-brados)	Autos[1]	Duração	
				Primeira instância	Segunda instância
11	Organização criminosa relacionada a lideranças do PMDB	O[2]	0001238-44.2018	–	–
12	Desvio e gestão fraudulenta da Funcef por meio do fundo Enseada	O	1005186-74.2018	–	–
13	Desvio de recursos da CEF envolvendo o grupo Marfrig	O	1022899-62.2018	–	–
14	Desvio de recursos da CEF envolvendo o grupo Bertin	O	1022900-47.2018	–	–
15	Desvio de recursos da CEF envolvendo o grupo BRVias	O	1022880-56.2018	–	–
16	Desvio de recursos da CEF envolvendo o grupo J&F	O	1022920-38.2018	–	–
17	Organização criminosa relacionada a lideranças do PT	O[2]	1007965-02.2018	–	–

Elaborado pela autora.
[1] Todos os números contêm mais sete dígitos no final (401.3400).
[2] A ação teve início no Supremo Tribunal Federal.
[3] A ação teve início na Justiça Federal em São Paulo, SP.

USO ESTRATÉGICO DAS FERRAMENTAS PROCESSUAIS

A análise das denúncias e das decisões judiciais que autorizaram a deflagração das diferentes fases da Operação Lava Jato sugere que o núcleo de Curitiba adotou algumas estratégias de gestão das investigações e, em consequência, do fluxo das ações movidas pelo Ministério Público Federal. Em alguns casos, o próprio site da força-tarefa do MPF traz uma relação das ações judiciais que se seguiram à deflagração de cada fase da operação. Nos demais casos, a comparação entre os nomes dos investigados presos na fase ostensiva e daqueles que foram denunciados permitiu identificar uma correlação entre as operações e as respectivas ações criminais.

Os dados indicam que a estratégia adotada segue um fluxo que se inicia com a investigação e tem seu ápice na deflagração da fase ostensiva, quando muitas vezes ocorre a prisão preventiva de alguns investigados, seguida do ajuizamento da ação criminal depois de aproximadamente trinta dias, que correspondem ao prazo para conclusão do inquérito policial nos casos de investigado preso na Justiça Federal, previsto na Lei 5.010/1966. Por exemplo: na fase denominada Juízo Final, deflagrada em 14 de novembro de 2014, foram presos preventivamente seis executivos ligados a grandes empreiteiras, acusados em cinco ações ajuizadas em 11 de dezembro de 2014[23].

Esse roteiro foi seguido em 47 das 84 ações do núcleo de Curitiba analisadas. Possivelmente teria ocorrido em duas acusações feitas em janeiro de 2019, mas as prisões preventivas efetivadas em 26 de setembro de 2018 (Operação Integração II) foram revogadas pelo ministro Gilmar Mendes em ordens de *habeas corpus*[24] de ofício concedidas na Reclamação 32.081, em 5 de outubro de 2018.

---

[23] Ações 15 a 19 do quadro 7.
[24] O *habeas corpus* é um instrumento jurídico utilizado para proteger a liberdade de locomoção contra ilegalidade ou abuso de poder. Pode ser concedido ao atender a pedido formulado em ação de *habeas corpus*, ou de ofício, quando o Judiciário reconhece a ilegalidade ou abuso mesmo sem prévio pedido do interessado em ação específica.

A mesma estratégia foi adotada pelo núcleo do Rio de Janeiro em 31 das 43 ações analisadas[25]. Já nas ações do Distrito Federal essa estratégia foi adotada em apenas dois casos, e em um deles a acusação foi feita no Supremo Tribunal Federal, pois detectou-se a possível participação do então deputado federal Lúcio Quadros Vieira Lima (PMDB)[26].

O núcleo da operação que se ocupou da atuação de Alberto Youssef foi batizado pela Polícia Federal de Bidone, nome inspirado no clássico de Federico Fellini traduzido no Brasil como *A trapaça*. O nome Lava Jato, inicialmente em referência ao núcleo de Carlos Chater, o primeiro doleiro investigado[27], passou a ser empregado para identificar o conjunto geral das fases da operação que se seguiram, associadas essencialmente às atividades de Youssef. Os policiais diretamente ligados às investigações relataram que o nome Lava Jato foi escolhido a partir da identificação de um posto de combustíveis que Chater utilizava para realizar movimentações financeiras, o que originou o trocadilho "lava jato", em referência ao elevado volume de recursos envolvidos, grande o suficiente para lavar um jato.

Muito além do tom anedótico do processo de escolha do nome da operação, isso leva a questionar o desdobramento dos três núcleos que envolviam Carlos Chater, Nelma Kodama e Raul Srour. Enquanto Alberto Youssef foi apontado como responsável pela prática de crimes em 23 ações penais da Lava Jato no Paraná[28], os demais operadores de câmbio saíram do foco de interesse da força-tarefa.

Chater, personagem-chave utilizado para justificar a competência da vara de Curitiba, chegou a ser condenado por atuar na

---

[25] Os números incluem a Operação Radioatividade, no núcleo do Rio de Janeiro, pois foi deflagrada em Curitiba e posteriormente remetida ao Rio por decisão do Supremo Tribunal Federal, em 11 de novembro de 2015.
[26] Trata-se da fase 4 da Operação Cui Bono?, que resultou na Ação Penal STF 1.030.
[27] A primeira quebra de sigilo bancário de Chater ocorreu em 8 de fevereiro de 2009 (autos 2006.70.00018662-8), e a decisão de interceptação telefônica, em 11 de julho de 2013 (autos 502687-13.2013.404.7000). Cf. histórico descrito na manifestação da PGR, em Reclamação STF 17.623.
[28] Ações 3, 4, 6, 9-20, 23, 27, 28, 30, 31, 36, 48 e 49 do quadro 7 (incluem três ações em que o Ministério Público expressamente menciona que ele praticou os crimes, mas não foi denunciado em razão do teor do acordo de colaboração premiada assinado).

lavagem de recursos oriundos do tráfico. Suas atividades pretéritas como doleiro, porém, e o fato de ter sido considerado agente central de uma organização criminosa, aparentemente ficaram fora do leque de interesses da força-tarefa de Curitiba. Ele foi implicado em apenas quatro ações penais (ações 4, 8, 13 e 22 do quadro 7), e numa delas a denúncia foi considerada inepta – termo jurídico que designa algo equivalente a "mal redigido" – em decisão que levou quase três anos (980 dias) para ser proferida e não foi contestada pelo Ministério Público Federal.

No caso em que Chater foi acusado de participar de organização criminosa, crime de importância reiteradamente destacada pela força-tarefa e nas decisões judiciais, a Justiça Federal de Curitiba praticamente deixou o caso fora do ritmo acelerado de tramitação que os atores da Lava Jato defendem no debate público. Apesar de envolver apenas quatro réus e duas testemunhas de acusação, a denúncia oferecida em 25 de abril de 2014 foi julgada em primeira instância mais de quatro anos depois, em 27 de setembro de 2018 (1.616 dias). Como também havia prisão preventiva decretada nessa ação, a demora na tramitação justificou inclusive a revogação da prisão pelo próprio juiz Sérgio Moro, em 7 de agosto de 2015.

As investigações das atividades criminosas de Nelma Kodama e Raul Srour aparentemente não tiveram prosseguimento em Curitiba. Nelma foi acusada em duas ações penais; numa a denúncia foi rejeitada, na outra houve condenação definitiva à pena de quinze anos de reclusão (ações 7 e 14 do quadro 7). Mesmo depois de condenada, com julgamento de apelação (9 de dezembro de 2015), de embargos infringentes (2 de junho de 2016) e de não admitido o recurso especial[29] (12 de julho de 2016), o acordo de colaboração de Nelma foi homologado em 16 de março de 2017 e ela foi autorizada a continuar o cumprimento da pena no "regime

---

[29] O recurso especial é julgado pelo Superior Tribunal de Justiça e geralmente envolve discussão sobre a interpretação na aplicação da lei federal. A remessa para o seu julgamento pressupõe que ele seja admitido pelo Tribunal Regional Federal, ao reconhecer que o recurso é cabível no caso concreto.

aberto diferenciado", uma das inovações introduzidas pela Lava Jato que, de modo criativo, definiu novos regimes de cumprimento de pena.

Os possíveis crimes praticados por Raul Srour também parecem ter passado longe do interesse da força-tarefa de Curitiba. A única acusação contra ele resultou em pena de cinco anos, cinco meses e cinco dias de reclusão, que se tornou definitiva em 14 de setembro de 2019, depois de negado seguimento ao recurso extraordinário (ação 5 do quadro 7). Se foram praticadas outras atividades ilícitas, com o envolvimento de terceiros, já era previsível que não seriam apuradas pela Lava Jato de Curitiba: o seu desinteresse se manifesta não só ao não dar prosseguimento às investigações envolvendo Srour, mas também pela falta de agilidade na tramitação da ação. A condenação, mesmo envolvendo apenas dois réus e oito testemunhas de acusação, ocorreu dois anos e um mês depois do oferecimento da denúncia.

Ao se comparar o caso de Raul Srour com a ação penal usada como justificativa para a fixação da operação em Curitiba, relativa à lavagem de dinheiro, envolvendo Alberto Youssef e o ex-deputado José Janene, o desinteresse que se expressa através da gestão temporal dos processos chama ainda mais a atenção. A acusação contra quatro pessoas, com indicação de onze testemunhas pelo Ministério Público, teve tramitação célere e foi encerrada na Justiça Federal de Curitiba em apenas dez meses (trezentos dias)[30].

Dos quatro núcleos iniciais das investigações tornadas públicas em março de 2014, apenas as atividades de Alberto Youssef levaram os investigadores aos empresários e políticos condenados na Lava Jato de Curitiba, o que posteriormente produziu os desdobramentos da operação nos núcleos do Rio de Janeiro e do Distrito Federal.

A priorização das investigações sobre as movimentações financeiras de Youssef significa que algo deixou de ser priorizado, foi ignorado ou postergado. Por um lado, parece razoável que a li-

---

[30] Ação 13 do quadro 7. A denúncia original traz dez acusados, mas houve desmembramento e remanesceram três réus ao lado de Alberto Youssef.

mitação de recursos materiais e humanos condicione a escolha de prioridades. Por outro, essa margem de escolha pode acobertar finalidades não reveladas nas manifestações dos atores do sistema de justiça criminal. Isso porque não se espera que esses atores registrem nos processos que foi dada prioridade a determinado inquérito ou procedimento de investigação porque se pretendia chegar a determinado empresário, grupo empresarial, partido ou agente político.

Nas decisões que autorizaram as fases ostensivas nos três núcleos da Lava Jato, com frequência é feita menção a ferramentas processuais manejadas pela Polícia Federal e/ou pelo Ministério Público para produção das evidências que posteriormente são relacionadas nas denúncias e sentenças. Várias dessas ferramentas há muito tempo são conhecidas pelos que acompanham a atuação da Polícia Federal nas grandes operações, como a de busca e apreensão e a de prisão cautelar (Arantes, 2011a; 2011b). Nas decisões é apontado, ainda, o uso recorrente de quebra de sigilo bancário, telemático e fiscal, além do bloqueio patrimonial e da cooperação internacional, para identificação/repatriação de valores mantidos fora do país e para localização/prisão de investigados que se encontram no exterior.

Quebra de sigilo e cooperação da Receita Federal

A obtenção de informações sigilosas pela Lava Jato gerou ruídos, logo no início das investigações, quando envolveu a interceptação de comunicações entre investigados que faziam uso dos aparelhos BlackBerry para troca de mensagens criptografadas. A controvérsia levada aos tribunais pelos advogados surgiu porque foi estabelecido contato direto entre investigadores da Polícia Federal e um representante da empresa BlackBerry no Canadá, em cumprimento a decisões da Justiça Federal do Paraná que autorizaram o levantamento do sigilo de pessoas que faziam uso do serviço oferecido pela subsidiária da empresa no Brasil.

Na prática, a subsidiária brasileira recebeu as ordens judiciais de envio das comunicações interceptadas à Polícia Federal, o que foi cumprido por e-mail encaminhado diretamente da unidade canadense da BlackBerry aos policiais responsáveis pelos casos. A tese defensiva de que seria imprescindível a formalização de cooperação internacional não foi aceita nos tribunais, sob o argumento de que a empresa possui subsidiária no país e que as autoridades canadenses não alegaram descumprimento do Tratado de Assistência Legal Mútua assinado entre o Brasil e o Canadá em 2009. Pode-se supor também que o reconhecimento de nulidade constrangeria os tribunais a estendê-la a casos envolvendo crimes em relação aos quais o Judiciário não costuma ser receptivo a teses defensivas, como tráfico de drogas e de armas.

A utilização de informações bancárias e fiscais dos investigados não é novidade introduzida pela Lava Jato. Diversas controvérsias jurídicas sobre o uso dessa medida em investigações já foram enfrentadas pelos tribunais superiores, em especial pelo Supremo Tribunal Federal, que fixou diversas teses sobre os limites do uso da quebra de sigilo[31]. A análise aqui apresentada não adentrou nesse tema, pois os processos em que são formulados esses pedidos são protegidos por sigilo. Por outro lado, foi possível identificar dados que sugerem uma intensa cooperação entre a Receita Federal e os órgãos de investigação criminal, além de algumas evidências que sugerem que os núcleos do Paraná e do Rio de Janeiro fizeram uso de estratégias discutíveis na obtenção e/ou análise de dados bancários e fiscais.

Os investigadores do núcleo de Curitiba contaram com a contribuição de um parceiro relevante dentro da Receita: o auditor Roberto Leonel de Oliveira Lima, chefe da unidade de inteligência fiscal da Receita Federal desde o caso Banestado. A importância da cooperação da Receita ressalta nas decisões que precederam as

---

[31] Utiliza-se o termo "teses" para designar as sínteses de entendimentos fixados pelo Supremo Tribunal Federal ao interpretar a constitucionalidade das leis e definir o modo como devem ser aplicadas, o que abrange um conjunto de decisões paradigmáticas sobre dispositivos da Constituição, compiladas em "A Constituição e o Supremo" e "Teses jurídicas".

fases ostensivas da Lava Jato de Curitiba, nas quais o órgão é reiteradamente autorizado a participar da fase policial, o que explica a presença de representantes da Receita em algumas coletivas de imprensa. A cooperação específica do auditor também foi destacada pelo coordenador da força-tarefa do Ministério Público Federal, a quem Leonel chegou a direcionar uma carta com pedido de apoio institucional para fortalecimento da Receita (Dallagnol, 2017).

A parceria com a Receita Federal de Curitiba revela-se, ainda, no desenvolvimento do Sislava, um software de gestão de informações que permitiu a sistematização dos documentos compartilhados pelo sistema de Justiça com a Receita. O banco de dados construído contava, em 2017, com mais de 3,5 milhões de páginas de documentos e informações sobre 58,7 mil pessoas físicas e jurídicas citadas nas investigações criminais.

As denúncias feitas pela força-tarefa do Rio de Janeiro muitas vezes indicam a cooperação da Receita logo no início do texto, além de apontar como evidências diversos relatórios de inteligência elaborados pela Receita, denominados "Relatórios de informação de pesquisa e informação". Várias decisões que autorizaram as fases ostensivas da operação trazem permissão expressa para a participação da Receita no cumprimento das medidas[32]. Essa parceria parece não ter a mesma intensidade no núcleo de Brasília, pois em apenas uma das onze denúncias analisadas é mencionada a participação ativa desse órgão na apuração dos fatos[33].

A atividade de fiscalização tributária exercida pela Receita pode produzir informações compartilhadas com o Ministério Público se identificados indícios de prática de crimes. Espera-se que esse fluxo institucional tenha origem na atuação espontânea da Recei-

---

[32] Pode-se exemplificar com as decisões que autorizaram a realização das fases Calicute, Eficiência, Mascate, Tolypeutes, Ressonância, Fatura Exposta, Ratatouille, Ponto Final, Rio 40 Graus, Unfair Play, C'est Fini, Mãos à Obra, Jabuti, Pão Nosso, Rizoma, Câmbio, Desligo, Hashtag e Marakata (quadros 10, 11 e 12).

[33] Ação 8 do quadro 9. Não foram considerados os casos de denúncias apresentadas no Supremo Tribunal Federal (ações 1, 3, 11 e 17 do quadro 9) e em São Paulo (ação 7 do quadro 9 – denúncia não localizada).

ta, que estabelece planos de fiscalização anuais com seleção dos contribuintes que serão fiscalizados.

O noticiado compartilhamento do material apreendido nas investigações criminais com a Receita sugere que a Lava Jato promoveu uma inversão no fluxo de troca de informações entre Receita e Polícia Federal/Ministério Público Federal. A racionalidade dessa estratégia pode ser identificada em duas características do órgão fiscal: intenso know-how na análise de documentos contábeis e bancários, já que as atividades de um órgão que arrecada tributos são prioritárias para o governo federal; não precisar recorrer ao Judiciário para obter informações bancárias ao exercer suas atividades de fiscalização tributária[34].

A estratégia de inversão do fluxo de cooperação traz benefícios para as duas instituições. A Receita recebe documentos que mais provavelmente contêm informações omitidas pelos contribuintes, na medida em que as buscas determinadas pela vara especializada possivelmente envolvem suspeitas de crime de lavagem de dinheiro[35]. Na outra ponta, os órgãos responsáveis pela investigação criminal contam com um atalho que economiza recursos materiais e humanos na produção de relatórios de análise das vastas movimentações financeiras envolvidas nas investigações de crimes de colarinho-branco.

A heterodoxia dessa estratégia reside na flexibilização do controle judicial sobre o uso de informações bancárias nas investigações criminais. Supõe-se que tenham ocorrido dois tipos de ação estratégica na Lava Jato: a Receita realizou fiscalizações com natureza de investigação criminal, fazendo uso da prerrogativa de acesso direto às movimentações bancárias, e compartilhou os resultados com o Ministério Público Federal; o Judiciário autorizou a quebra de sigilo bancário de determinados investigados, mas a "fiscalização-investigação" da Receita, com amplo acesso às infor-

---

[34] Cf. artigo 6º da Lei Complementar 105, de 10 de janeiro de 2001.
[35] A instituição do bônus de eficiência aos servidores da Receita Federal possivelmente trouxe mais um incentivo à cooperação com órgãos que atuam nas grandes operações de combate à corrupção e lavagem de dinheiro. Cf. Lei 13.464, de 10 de julho de 2017.

mações bancárias sem prévio controle judicial, avançou sobre outras pessoas.

Esse atalho estratégico ainda não havia passado, até o término deste livro, pelo crivo do Supremo Tribunal Federal, que já deu sinais de que o tema renderá calorosas discussões nas sessões da Corte[36].

Cooperação internacional

A importância da cooperação internacional para os resultados da Lava Jato pode ser observada pela reiterada menção, nas denúncias e decisões judiciais, a auxílio na obtenção de documentos bancários, no bloqueio e na repatriação de valores, na localização e notificação de pessoas residentes no exterior e, ainda, nas medidas de busca e prisão executadas no exterior (fases Polimento, Lava Jato 54 e Blackout), com atos cumpridos pelas autoridades portuguesas e norte-americanas. O informativo "Cooperação em pauta: cinco anos de Operação Lava Jato", de autoria do DRCI, destaca que o intercâmbio com outros países foi decisivo para comprovar os crimes apurados pela operação, o que tem sido reafirmado pelos próprios operadores envolvidos com as investigações (Brasil, 2019; Dallagnol, 2017; Moro, 2018).

No primeiro capítulo foram apresentados alguns dados sobre os pedidos de cooperação jurídica internacional em matéria penal, entre eles a participação da Lava Jato na repatriação de 175.825.139,66 dólares até novembro de 2018, valor correspondente a 65% daquele repatriado pelo DRCI até esse ano. O intenso uso da cooperação internacional pela Lava Jato se explica pelo porte da operação, pela existência de acordos de colaboração premiada que preveem que o colaborador concorde com a repatria-

---

[36] Em fevereiro de 2016, o plenário do Supremo Tribunal Federal reconheceu a validade da obtenção de informações bancárias diretamente pela Receita Federal, mas em julho de 2019 o ministro Dias Toffoli determinou a suspensão de todos os processos judiciais em que tenha havido compartilhamento de dados fiscais e bancários sem prévia autorização judicial, medida que foi revertida pelo plenário em 28 de novembro de 2019.

ção de valores e também pela experiência passada dos atores do sistema de Justiça de Curitiba com o caso Banestado.

A Operação Banestado[37] foi marcada por intensa cooperação entre as autoridades norte-americanas e os investigadores da Polícia Federal e do Ministério Público Federal envolvidos com o caso e com outras operações dele derivadas que tramitaram na Justiça Federal de Curitiba. O manual sobre forças-tarefa, do Ministério Público da União, deixa evidente o intenso auxílio mútuo entre os dois países (Paludo; Lima; Aras, 2011), em diferentes momentos. O Departamento de Segurança Interna (DHS) dos Estados Unidos manteve contatos praticamente diários com a força-tarefa CC5 (caso Banestado) em Curitiba, em atividades envolvendo o intercâmbio de provas. A Promotoria de Nova York (New York County District Attorney's Office) atuou na quebra de sigilo bancário de contas mantidas em várias instituições financeiras norte-americanas, notadamente o Merchants Bank of New York. Essas medidas envolveram o exame de aproximadamente 1.170 contas mantidas no exterior, produzindo informações que serviram de subsídio para a Operação Farol da Colina, deflagrada em 2004, também na Justiça Federal do Paraná, com a expedição de mais de cem mandados de busca e apreensão e a decretação da prisão de mais de sessenta operadores de câmbio. As autoridades norte-americanas atuaram ainda no bloqueio de 34,6 milhões de dólares na Operação Zero Absoluto, que também teve trâmite na Justiça Federal do Paraná. O caso contou com a atuação da Procuradoria dos Estados Unidos, em Washington,

---

[37] O caso Banestado teve por objeto investigações e ações criminais referentes a alegadas remessas ilegais ao exterior de mais de 120 bilhões de dólares, dos quais aproximadamente 24 bilhões teriam sido remetidos pelo uso de contas de não residentes (denominadas CC5) mantidas em diversos bancos, em especial no Banco do Estado do Paraná (Banestado). A existência de contas bancárias na cidade de Foz do Iguaçu justificou a atuação da Polícia Federal e do Ministério Público Federal no Paraná, bem como a fixação da competência da 2ª Vara Federal de Curitiba, na época sob responsabilidade do juiz Sérgio Moro. A Operação Banestado também contou com modelo de formalização de força-tarefa (CC5) e atuação coordenada da PF e do MPF, e apresentou como resultado, até o encerramento formal do grupo, em dezembro de 2007, o oferecimento de 94 denúncias contra 687 pessoas acusadas de movimentação ilícita superior a 28 bilhões de dólares (Paludo; Lima; Aras, 2011).

na representação do Brasil perante a Justiça desse país. Em 2007, a Promotoria de Nova York anunciou a restituição ao Brasil de 1,6 milhão de dólares e, três anos depois, formalizou a restituição de mais 1,9 milhão de reais. Montenegro e Belluco (2004) também destacam a colaboração do FBI e a realização, pela Polícia Federal, de cinco missões em Nova York, entre 2002 e 2004, que viabilizaram o acesso a documentos bancários para elaboração de laudos periciais que subsidiaram muitas denúncias do caso Banestado.

Esse histórico revela a atuação cooperativa da Polícia Federal e do Ministério Público Federal em Curitiba, os principais atores envolvidos com o caso Banestado. A parceria entre eles repetiu-se na Lava Jato, dessa vez incluindo a Receita Federal.

A delegada Erika Marena teve papel de destaque nas duas investigações. Foi responsável pelo denominado "inquérito-mãe" do caso Banestado e uma espécie de coordenadora-geral da Lava Jato de Curitiba, na posição de chefe da Delegacia de Crimes Financeiros. As duas investigações contaram com a atuação do delegado Márcio Anselmo, responsável pelo primeiro inquérito da Lava Jato e que divide a autoria do relatório da Operação Bidone com Marena (Pontes; Anselmo, 2019).

Os procuradores Deltan Dallagnol, Orlando Martello, Carlos Fernando Lima e Januário Paludo integraram as duas forças-tarefa, o primeiro como coordenador da Lava Jato de Curitiba. O grupo de procuradores envolvidos com o caso Banestado contava ainda com a participação de Vladimir Aras, que também assinou o acordo de delação premiada de Alberto Youssef na operação e, durante a Lava Jato, atuou como secretário de cooperação jurídica internacional da Procuradoria-Geral da República, entre 2013 e 2017. A Secretaria de Cooperação Internacional da PGR faz a intermediação entre as autoridades e organizações estrangeiras e a força-tarefa no Brasil (Dallagnol, 2017).

Por fim, mas não menos importante, a figura mais conhecida da Operação Lava Jato, o juiz Sérgio Moro, também atuou como responsável pelo caso Banestado e adotou algumas práticas semelhantes nas duas operações, como será abordado adiante. A guinada na trajetória profissional de Sérgio Moro, depois das eleições presidenciais de 2018, trouxe novas evidências da relevância dessa experiência pretérita associada a vínculos interpessoais.

Assim que assumiu o cargo de ministro da Justiça no governo de Jair Bolsonaro, Moro alocou em postos-chave do Executivo Federal alguns dos operadores que se destacaram na Lava Jato do Paraná: Erika Marena foi nomeada diretora do DRCI e Roberto Leonel, presidente do Coaf. A relação interpessoal possivelmente justificou a escolha, pelo então ministro, dos ex-superintendentes da Polícia Federal no Paraná, Maurício Valeixo e Rosalvo Franco, o primeiro para o posto de diretor-geral da PF, e o outro, para o de secretário de Operações Integradas.

A intensa articulação entre as autoridades norte-americanas e os órgãos de persecução penal vinculados à Justiça Federal do Paraná mencionados, entre 2003 e 2007, sugere o início da construção de uma relação de confiança entre essas instituições e de adequação de procedimentos e rotinas para otimização das atividades de cooperação internacional em matéria penal.

O processo de aprendizado institucional pode ser observado pela documentação de rotinas a serem seguidas pelo sistema de Justiça nos atos de cooperação internacional, podendo-se destacar: a cartilha Cooperação Jurídica Internacional em Matéria Penal, publicada pelo DRCI em 2014; a coletânea do Ministério Público Federal, de 2014, sobre temas de cooperação internacional; o roteiro de atuação sobre cooperação internacional do MPF; a Portaria 618/2014 da Procuradoria-Geral da República, estabelecendo os nomes oficiais de órgãos do MPF em vários idiomas; e a criação do Centro de Cooperação Jurídica Internacional na estrutura do CJF, em março de 2019.

O processo de desenvolvimento institucional dos mecanismos de cooperação internacional no Brasil, descritos no primeiro capítulo, não impediu ruídos no uso da ferramenta pela Lava Jato. O primeiro episódio envolveu o caso dos executivos da Odebrecht, o que levou o juiz Sérgio Moro a suspender o andamento da ação por alguns dias. Na cooperação estabelecida entre o Brasil e a Suíça houve violação de regras do país europeu em benefício da investigação brasileira, no que o Judiciário suíço denominou de "auxílio judicial selvagem".

Em síntese, o Ministério Público Federal brasileiro obteve documentos bancários de uma conta mantida na Suíça sem precisar endereçar um pedido de cooperação às autoridades desse país. Os documentos foram encaminhados de uma forma que se pode considerar sub-reptícia: a Suíça enviou um pedido de cooperação para ouvir pessoas residentes no Brasil, numa investigação instaurada no exterior em razão da Lava Jato[38]; o pedido foi acompanhado dos documentos bancários que interessavam à força-tarefa brasileira e que efetivamente foram usados para comprovar o pagamento de propina no valor de 565 mil dólares. A Justiça suíça reconheceu a irregularidade do procedimento, que não contou com a prévia manifestação da *offshore* titular da conta, mas não proibiu que os documentos fossem usados no Brasil, justificativa usada por Sérgio Moro para mantê-los no processo e utilizá-los na fundamentação da condenação[39].

A atuação limítrofe da força-tarefa do Ministério Público Federal também se revela na realização de viagens oficiais à Suíça por alguns de seus integrantes, em "mecanismos informais de cooperação" que teriam a finalidade de obter informações prévias para orientar os futuros pedidos formais de assistência. A ausência de registro, no Brasil, da integralidade das comunicações mantidas no exterior pelas autoridades brasileiras e da descrição do material analisado impede o controle sobre o que deixou de ser solicitado no pedido formal de cooperação feito depois das viagens.

---

[38] O pedido de cooperação formulado pela Suíça ao Brasil foi documentado no processo 5036309-10.2015.404.7000. O resumo do trâmite da impugnação feita na Justiça daquele país sobre o envio dos documentos ao Brasil consta na ação 30 do quadro 7.

[39] A atuação viabilizou a obtenção de documentos bancários envolvendo outras contas e valores, mas a decisão suíça tratou apenas da *offshore* que buscou a nulidade do envio das provas. Em termos gerais, *offshore companies* são pessoas jurídicas sediadas em países diversos daquele da nacionalidade de seus sócios, previstas na legislação de alguns países, usualmente associadas à concessão de benefícios tributários e com estrutura que não exibe o nome dos titulares nos estatutos.

O segundo episódio foi mais rumoroso: envolveu a tentativa do Ministério Público Federal em Curitiba de decidir sobre a destinação de aproximadamente 2,5 bilhões de dólares em multas aplicadas à Petrobras pelas autoridades norte-americanas. A estatal brasileira celebrou acordos nos Estados Unidos com o Departamento de Justiça (*non prosecution agreement* – acordo de não persecução)[40] e com o órgão desse país equivalente à Comissão de Valores Mobiliários (Security and Exchange Commission), pelos quais as autoridades norte-americanas consentiram que parte das multas impostas à Petrobras pudesse ser destinada ao Brasil, no prazo previsto em "acordo entre as autoridades brasileiras e a companhia".

A força-tarefa do Ministério Público Federal em Curitiba tentou, sem sucesso, decidir o destino dos recursos, por meio da assinatura de um "acordo de assunção de compromissos" com a Petrobras. O documento estabelecia que as autoridades norte-americanas aceitariam que parte das penalidades, em forma de multas, seria compensada com base no que fosse pago no Brasil pela Petrobras, "conforme acordado com o Ministério Público Federal", que não foi citado no acordo norte-americano. Além da distorção do que constou no acordo de não persecução, o destino dos recursos, arbitrariamente escolhido pela força-tarefa, claramente proporcionaria benefícios diretos aos operadores do sistema de Justiça do Paraná.

A metade da "singela fortuna" prevista no acordo deveria constituir um fundo patrimonial administrado por uma fundação privada sediada em Curitiba, com o objetivo, entre outros, de "promoção da cultura da integridade", além de "implementar e difundir boas práticas e experiências nacionais e internacionais de investimento social". Além dos ganhos, em termos de reputação, promovidos pelo estabelecimento de uma fundação desse porte na cidade de Curitiba, a oitava capital do país em número de habitantes e que, evidentemente, seria associada à força-tarefa do Ministério

---

[40] O acordo de não persecução é um ajuste contratual entre uma agência governamental e uma pessoa ou empresa investigada por infração civil ou criminal. Ele permite que a agência deixe de oferecer acusação em troca de condições a serem cumpridas pelo investigado, como o pagamento de multa, a confissão e a cooperação com as autoridades.

Público Federal no Paraná, é difícil afastar a suposição de que os operadores da Lava Jato seriam as principais celebridades contratadas pela instituição para a realização de cursos e palestras em eventos que provavelmente não sofreriam restrições orçamentárias, em especial porque o MPF em Curitiba teria a prerrogativa de ocupar um assento nos órgãos de deliberação da fundação.

A disponibilidade sobre o "pote de ouro" foi rapidamente retirada da força-tarefa do Paraná: a decisão da Justiça Federal de Curitiba que homologou o acordo, em janeiro de 2019, foi suspensa pelo ministro Alexandre de Moraes em 15 de março, na Ação de Descumprimento de Preceito Fundamental 568, movida pela Procuradoria-Geral da República. Foi tão grande a repercussão negativa da ideia da fundação que, alguns dias antes da decisão do Supremo Tribunal Federal, a própria força-tarefa do Ministério Público Federal solicitou judicialmente a suspensão dos procedimentos de sua constituição.

Depois da manobra de trampolim que levou Sérgio Moro da primeira instância do Judiciário ao primeiro escalão do Executivo Federal, a um passo de uma vaga para ministro do STF, pode-se considerar que o episódio da fundação foi a segunda mancha na reputação da Operação Lava Jato, só superado quando começou a ser divulgada a comunicação mantida entre os membros da força-tarefa, a partir de junho de 2019.

Os dois episódios ilustram a relevância da dimensão internacional tratada no primeiro capítulo e, mais do que isso, sugerem que o voluntarismo e a inventividade do Ministério Público não são exatamente uma marca exclusiva da instituição brasileira.

Busca e apreensão

Operações de busca e apreensão em endereços de investigados e empresas ocorreram em praticamente todas as fases ostensivas da Lava Jato. A principal controvérsia em relação a essa medida envolveu a realização de diligência em escritórios de advogados, já que alegações de falta de fundamentação para o seu uso não encontraram respaldo nos tribunais. Isso talvez se explique pela extensão das decisões judiciais relativas à operação, que trazem longo relato de fatos e evidências apontados como indícios da prática de crimes.

No primeiro capítulo foi mencionada a recente edição, feita pela Enfam, de um manual que trata especificamente da falta de fundamentação das decisões judiciais, tema que já assombrou inclusive casos de grande repercussão. A decisão do Superior Tribunal de Justiça que anulou a Operação Castelo de Areia, por exemplo, destaca a falta de fundamentação para a quebra de sigilo. Pela análise das decisões da Lava Jato, de sua extensão e seu detalhamento, percebe-se que, nesse aspecto, houve aprendizado institucional por parte da Justiça Federal[41].

A controvérsia envolvendo buscas em escritórios de advocacia não se iniciou com a Lava Jato. A legislação prevê a inviolabilidade do escritório e do sigilo da relação advogado/cliente, mas autoriza a busca e apreensão quando há indícios da participação do advogado nos crimes investigados, questão envolta em elevado nível de subjetividade por parte dos investigadores e dos juízes. Ocorreu a anulação de alguns casos no passado, ou porque o cumprimento da medida foi feito sem a presença de um representante da OAB, como na Operação Teníase, ou porque a expedição da ordem de busca não teve nenhuma delimitação de seu objeto, como na Operação Navalha, entre outros, mas aparentemente isso não pôs em risco os resultados da Lava Jato. A análise de alguns mandados disponibilizados na mídia sugere que, em relação a esses aspectos, também houve aprendizado institucional, pois os documentos são minuciosos e fazem menção à necessidade de acompanhamento pela OAB.

---

[41] Apenas para exemplificar com alguns dados obtidos na pesquisa, aqui está o número de páginas de algumas das decisões que autorizaram a deflagração das fases da operação: Dolce Vita (23), Juízo Final (47), My Way (16), Que país é esse? (22), A Origem (32), Erga Omnes (44), Pixuleco (32), Triplo X (21), Aletheia (27), Omertà (34), Integração (46), Pripyat (27), Calicute (124), Eficiência (46), Mascate (29), Tolypeutes (51), Jabuti (37), Pausare (34) e Bullish (11).

Outros aspectos mais espinhosos da busca realizada em escritórios de advocacia provocaram momentos de tensão durante a operação, como as diligências cumpridas em salas de advogados instaladas na sede da Odebrecht e a controvertida valoração das evidências para concluir que o advogado teve participação nos crimes investigados. Nessa zona cinzenta, em certos momentos a Lava Jato e os advogados disputaram um verdadeiro cabo de guerra sobre os limites do uso de medidas invasivas envolvendo esses profissionais, que vão desde o questionamento sobre objetos apreendidos até propostas de regulamentação pelo Conselho Nacional do Ministério Público.

A zona de tensão envolvendo a imunidade dos advogados atingiu seu ápice na investigação de Lula, como será detalhado adiante. O aspecto interessante, nessa disputa, é que há sinais de que os juízes parecem se posicionar numa das extremidades do cabo, ao lado dos órgãos de investigação, que, diferentemente do Judiciário, receberam missões institucionais de combate ao crime.

Essa hipótese converge com algumas evidências que sugerem a intensificação do engajamento dos juízes no "combate" à corrupção e seu alinhamento com a posição dos órgãos da acusação, como comentado no capítulo anterior. Acrescentam-se a essas evidências algumas manifestações públicas divulgadas pelo Fórum Nacional dos Juízes Federais Criminais (Fonacrim), evento promovido pela Ajufe, que teve seis edições desde 2009, com o objetivo de debater e idealizar soluções práticas para a justiça criminal. O encerramento de cada edição do Fonacrim formaliza-se com uma carta pública e a aprovação de diversos enunciados e recomendações encaminhados ao Conselho Nacional de Justiça (CNJ), ao Conselho da Justiça Federal (CJF) e aos Tribunais Regionais Federais (TRFs) como material técnico para orientar a atuação dos juízes da área criminal.

A carta publicada no primeiro evento, ocorrido em abril de 2009, tem como conteúdo a defesa da atuação dos juízes, diante de críticas ao elevado número de interceptações telefônicas e prisões autorizadas pelo Judiciário, que na época eram debatidas na CPI das Escutas Telefônicas Clandestinas, encerrada em maio de 2009. A carta defende o uso de medidas mais eficazes para lidar com a criminalidade multifacetada, organizada, nacional e transnacional, a fim de evitar processos morosos que passam à sociedade uma indesejada sensação de impunidade.

Depois de três anos sem ser realizado, seguiram-se seis edições do evento desde 2013. A carta publicada em 2015 destaca os resultados da Operação Lava Jato, propõe mudanças legislativas para maior efetividade da justiça criminal e ressalta que os juízes federais "estão imbuídos do objetivo de acelerar a prestação jurisdicional, evitar processos sem fim e diminuir a impunidade, a morosidade e a prescrição". A edição do ano seguinte mantém o discurso de garantia da efetividade da justiça criminal, com elogio público ao juiz Sérgio Moro e a defesa da manutenção da decisão do Supremo Tribunal Federal, que passou a admitir o cumprimento da pena com a condenação em segunda instância.

Retomando a hipótese de alinhamento da magistratura federal, na disputa travada entre a força-tarefa e os advogados, com o combate à corrupção e com os órgãos de acusação, a carta do Fonacrim de 2017 aponta o projeto de lei de abuso de autoridade como uma medida que suspende a independência da magistratura. O texto destaca apenas a parte do projeto de lei que torna crime a violação de prerrogativas dos advogados, o que sugere a existência de uma percepção de que a advocacia constitui um entrave aos resultados buscados pelos próprios juízes nas ações criminais.

Condução coercitiva, prisões e gestão das ações criminais

As diferenças entre os três núcleos analisados neste livro aparecem no próprio site da força-tarefa da Lava Jato do Ministério Público Federal. Ele é constantemente atualizado no que diz respeito aos casos de Curitiba e do Rio de Janeiro, mas a página sobre o Distrito Federal trazia apenas duas ações penais, cujas sentenças, emitidas em junho e julho de 2018, ainda não tinham sido inseridas no site até julho de 2019, assim como os casos de desmembramento de ações que tramitavam no Supremo Tribunal Federal[42]. Ao comparar as fases ostensivas dos três núcleos em análise, detalhadas nos quadros 10, 11 e 12 a seguir, as médias de cada uma das medidas constritivas autorizadas pelas respectivas unidades da Justiça Federal sugerem o uso de diferentes estratégias pelos atores do sistema de Justiça.

Quadro 10 – Número de mandados nas fases da Operação Lava Jato em Curitiba (2014-2018).

Data	Fase	Objeto	Busca e apreensão	Prisão preventiva	Prisão temporária	Condução coercitiva
17/03/2014	Lava Jato Bidone Casablanca Dolce Vita	Prisão de quatro operadores do mercado de câmbio (Carlos Chater, Alberto Youssef, Raul Srour, Nelma Kodama)	81	18	10	19
20/03/2014	Bidone (fase 2)	Prisão de Paulo Roberto Costa	6	–	1	–
11/04/2014	Bidone (fase 3)	Continuação da Bidone (fase 2); buscas na sede da Petrobras	15	–	2	6
11/06/2014	Fase 4	Nova prisão de Paulo Roberto Costa	–	1	–	–
01/07/2014	Fase 5	Apuração sobre conta ligada a Alberto Youssef mantida no banco PKB, da Suíça	7	–	1	1
22/08/2014	Fase 6	Buscas em empresas ligadas a Paulo Roberto Costa	11	–	–	1

---

[42] Pode-se exemplificar com os casos documentados nos seguintes processos (petições) que tramitaram no Supremo Tribunal Federal: 6.753 e 6.740, além das ações 4 e 16 do quadro 9.

Data	Fase	Objeto	Busca e apreensão	Prisão preventiva	Prisão temporária	Condução coercitiva
14/11/2014	Juízo Final	Prisão de executivos da Camargo Corrêa, OAS, UTC, Iesa, Mendes Júnior, Queiroz Galvão, Engevix e Galvão Engenharia; buscas na sede das empresas e da Odebrecht; prisão de Renato Duque	49	6	21	9
14/01/2015	Fase 8	Prisão de Nestor Cerveró	4	1	–	–
05/02/2015	My Way	Fatos relacionados à empresa Arxo Industrial do Brasil (fornecedora da Petrobras); prisão do operador Mário Góes	40	1	3	18
16/03/2015	Que país é esse?	Investigação sobre o uso de empresas para repasse de propinas e lavagem de dinheiro; prisão de Renato Duque e Adir Assad	12	2	4	–
10/04/2015	A Origem	Prisão dos ex-deputados federais André Vargas, Luiz Argôlo e Pedro Corrêa	16	3	4	9
15/04/2015	Fase 12	Prisão de João Vaccari Neto	1	1	1	1
21/05/2015	Fase 13	Atuação de Milton Pascowitch como operador financeiro da Engevix em contratos ligados a Renato Duque	4	1	–	1
19/06/2015	Erga Omnes	Prisão de executivos da Odebrecht e Andrade Gutierrez	38	8	4	9

Data	Fase	Objeto	Busca e apreensão	Prisão preventiva	Prisão temporária	Condução coercitiva
02/07/2015	Conexão Mônaco	Prisão de Jorge Zelada, ex-diretor da Petrobras	4	1	–	–
28/07/2015	Radioatividade	Contratos de obras na usina de Angra 3; prisão de Othon Luiz Pinheiro da Silva, ex-presidente da Eletronuclear	23	–	2	5
03/08/2015	Pixuleco	Prisão do ex-ministro José Dirceu (delações de Júlio Camargo e Milton Pascowitch)	26	3	5	6
13/08/2015	Pixuleco 2	Contratos ligados ao Ministério do Planejamento; prisão do ex-vereador Alexandre Romano (PT)	10	–	1	–
21/09/2015	Nessun Dorma	Prosseguimento das fases Conexão Mônaco, Radioatividade e Pixuleco; prisão de José Antunes Sobrinho (Engevix) e João Henriques (lobista ligado ao PMDB)	7	1	1	2
16/11/2015	Corrosão	Contratos relacionados às refinarias Abreu e Lima e Pasadena	11	–	2	5
24/11/2015	Passe Livre	Contratação da Schahin Engenharia como operadora do navio-sonda Vitória 10.000; prisão de José Carlos Bumlai	25	1	–	6
27/01/2016	Triplo X	Lavagem de dinheiro por meio da abertura de *offshore* (serviços da Mossack) e apartamento tríplex do Guarujá relacionado a Lula	15	–	6	2

Data	Fase	Objeto	Busca e apreensão	Prisão preventiva	Prisão temporária	Condução coercitiva
22/02/2016	Acarajé	Pagamentos ao publicitário João Santana em campanhas políticas	38	2	6	5
04/03/2016	Aletheia	Buscas no apartamento de Lula, conduzido coercitivamente	33	–	–	11
21/03/2016	Polimento	Prisão no exterior do operador Raul Schmidt Felippe Júnior (Portugal)	1	1	–	–
22/03/2016	Xepa (5010479)	Departamento de operações estruturadas da Odebrecht (desdobramento Acarajé)	67	4	9	28
01/04/2016	Carbono 14	Transações envolvendo o Banco Schahin, a Petrobras e a Viação Expresso Santo André; prisão de Sílvio Pereira, ex-secretário-geral do PT	8	–	2	2
12/04/2016	Vitória de Pirro	Corrupção envolvendo convocação para a CPI da Petrobras; prisão do ex-deputado Gim Argello	14	1	2	5
23/05/2016	Repescagem	Corrupção envolvendo João Cláudio Genu, ligado ao ex-deputado José Janene	6	1	2	–
24/05/2016	Vício	Transações de três empresas fornecedoras da Petrobras envolvendo a diretoria de serviços e o ex-ministro José Dirceu	28	2	–	9
04/07/2016	Abismo	Contrato entre Petrobras e Consórcio Novo Cenpes; prisão de Paulo Ferreira, ex-tesoureiro do PT	23	1	4	7

Data	Fase	Objeto	Busca e apreensão	Prisão preventiva	Prisão temporária	Condução coercitiva
07/07/2016	Caça-Fantasmas	Transações envolvendo o banco panamenho FPB Bank Inc. (serviços da Mossack)	10	–	–	7
02/08/2016	Resta Um	Transações envolvendo a construtora Queiroz Galvão; prisão de executivos da Queiroz Galvão	23	2	1	6
22/09/2016	Arquivo X	Contratos para construção de duas plataformas para exploração de petróleo na camada do pré-sal; prisão do ex-ministro Guido Mantega	33	–	9	8
26/09/2016	Omertà	Investigações sobre o departamento de operações estruturadas da Odebrecht; prisão do ex-ministro Antonio Palocci	27	–	3	15
10/11/2016	Dragão	Fatos envolvendo o operador Adir Assad e Rodrigo Tacla Duran (Odebrecht)	16	2	–	–
17/11/2016	Descobridor	Contrato entre Petrobras e Andrade Gutierrez para obras de terraplanagem do Comperj; prisão do ex-governador Sérgio Cabral	14	2	1	–
23/02/2017	Blackout	Atividades de Jorge Luz como operador ligado ao PMDB	5	2	–	–
28/03/2017	Paralelo	Prisão de Roberto Gonçalves, ex-gerente da Petrobras (sucedeu a Pedro Barusco)	5	1	–	–

Data	Fase	Objeto	Busca e apreensão	Prisão preventiva	Prisão temporária	Condução coercitiva
04/05/2017	Asfixia	Transações envolvendo as empresas Akyzo Assessoria e Liderroll Indústria	16	2	2	5
26/05/2017	Poço Seco	Contrato de exploração de campo de petróleo em Benim; prisão de Pedro Bastos, ex-gerente da Petrobras	8	1	1	3
27/07/2017	Cobra	Prisão de Aldemir Bendine, ex-presidente da Petrobras	11	–	3	–
18/08/2017	Sem Fronteiras	Transações envolvendo um grupo de armadores gregos (busca na residência do cônsul da Grécia Konstantinos Georgios Kotronakis)	29	–	1	–
18/08/2017	Abate	Contratos entre a Petrobras e a Sargeant Marine; prisão do ex-deputado Cândido Vaccarezza	–	–	4	11
23/08/2017	Abate II	Envolvimento de Tiago Cedraz nos contratos da Sargeant Marine	4	–	–	–
20/10/2017	Fase 46	Prisão de Luis Carlos Moreira da Silva, ex-gerente da Petrobras	4	–	1	1
21/11/2017	Sothis	Contratos da Transpetro; prisão do ex-gerente José Antônio de Jesus	8	–	1	5
22/02/2018	Integração	Concessão de rodovias do Paraná (Anel de Integração do Paraná)	50	–	7	–
09/03/2018	Buona Fortuna	Concessão e construção da usina hidrelétrica de Belo Monte	9	–	–	–

Data	Fase	Objeto	Busca e apreensão	Prisão preventiva	Prisão temporária	Condução coercitiva
23/03/2018	Sothis II	Transações envolvendo a Meta Engenharia e a Transpetro	3	–	–	–
08/05/2018	Déjà Vu	Uso de contas *offshore* por executivos da Petrobras	17	4	2	–
21/06/2018	Greenwich	Contratos entre Odebrecht e Petroquímica Suape; prisão de Djalma de Souza, ex-gerente da Petrobras	9	1	1	–
11/09/2018	Piloto	Contratos da Odebrecht na rodovia PR-323; prisão de Deonilson Roldo (ex-chefe de gabinete do ex-governador do Paraná Beto Richa – PSDB)	33	2	1	–
25/09/2018	Cooperação Portugal	Cooperação com Portugal ligada ao investigado Mário Miranda	5	–	–	–
26/09/2018	Integração II	Concessão do Anel de Integração do Paraná; prisão de Pepe Richa (irmão do ex-governador Beto Richa)	73	3	16	–
23/11/2018	Sem Fundos	Investimentos da Petros no empreendimento Torre Pituba para abrigar sede da Petrobras; prisão de executivos da Petros	68	8	14	–
05/12/2018	Sem Limites	Transações relacionadas a *trading* de combustíveis da Petrobras com empresas internacionais	27	11	–	–

Elaborado pela autora.

Quadro 11 – Número de mandados nas fases da Operação Lava Jato no Rio de Janeiro (2016-2018).

Data	Fase	Objeto	Busca e apreensão	Prisão preventiva	Prisão temporária	Condução coercitiva
06/07/2016	Pripyat	Contratos celebrados pela Andrade Gutierrez em obras da Eletronuclear (Angra 3); prisão de executivos da Eletronuclear	26	7	3	9
10/08/2016	Irmandade	Núcleo financeiro relacionado a obras da Eletronuclear; prisão de Samir Assad (irmão de Adir Assad)	1	1	–	–
17/11/2016	Calicute	Obras no Maracanã, PAC Favelas e Anel Metropolitano; prisão do ex-governador Sérgio Cabral	38	8	2	14
26/01/2017	Eficiência	Investigação envolvendo recursos mantidos no exterior ligados a Sérgio Cabral; prisão de Álvaro Novis e Eike Batista (grupo EBX)	22	9	–	4
02/02/2017	Mascate	Prisão de Ary Ferreira da Costa, suposto operador financeiro de Sérgio Cabral	8	1	–	–
03/03/2017	Hic et Ubique	Prisão de Vinicius Claret e Claudio Barbosa de Sousa, operadores de câmbio	4	2	–	–

Data	Fase	Objeto	Busca e apreensão	Prisão preventiva	Prisão temporária	Condução coercitiva
14/03/2017	Tolypeutes	Obras da linha 4 do metrô; prisão de Heitor Sousa Júnior (Rio Trilho) e Luiz Velloso, subsecretário de Turismo	13	2	–	3
11/04/2017	Fatura Exposta	Contratos de fornecimento de próteses e equipamentos médicos; prisão de Miguel Iskin	20	3	–	3
08/05/2017	Fase 9	Buscas em endereços ligados à ex-mulher de Sérgio Cabral	2	–	–	–
01/06/2017	Ratatouille	Contratos de alimentação para escolas, presídios e hospitais; prisão de Marco Antonio de Luca	9	1	–	–
03/07/2017	Ponto Final	Investigações no setor de transportes; prisão de Jacob Barata Filho (empresário de transporte)	33	9	3	1
03/08/2017	Rio 40 Graus	Contratos de obras do BRT Transcarioca e recuperação da Lagoa de Jacarepaguá	17	9	1	2
09/08/2017	Gotham City	Desdobramento da Operação Ponto Final (apura lavagem de dinheiro envolvendo a empresa Detro)	21	2	–	–
15/08/2017	Fase 14	Desdobramento da Operação Ponto Final (Fetranspor e secretaria de Assistência Social); prisão de Lélis Teixeira, presidente da Fetranspor	2	1	–	–

Data	Fase	Objeto	Busca e apreensão	Prisão preventiva	Prisão temporária	Condução coercitiva
25/08/2017	Fase 15	Desdobramento da Operação Ponto Final (Fetranspor e Riocard TI)	2	–	–	–
05/09/2017	Unfair Play	Fatos envolvendo a Federação Internacional de Atletismo e o Comitê Olímpico Brasileiro; prisão do empresário Arthur Soares	11	2	–	1
10/10/2017	Unfair Play 2	Prisão de Carlos Arthur Nuzman, ex-presidente do COB	6	–	2	–
23/11/2017	C'est Fini	Desdobramento das fases Calicute e Eficiência, relacionado a contratos de obras no Rio de Janeiro; prisão de Régis Fichtner, ex-secretário da Casa Civil	14	5	–	1
23/01/2018	Mãos à Obra	Desdobramento da fase Rio 40 Graus; prisão de Alexandre Pinto, ex-secretário de Obras	18	3	3	–
23/02/2018	Jabuti	Investigações relacionadas ao Sistema Fecomércio; prisão de Orlando Diniz, ex-presidente da Fecomércio	10	1	3	–
13/03/2018	Pão Nosso	Contratos da secretaria de Administração Penitenciária; prisão de Cesar Carvalho, ex-secretário	28	7	9	–

Data	Fase	Objeto	Busca e apreensão	Prisão preventiva	Prisão temporária	Condução coercitiva
12/04/2018	Rizoma	Investigações envolvendo os fundos de pensão dos Correios (Postalis) e Serpros	21	10	–	–
03/05/2018	Câmbio, Desligo	Investigações de mercado de câmbio não oficial; prisão decretada de Dario Messer (preso em 31/07/2019)	51	45	4	–
04/07/2018	Ressonância	Desdobramento da fase Fatura Exposta; prisão de Miguel Iskin (suposto líder de um cartel de 33 empresas)	44	13	9	–
03/08/2018	Hashtag	Investigações envolvendo lavagem de dinheiro por meio de comércio de joias	4	–	3	–
10/08/2018	Fase 26	Investigações com origem em desmembramento de colaborações premiadas homologadas no Supremo Tribunal Federal	3	1	–	–
16/08/2018	Golias	Desdobramento da fase Câmbio Desligo (contratação do Banco Prosper no leilão do Berj)	6	1	–	–
31/08/2018	SOS	Contratos com a organização social Pró-Saúde; nova prisão de Miguel Iskin e de mais quatro investigados da Operação Ressonância	–	20	1	–
04/09/2018	Marakata	Comércio de esmeraldas e pedras preciosas	12	5	–	–

Elaborado pela autora.

Quadro 12 – Número de mandados nas fases da Operação Lava Jato/Greenfield em Brasília (2016-2018).

Data	Fase	Objeto	Busca e apreensão	Prisão preventiva	Prisão temporária	Condução coercitiva
20/05/2016	Janus (Lava Jato)	Contratos da Odebrecht em obras na hidrelétrica de Cambambe, Angola	4	–	–	2
05/09/2016	Greenfield (fase 1)	Gestão dos fundos de pensão Funcef, Petros, Previ e Postalis	106	–	7	34
13/01/2017	Cui Bono? (fase 1)	Liberação de créditos na Caixa Econômica Federal (desdobramento da Operação Catilinárias/Supremo Tribunal Federal)	7	–	–	–
08/03/2017	Greenfield (fase 2)	Cooptação de testemunhas em fatos investigados pela Greenfield	6	–	1	–
19/04/2017	Conclave (Greenfield)	Aquisição de ações do Panamericano pela Caixa Participações (CaixaPar)	41	–	–	–
06/06/2017	Sépsis/ Cui Bono? (fase 2)	Obstrução de provas (prisão do ex-deputado Eduardo Cunha e do ex-ministro Henrique Alves (PMDB)	–	5	–	–
05/09/2017	Tesouro Perdido (Cui Bono? fase 3)	Apartamento com mais de 51 milhões de reais (associado ao ex-ministro Geddel Vieira Lima)	1	–	–	–
08/09/2017	Cui Bono? (fase 4)	Prisão do ex-ministro Geddel Vieira Lima	3	2	–	–
01/02/2018	Pausare (Greenfield)	Desvios na gestão do Postalis; prisão de José Carlos Xavier de Oliveira (BNY Mellon)	110	1	–	46

Data	Fase	Objeto	Busca e apreensão	Prisão preventiva	Prisão temporária	Condução coercitiva
08/05/2018	Fundo Perdido (Greenfield)	Desvios na gestão do fundo de pensão da Fundação Rede Ferroviária da Seguridade Social (Refer)	6	–	4	–

Elaborado pela autora.

A tabela 3 traz o número de mandados que cada núcleo da Justiça Federal expediu e a média de expedição por fase (entre parênteses, o número de fases até dezembro de 2018).

Tabela 3 – Número de mandados expedidos nas fases ostensivas (total geral e média por fase).

Núcleo da Justiça Federal (número de fases)	Busca e apreensão		Prisão preventiva		Prisão temporária		Condução coercitiva[1]	
Curitiba (57)	1.130	19,8	101	1,8	161	2,8	228	4,9
Rio de Janeiro (29)	446	15,4	168	5,8	43	1,5	38	2,1
Brasília (10)	284	28,4	8	0,8	12	1,2	82	9,1

Elaborada pela autora.

[1] Os cálculos que envolvem a condução coercitiva levaram em consideração que o uso da medida passou a ser vetado pelo Supremo Tribunal Federal a partir de 19 de dezembro de 2017, em razão de liminar do ministro Gilmar Mendes nas Arguições de Descumprimento de Preceito Fundamental (ADPFs) 395 e 444. Isso também foi feito ao comparar o uso da medida com as buscas e apreensões deferidas. Foram mantidas as informações sobre conduções coercitivas da Operação Pausare (JF/DF), que não foram executadas, mas constam na decisão da Justiça Federal do Distrito Federal, anterior à liminar do STF.

Não é tarefa simples extrair conclusões a partir dos dados gerais das fases ostensivas das operações, pois diferenças relacionadas aos fatos investigados e às provas obtidas podem justificar disparidades no uso de medidas constritivas. A análise preliminar da tabela sugere que foi mais recorrente o uso da prisão preventiva pelo núcleo do Rio de Janeiro (quase seis prisões por fase), em comparação com o do Paraná (quase duas prisões por fase), e bem mais cauteloso o uso desse recurso pelo núcleo de Brasília (menos de uma prisão por fase). Essa análise também se mostra compatível quando se compara a proporção de prisões preventivas e o total de mandados de busca deferidos: no núcleo de Curitiba os mandados de prisão preventiva correspondem a 9% das buscas autorizadas judicialmente, no Rio de Janeiro essa relação é de 37,7%, e em Brasília, de apenas 2,8%.

Essa hipótese também parece encontrar suporte ao se comparar o uso relativo da condução coercitiva em cada núcleo da operação. O núcleo de Brasília apresentou média bem superior de conduções coercitivas por fase, mas, em relação ao saldo total de mandados de busca e apreensão, essa proporção é praticamente equivalente à do núcleo de Curitiba (29,5% em Brasília e 27,3% no Paraná). Já as conduções coercitivas do núcleo do Rio de Janeiro correspondem a 15,3% do saldo total de mandados de busca expedidos no mesmo período. Considerando que a condução coercitiva é muito menos gravosa do que a prisão preventiva, a proporção significativamente maior desta última medida também sugere que o seu uso foi mais rigoroso pelo núcleo do Rio de Janeiro, o que talvez ajude a explicar alguns dados divulgados sobre a maior incidência de revogação, pelos tribunais superiores, das prisões decretadas na Justiça Federal do Rio de Janeiro.

Alguns dados apontam uma diferença significativa entre os níveis de sinergia da Polícia Federal e do Ministério Público Federal, o que se verifica mais nitidamente ao se comparar os núcleos de Curitiba e do Rio de Janeiro. Esses núcleos mostram semelhanças no que diz respeito ao intervalo médio de tempo entre cada uma das fases ostensivas – trinta e 28 dias, respectivamente. Quanto ao núcleo de Brasília, houve um intervalo médio de 79 dias entre cada uma das dez fases aqui focadas.

Por outro lado, a análise das decisões que autorizaram as fases ostensivas do núcleo de Curitiba indica uma alternância entre pedidos feitos pela Polícia Federal e pelo Ministério Público Federal, o que sugere que essas instituições agiram em cooperação nas fases de investigação. Esse cenário é bem diferente do núcleo do Rio de Janeiro, onde todos os pedidos a partir da Operação Irmandade, deflagrada em 10 de agosto de 2016, foram feitos exclusivamente pelo Ministério Público Federal, o que sugere que a Polícia Federal não foi envolvida na fase preparatória e sua atuação se limitou à execução dos atos materiais das fases ostensivas da operação[43]. Esta hipótese é compatível com a identificação de cooperação estratégica com a Receita Federal, descrita anteriormente, na medida em que os procedimentos da Receita permitem dispensar análises de documentos bancários e fiscais que precisariam ser feitas pelos núcleos de perícia criminal da Polícia Federal.

A elevada média de medidas de busca e apreensão deferidas pela Justiça Federal de Brasília está longe de caracterizar a imposição de amarras aos órgãos de investigação, porém denota uma aparente contenção no emprego da prisão e da condução coercitiva. Além de o uso dessas medidas ter se mostrado proporcionalmente inferior com relação ao Rio de Janeiro e ao Paraná, elas não foram adotadas em 30% das fases. Uma possível explicação para essa diferença seria o comedimento dos atores do sistema de Justiça em decorrência da menor capacidade estatal dos órgãos de Brasília, pois a realização da prisão preventiva impõe ritmo mais acelerado às investigações e ações criminais. Além disso, pode-se supor que os órgãos situados na capital federal estejam mais sujeitos às influências do alto escalão da política, inclusive no que diz respeito a limitar a atuação voluntarista e midiática que marca especialmente o núcleo de Curitiba[44].

---

[43] Não foram localizados os pedidos das fases 14 e 15, mas trata-se de desdobramentos da Operação Ponto Final, requerida pelo Ministério Público Federal.

[44] Não se pretende fazer aqui uma análise comparativa mais detalhada do grau de voluntarismo dos três núcleos analisados, mas uma das evidências do maior voluntarismo do núcleo de Curitiba é a grande exposição na mídia e nas redes sociais dos integrantes da força-tarefa do Ministério Público Federal nessa cidade. Em agosto de 2019, enquanto o coordenador da Lava Jato em Curitiba ("Deltan Dallagnol") tinha 943 mil seguidores no Twitter e seu nome

A pesada estratégia de marketing da Operação Lava Jato em Curitiba, defendida publicamente pelos envolvidos como essencial para os resultados pretendidos (Moro, 2009; Dallagnol, 2017), mereceria um estudo à parte. Compreendê-la exigiria não apenas o rastreio do conteúdo e dos veículos utilizados para divulgação de informações sobre as investigações e ações, mas também do *timing* da divulgação de materiais sigilosos, pois o próprio procurador-geral da República reconheceu que parte do material foi vazada à imprensa pelos investigadores envolvidos com a operação (Janot, 2019).

O uso recorrente da condução coercitiva para prestar depoimento, sem prévia intimação, tem por trás, aparentemente, a estratégia de constranger os investigados a prestar esclarecimentos sem ter conhecimento anterior das evidências que estão em poder dos investigadores, o que é coerente com a estratégia de gestão temporal das investigações e do rito legal das ações penais. A estratégia de encerrar a investigação no mês seguinte à fase ostensiva de uma operação restringe a oportunidade dos investigados de apresentar em suas versões sobre os fatos e as evidências que constam no inquérito, em especial quando há investigados presos preventivamente, o que exige a rápida apresentação da denúncia. É provável que aqueles que foram presos ou conduzidos de modo coercitivo na fase ostensiva da operação e optaram pelo direito ao silêncio só sejam ouvidos pelos atores do sistema de Justiça no encerramento das audiências, pois os réus são os últimos ouvidos na fase judicial, e supõe-se que os investigadores não oferecerão uma segunda data ao investigado que não quis responder às perguntas ao ser preso ou conduzido à polícia.

A racionalidade dessa estratégia é fazer prevalecer a versão acusatória na ação criminal, pois espera-se que as contradições entre os depoimentos prestados na polícia e em juízo enfraqueçam a versão da defesa, em especial num cenário em que os juízes caminham para um alinhamento com os objetivos buscados pelo Ministério Público Federal. Além disso, os tribunais superiores não

aparecia em 2,26 milhões de resultados no Google, seu colega do núcleo do Rio de Janeiro ("Eduardo El Hage") não utilizava perfil no Twitter e aparecia em 15.700 resultados no Google.

tinham controle sobre as medidas de condução coercitiva, o que facilitava aos investigadores e juízes adotar a medida. O efeito-surpresa que caracteriza as fases ostensivas da operação praticamente inviabiliza a obtenção de *habeas corpus* preventivo e, por se tratar de medida de curta duração, executada nas primeiras horas do dia, não há tempo hábil para a obtenção de *habeas corpus* a fim de afastar uma alegada lesão já consumada.

Os entraves para que o tema da utilização da condução coercitiva chegasse aos tribunais, somados ao descompasso entre a agilidade da Lava Jato e o ritmo natural mais lento de tramitação das discussões dentro do Judiciário, ajudam a explicar por que os três núcleos da operação puderam determinar a condução coercitiva de 348 pessoas, num intervalo de quase quatro anos. Foi apenas em dezembro de 2017, em decisões liminares do ministro Gilmar Mendes nas ADPFs 395 e 444, que a condução coercitiva dos investigados passou a ser vedada em quaisquer circunstâncias, o que foi posteriormente referendado pelo plenário do Supremo Tribunal Federal.

O comportamento que passou a ser adotado pelo núcleo do Rio de Janeiro depois que o Supremo Tribunal Federal vedou o uso da condução coercitiva de investigados confirma a hipótese sobre a racionalidade da estratégia dos atores do sistema de Justiça. Nas fases ostensivas da operação, investigados passaram a ser intimados a prestar depoimento no dia da sua deflagração, o que alcança o mesmo objetivo do uso estratégico da condução coercitiva[45]. Esse resultado prático do emprego da medida também é esperado para a prisão temporária e a prisão preventiva cumpridas nas fases ostensivas seguidas do ajuizamento da ação criminal.

Há uma disputa entre advogados e a força-tarefa da Lava Jato sobre o discurso do uso da prisão para constranger investigados a delatarem. A análise das investigações e ações criminais mostra que não é tão simples encontrar evidências para arbitrar essa disputa. Foram identificados investigados que colaboraram quan-

---

[45] Exemplos no núcleo do Rio de Janeiro: fases Unfair Play (16), Jabuti (20), Pão Nosso (21), Rizoma (22), SOS (28) e Marakata (29), todas do quadro 11 A Operação Unfair Play foi deflagrada antes da liminar do ministro Gilmar Mendes. O núcleo de Curitiba adotou a mesma estratégia na fase Sem Limites (57) do quadro 10.

do ainda se encontravam em liberdade, e outros que só o fizeram depois de presos.

Algumas características das prisões, das colaborações e do ritmo de tramitação das ações sugerem que a prisão preventiva, associada à agilização seletiva das ações criminais, foi utilizada como mecanismo de constrangimento à colaboração premiada, ou ao menos criou a expectativa, entre os investigados e seus advogados, de que colaborar com os investigadores seria o meio mais eficaz para evitar uma iminente prisão ou reduzir seu tempo. Essa análise foi feita seguindo alguns critérios: limitação do objeto de análise ao núcleo de Curitiba, pois não foram obtidos dados precisos sobre as prisões nos núcleos do Rio de Janeiro e de Brasília; identificação dos investigados que podem ser considerados prioritários pelo núcleo de Curitiba; análise da relação entre esses investigados e o uso da colaboração premiada; verificação da relação entre o uso da colaboração premiada e a situação prisional desses investigados; e análise da duração das ações criminais envolvendo esses investigados, levando em conta as diferenças gerais observadas nos casos sentenciados em função da existência ou não de réus presos no momento da sentença. A seguir são expostas as justificativas para a escolha desses critérios, antes da apresentação dos dados obtidos.

Os atores do sistema de Justiça envolvidos com a Lava Jato reiteradamente afirmam a existência de uma organização criminosa que desviou recursos da Petrobras. Supõe-se que essa narrativa esteja baseada na convicção desses atores de que existe uma estrutura organizada para a prática dos crimes, que talvez apresente uma estrutura piramidal na qual é maior o número de executores das ações consideradas criminosas do que o de tomadores das decisões finais. A partir desse raciocínio, na análise partiu-se da hipótese de que o núcleo de Curitiba teria uma estratégia definida em relação às pessoas que prioritariamente deveriam ser sujeitas a prisão cautelar, das quais se esperava obter informações relevantes sobre a participação de políticos de alto escalão nos crimes cogitados pelos investigadores (e aceitos pela Justiça Federal quando autorizava as medidas postuladas).

A opção, na análise aqui apresentada, foi rastrear as decisões que autorizaram a realização das fases ostensivas da operação com a finalidade de identificar os investigados que possivelmente foram considerados os principais suspeitos da prática dos fatos apurados. Nas decisões são mencionados diversos nomes de pessoas físicas e de empresas, mas a análise teve como foco as pessoas que tiveram prisão cautelar decretada, sobretudo os casos de prisão preventiva. Isso porque a decretação dessa modalidade de prisão sugere que o juiz que autorizou a medida foi convencido de que a pessoa teve participação relevante nos fatos criminosos investigados, ou no mínimo encontrou argumentos suficientes para justificar publicamente a alegada participação dela nos crimes. Além disso, a obrigatoriedade de imprimir ritmo mais acelerado a ações com acusados presos pode ser interpretada como um ônus que os atores do sistema de Justiça assumem por exigir maior dedicação a esses casos para evitar alegações de excesso de prazo das prisões. Isso sugere que os investigados presos preventivamente foram considerados prioritários, dentro da narrativa criminosa, pelo Ministério Público Federal e pelo juiz que reconheceu a necessidade da prisão.

Partindo dessa hipótese, foram identificados os investigados presos preventivamente nas fases ostensivas da operação e também aqueles que tiveram prisão temporária seguida de prisão preventiva, para entender como a colaboração premiada foi utilizada nesse grupo de investigados. A análise restringiu-se ao núcleo de Curitiba e às prisões realizadas até dezembro de 2017, pois não foram encontrados dados precisos sobre prisões e colaborações dos núcleos do Rio de Janeiro e de Brasília, nem um histórico preciso dos investigados presos a partir de 2018 pela Justiça Federal de Curitiba.

Nas fases da operação realizadas até dezembro de 2017, foi possível rastrear 69 das 72 prisões preventivas decretadas, que se referem a 68 pessoas diferentes, pois Adir Assad foi preso preventivamente em duas fases da operação (Que país é esse? e Dragão). Nesse mesmo período, foram identificadas 24 pessoas que tiveram a prisão temporária convertida em preventiva pouco tempo depois da deflagração da operação. Como Renato Duque se encaixa nos dois grupos, pois foi alvo de prisão preventiva e de prisão temporária seguida de preventiva, no banco de dados do trabalho que originou este livro há o total de oitenta pessoas (ver quadro 13), pois foram excluídos onze investigados presos na primeira fase que são ligados a núcleos de investigação sem relação com a Petrobras[46].

Para verificar se houve conexão entre prisão e delação, foram buscadas informações sobre os fatos que se seguiram às prisões. As situações encontradas aparecem descritas no quadro 13 a seguir. Foram distinguidos os investigados que colaboraram e que assinaram ou não assinaram acordo com os órgãos de investigação daqueles que não assinaram acordo nem tiveram reconhecida a redução de pena por terem colaborado.

Quadro 13 – Número de investigados presos até dezembro de 2017 nas fases ostensivas da Lava Jato em Curitiba e fatores de incentivo à colaboração.

Situação de incentivo à colaboração	Colaborador		Não colaborador
	Com acordo	Sem acordo	
Residência no exterior	–	–	2
Liberdade/cautelar em *habeas corpus*	8	–	9
Liberdade concedida pela Justiça Federal do Paraná em até cinco meses	5	–	7
Liberdade/cautelar em razão da colaboração	18	2	–
Pena prevista no acordo	7	–	–
Pena estimada de acordo futuro	–	2	–
Mantido preso	–	1	6
Acusado em apenas uma ação criminal	–	–	10
Outros incentivos	3	–	–
Total	42	4	34

Elaborado pela autora.

[46] Núcleo Dolce Vita: Nelma Kodama, Iara Galdino da Silva, Luccas Pace Júnior e Faiçal Mohamed Nacirdine; núcleo Casablanca: Raul Srour; núcleo Lava Jato: Carlos Chater, Ediel Viana da Silva, André Catão de Miranda, René Luiz Pereira, Sleiman Nassim El Kobrossy e André Luiz Paula dos Santos.

Os casos foram categorizados primordialmente em função dos fatos considerados relevantes para constranger ou incentivar a colaboração, relacionados ao efetivo encarceramento em unidade prisional no período que antecedeu a assinatura do acordo e à expectativa de encarceramento futuro. A análise partiu do pressuposto de que essa expectativa é maior nos casos de investigados que respondem a maior número de ações e/ou que são réus em ações com tramitação acelerada. Foram considerados quatro grupos de situações em relação à obtenção de liberdade[47]: ampla liberdade, liberdade com medidas cautelares ou prisão domiciliar obtidas com *habeas corpus*; ampla liberdade ou liberdade com cautelares obtidas na própria Justiça Federal de Curitiba; ampla liberdade, liberdade com cautelares ou prisão domiciliar obtidas em razão da colaboração; e aplicação imediata da pena prevista no acordo, com encarceramento em unidade prisional.

O rastreio das evidências para identificar a estreita conexão entre o uso da prisão e a obtenção de delações passa por algumas considerações sobre o que se espera no fluxo de uma grande investigação que produziu, entre seus resultados, elevado número de acordos de colaboração premiada.

Em primeiro lugar, a assinatura de diversos acordos por pessoas que se encontravam em liberdade não parece suficiente para afastar a hipótese de a prisão ter sido usada para a obtenção de colaborações por pelo menos dois motivos.

O primeiro motivo é que diversos acordos foram assinados conjuntamente por executivos de uma mesma empresa, inclusive acordos de leniência[48], com repercussão nas ações criminais. Nes-

---

[47] Apesar de haver restrição de liberdade nos casos de controle por tornozeleira eletrônica e de prisão domiciliar, essas duas situações foram incluídas no mesmo grupo da ampla liberdade por se entender que, sob a ótica do investigado/acusado, esse tipo de restrição da liberdade provoca muito menos sofrimento e constrangimento do que a prisão em unidade penitenciária. Essa opção parece compatível com a ausência ou reduzida irresignação manifestada por réus em regime domiciliar, além das decisões de revogação da domiciliar para evitar detração, adotadas de ofício por Sérgio Moro.
[48] O acordo de leniência é um ajuste contratual entre uma agência estatal e uma pessoa jurídica que obtém o abrandamento de punições por aceitar se submeter a algumas condi-

ses casos, parece razoável a suposição de que a estratégia de uso da prisão para constranger a delatar seja suficiente no que se refere a um ou alguns poucos executivos de uma empresa; com relação aos demais, a expectativa é que os acordos sejam celebrados quase como consequência natural da assinatura pelos executivos que são alvo das medidas de prisão.

O segundo motivo tem relação com as expectativas criadas depois de um fluxo constante e ágil das investigações e ações criminais, que mostra aos investigados e advogados um cenário que se repete: investigados presos preventivamente, que não têm sucesso na revogação da sua prisão nos tribunais, mas obtêm a liberdade quando resolvem colaborar com as investigações. A manutenção desse fluxo por um período considerável de tempo ajuda a explicar por que acordos foram assinados por pessoas que ainda não tinham sido presas. O sucesso que os atores do sistema de Justiça tiveram, no início da operação, na obtenção de delações dos primeiros investigados que foram presos leva os investigados soltos a criarem expectativas, e eles passam a vislumbrar a possibilidade de ser os próximos alvos da operação. A criação dessa expectativa parece tanto maior quanto mais rápidas são as ações criminais de réus com mais acusações, sobretudo depois que o Supremo Tribunal Federal autorizou o início do cumprimento da pena após o julgamento dos recursos pelo Tribunal Regional Federal, em *habeas corpus* julgado em fevereiro de 2016 (Habeas Corpus STF 126.292), e quanto maior o número de casos em que os acusados deixaram o sistema penitenciário depois de assinar o acordo de colaboração.

Não é muito fácil identificar se uma ação criminal é rápida, pois há reconhecidas dificuldades de mensurar e comparar o tempo do processo criminal no Brasil (Ribeiro; Machado; Silva, 2012). Não foi possível encontrar parâmetros razoáveis para comparar a duração de casos criminais envolvendo políticos de alto escalão e o alto empresariado, que não fazem parte do histórico de réus nos

ções, em especial o rompimento de seu envolvimento com práticas ilícitas e cooperação com as autoridades. Sob determinadas condições, o acordo homologado pode beneficiar as pessoas físicas na investigação ou no processo criminal.

processos brasileiros. As médias de duração dos processos criminais divulgadas pelo Conselho Nacional de Justiça reúnem grande número de casos envolvendo crimes muito diferentes daqueles apurados pela Lava Jato; nelas é recorrente a incidência de furto, roubo e tráfico de drogas, e muitos desses crimes possivelmente são decididos em audiência única.

Nem mesmo o histórico da vara especializada de Curitiba parece constituir um bom parâmetro de comparação, pois nele não há o registro recente de grandes operações de crimes de colarinho-branco na cidade paranaense, ao menos desde o caso Banestado, provavelmente porque a cidade não tem as características de um grande centro empresarial e financeiro, o que ajuda a explicar a concentração de casos de corrupção mais rasteira, ligada a criminosos e agentes públicos de baixo escalão (*petty corruption*) nos julgamentos do Tribunal Regional Federal da 4ª Região (Madeira; Geliski, 2019). Aliás, existem elementos que apontam que os casos da Lava Jato não seriam mantidos em Curitiba se nas decisões judiciais houvesse exposição detalhada do local onde foram praticados os crimes apurados pela operação.

Diante dessa dificuldade, e pelo fato de terem sido encontrados dados detalhados sobre prisões apenas nos casos julgados pela Justiça Federal de Curitiba, adotaram-se aqui, como critério de comparação, as diferenças existentes dentro do próprio núcleo paranaense no que diz respeito à existência ou não de réus presos no momento da sentença. Pode-se supor que os processos com réus presos sejam tratados com mais agilidade do que aqueles com réus em liberdade. Por outro lado, não é esperado que existam grandes diferenças entre os dois grupos de processos, pois, em princípio, o juiz assume posição imparcial num processo, ainda que não seja neutra, o que o levaria a gerir os processos com réus presos sem paralisar aqueles com réus soltos, que do mesmo modo têm o direito, garantido pela Constituição, à duração razoável do processo. No que se refere ao caso de Curitiba, esse raciocínio parece ainda mais coerente, pois a vara responsável pelos processos recebeu tratamento especial do TRF4, o que permitiu a Sérgio Moro dedicar-se exclusivamente aos casos da Lava Jato.

Quando se toma como critério para comparação a existência ou não de presos cautelares, também é preciso levar em consideração que não existe prazo fixo para a duração das ações criminais e que os tribunais superiores aceitam a manutenção de prisões cautelares por períodos de tempo mais prolongados em casos de maior complexidade (Haddad; Quaresma, 2014). A análise aqui apresentada também excluiu da categoria dos réus presos alguns casos em que foram concedidas cautelares pelos tribunais, com previsão de regime domiciliar e uso de tornozeleira.

Os dados relativos à existência de réus presos por ocasião do julgamento em primeira instância estão sintetizados na tabela 4, que inclui 48 sentenças relativas a 46 denúncias apresentadas pelo núcleo de Curitiba[49].

Tabela 4 – Tempo de tramitação das ações na Justiça Federal de Curitiba.

Réu preso (até a sentença)	Sentenças	Duração (denúncia até a sentença)		
		Mínima	Máxima	Média
Sim	26	112	352	199
Não	22	221	1.616	641

Elaborada pela autora.

Pelos dados, verifica-se que os casos com réus soltos duraram em média aproximadamente um ano e três meses (442 dias) a mais que os processos com acusados presos até a sentença[50], mas três

---

[49] O banco de dados inclui 49 sentenças relativas a 46 denúncias, pois três casos foram desmembrados e julgados por duas sentenças diferentes. A análise feita nesta parte exclui um dos desmembramentos (ação 5 do quadro 7), por envolver suspensão condicional do processo e extinção pelo cumprimento do acordo.

[50] A título de comparação, foram identificados quatro casos no Rio de Janeiro em que os réus estavam presos no momento das sentenças, que duraram de 309 a 509 dias: ações 1 (337 dias), 4 (329 dias), 5 (509 dias) e 6 (309 dias) do quadro 8.

aspectos merecem destaque: a existência de sete casos com duração superior a 750 dias[51]; a existência de várias ações não julgadas até dezembro de 2018, quando tramitavam por períodos bem mais estendidos do que a média dos casos sentenciados[52]; o julgamento, em menos de um ano, de nove casos em que os réus encontravam-se em liberdade no momento da sentença[53], o que sugere que a existência de réus presos não foi o único critério para priorizar o andamento dos processos.

A posição dos principais investigados na narrativa acusatória parece um caminho para identificar a estratégia por trás da aceleração desses nove casos.

O primeiro caso (ação 6 do quadro 7, julgada em 363 dias) tem por objeto a primeira acusação de lavagem de dinheiro envolvendo desvios da Petrobras. A celeridade com que foi tratado talvez decorra do momento de ingresso na vara de Curitiba. Além disso, seis dos oito condenados confessaram, e os demais, Paulo Roberto Costa e Alberto Youssef, assinaram acordos de colaboração, o primeiro depois de quatro meses e o outro depois de cinco meses da denúncia[54]. Esses dois personagens centrais na Lava Jato

---

[51] Ações 31 (759 dias), 5 (764 dias), 22 (980 dias), 32 (1.209 dias), 18 desmembrada (1.218 dias), 1 (1.585 dias) e 8 (1.616 dias), todas do quadro 7.

[52] Trinta processos tramitavam havia mais de dois anos (730 dias) em 31 de dezembro de 2018, grupo de ações que inclui vinte casos com mais de três anos (1.095 dias) sem julgamento. Esses números incluem doze casos desmembrados de denúncias que tiveram início em Curitiba e não abrangem processos suspensos em razão da não localização do acusado. Se desconsiderados os autos desmembrados, tem-se dezesseis processos que tramitavam por mais de dois anos sem julgamento, que incluem oito casos em tramitação por período superior a três anos.

[53] Ações 6 (363 dias), 15 (237 dias), 16 (356 dias), 18 (327 dias), 19 (221 dias), 37 (276 dias), 40 (313 dias), 42 (300 dias) e 50 (301 dias). Foi considerada a inexistência de prisão em função do que foi relatado nas sentenças, já que alguns réus que responderam a várias ações não foram presos em todas elas. Em todos os nove casos, houve decisão de prisão prévia à denúncia, mas os réus não permaneceram presos até o julgamento, o que justifica a tramitação mais célere apenas na fase inicial das ações. A ação 37 foi incluída nesse grupo porque José Carlos Bumlai saiu da prisão em 18 de março de 2016 e só retornou em 6 de setembro do mesmo ano, nove dias antes da sentença.

[54] A ação contava com dez réus e apenas três testemunhas de acusação. Antônio Silva e Murilo Barros foram absolvidos, Paulo Roberto Costa e Alberto Youssef foram condenados às penas previstas nos respectivos acordos de colaboração premiada, e Márcio Bonilho,

também foram especialmente incentivados a colaborar por algumas peculiaridades da atuação do núcleo de Curitiba que podem ser consideradas estratégicas.

Alberto Youssef já era antigo conhecido do núcleo paranense. Foi um dos primeiros investigados a assinar os primeiros acordos de colaboração no país, nas investigações ligadas ao caso Banestado, por isso pode-se supor que já estivesse familiarizado com o arranjo de afinidades entre Sérgio Moro e o Ministério Público Federal em Curitiba. O principal exemplo desse arranjo é a aplicação de praticamente todas as penas previstas nos acordos de colaboração aos réus condenados. Youssef descumpriu o acordo inicial e, por ser apontado como autor de outros crimes, foram retomadas quatro acusações contra ele que haviam sido suspensas depois do acordo anterior[55].

Aparentemente, pela narrativa dos investigadores sobre o recebimento de um veículo, Paulo Roberto Costa foi o primeiro elo entre Alberto Youssef e a Petrobras. A estratégia inicial da sua defesa talvez se inclua na lista das contingências não programadas que contribuíram para a definição dos primeiros alicerces da Lava Jato de Curitiba no futuro enfrentamento das recorrentes impugnações das defesas nos tribunais. Paulo Roberto Costa optou por direcionar um pedido ao Supremo Tribunal Federal para tentar suspender as investigações e a prisão. Além de esse ato ter definido o ministro Teori Zavascki como relator dos casos da Lava Jato, a derrota de Paulo Roberto Costa no STF envolvendo uma operação recém-ocorrida na primeira instância forneceu uma espécie de validação para a atuação de Curitiba, o que talvez ajude a explicar como uma investigação envolvendo estatal sediada no Rio de Janeiro e núcleos de lavagem de dinheiro instalados em São Paulo permaneceu com a Justiça Federal de Curitiba.

Waldomiro de Oliveira, Esdra Ferreira, Leandro Meirelles, Leonardo Meirelles e Pedro Argese Júnior foram condenados e tiveram redução de pena pela confissão.

[55] Ações 9 a 12 do quadro 7, distribuídas em 23 de maio, 10 de julho, 28 de maio e 10 de setembro de 2014, todas anteriores à assinatura do novo acordo de colaboração em 24 de setembro de 2014.

Retomando a análise dos nove casos com condenados que estavam fora do cárcere, as ações 15 (237 dias), 16 (356 dias), 18 (327 dias) e 19 (221 dias) do quadro 7 envolvem os executivos de quatro grandes empreiteiras, respectivamente: OAS, Galvão Engenharia, Mendes Júnior e Camargo Corrêa.

- Erton Medeiros Fonseca foi o único executivo da Galvão Engenharia preso na fase ostensiva que precedeu a ação 16, em 14 de novembro de 2014. Poucos dias antes da decisão do Supremo Tribunal Federal, de 28 abril de 2014, que estendeu a Erton os efeitos da liberdade concedida ao empreiteiro Ricardo Pessoa, a Justiça Federal de Curitiba autorizou a prisão preventiva de Dario Galvão Filho, apontado como proprietário e controlador indireto da empresa. Apesar de não haver indicação da estratégia de manter outro executivo preso no lugar de Erton, já que o *habeas corpus* de Ricardo Pessoa ingressou no STF no mesmo dia do pedido de prisão formulado em Curitiba, a nova prisão sugere a tentativa de constranger a cúpula da empreiteira, notadamente porque a decisão não indica a existência de atos de corrupção ou de lavagem de dinheiro posteriores àqueles já descritos na denúncia. De qualquer forma, Dario Galvão Filho obteve liberdade no STF poucos dias depois, em 6 de maio de 2015. Mesmo assim a ação manteve ritmo de tramitação bem superior à média dos casos de réus soltos (356 dias), apesar de contar com sete réus e onze testemunhas de acusação. O caso não teve tramitação diferenciada no Tribunal Regional Federal da 4ª Região (apelação em 586 dias), o que ajuda a explicar por que os executivos da Galvão Engenharia só assinaram acordo de colaboração depois da elevação das penas no julgamento da apelação (mencionada na ação 78 do quadro 7).
- A ação 18 tramitou em relação a treze réus e foram indicadas dez testemunhas de acusação. Excluídas as penas dos colaboradores Paulo Roberto Costa e Alberto Youssef, fixadas nos

termos do acordo, observa-se que as maiores penas foram fixadas para os executivos da empresa Mendes Júnior: Alberto Elísio Gomes (dez anos), Rogério Cunha Oliveira (dezessete anos e quatro meses) e Sérgio Cunha Mendes (dezenove anos e quatro meses). O caso não teve tramitação diferenciada no Tribunal Regional Federal da 4ª Região (apelação em 504 dias), onde os embargos de declaração nos embargos infringentes foram julgados em julho de 2018, o que ajuda a explicar a ausência de colaboração premiada antes dessa data. O processo desmembrado inclui seis réus e foi julgado em 1.218 dias.

• A ação 19 foi desmembrada, e a ação originária continuou em relação a nove réus, com sete testemunhas indicadas pelo Ministério Público Federal. O presidente da Camargo Corrêa, João Ricardo Auler, obteve liberdade no Supremo Tribunal Federal em 28 de abril de 2015, pouco mais de quatro meses depois do oferecimento da denúncia, em 11 de dezembro de 2014, mas a ação prosseguiu célere, com duração de 221 dias na primeira instância. Excluídos os quatro colaboradores (Paulo Roberto Costa, Alberto Youssef, Eduardo Hermelino Leite e Dalton dos Santos Avancini), com penas nos termos do acordo, foram condenados o policial federal Jayme Oliveira Filho (onze anos e dez meses) e João Ricardo Auler (nove anos e seis meses), que teve acordo de colaboração homologado pela Justiça Federal de Curitiba pouco mais de um ano depois da sentença, em 15 de agosto de 2016. A ação desmembrada possui quatro réus e foi julgada em 560 dias.

A prioridade dada a esses casos, que tramitaram mais rapidamente, sugere que o nome dos réus e sua posição na narrativa de acusação foram fatores considerados pela Justiça Federal de Curitiba, pois essa narrativa dá especial ênfase à atuação dos gestores de grandes empreiteiras no esquema de cartelização das obras contratadas pela Petrobras e de corrupção de executivos da estatal e lideranças políticas.

O principal alvo da ação 37 do quadro 7 (275 dias até a sentença) foi José Carlos Bumlai, único preso na fase ostensiva. A decisão traz relato de corrupção e desvio de recursos envolvendo a contratação da empresa Schahin para operar navio-sonda da Petrobras. A decretação de prisão destaca que ele teria mencionado o nome de Lula ao menos três vezes e aponta como beneficiários finais dos desvios o próprio Bumlai, dirigentes da Petrobras e do PT. Esses mesmos fatos guardam relação com a acusação feita na ação 42 (duração de trezentos dias), precedida da prisão de Ronan Maria Pinto, apontado na decisão como um dos beneficiários finais de empréstimo fraudulento feito a pedido do PT.

O partido também parece estar no centro da ação 40 (313 dias de duração). Excluídos os três réus que já eram colaboradores quando foi apresentada a denúncia, e o quarto, Zwi Skornicki, que assinou acordo menos de quatro meses depois, remanesceram três pessoas que, segundo decisão que decretou as prisões, seriam ligadas ao PT: o ex-tesoureiro João Vaccari Neto e os publicitários de campanhas eleitorais do partido, João Santana e Mônica Moura.

Certamente, não é esperada a admissão do uso da prisão preventiva com a finalidade de constranger alvos-chave da Lava Jato a delatar, o que explica a preocupação do juiz em deixar registrado, em diversas decisões: "que fique muito claro que a prisão preventiva nunca teve por objetivo colher confissão ou colaboração" ou "não se trata de prender preventivamente para obter colaboração", ou ainda "jamais este Juízo pretendeu com a medida obter confissões involuntárias"[56].

E exatamente por não ser esperado o reconhecimento oficial da prática ilegal dessa medida é possível considerar a manifestação do Ministério Público Federal em *habeas corpus* movidos pelas defesas de Léo Pinheiro e Mateus Coutinho de Sá, executivos da OAS, e de Ricardo Pessoa, executivo da UTC, uma forte evidência de que isso ocorreu. O procurador defendeu a necessidade das prisões preventivas para conveniência da instrução criminal, diante da "possi-

---

[56] Cf. exemplos nas sentenças das ações 13 e 43, além da decisão de deflagração da fase Nessun Dorma.

bilidade de a segregação influenciá-los na vontade de colaborar na apuração de responsabilidade, o que tem se mostrado bastante fértil nos últimos tempos"[57]. A finalidade defendida pelo procurador aparentemente foi alcançada, pois Ricardo Pessoa assinou acordo de colaboração em 13 de maio de 2015 e os executivos da OAS, apesar de terem resistido por mais tempo, acabaram formalizando acordo homologado pelo Supremo Tribunal Federal no segundo semestre de 2019, além de terem sido especialmente beneficiados com colaboração sem acordo na primeira condenação de Lula[58].

Como já foi observado, a vagueza semântica dos termos legais que tratam da prisão preventiva causa uma ampla zona cinzenta em que se pode discutir a legalidade da atuação dos atores do sistema de Justiça. A partir da abordagem sobre ação estratégica descrita na introdução deste capítulo, pode-se dizer que o uso da prisão preventiva não é algo impositivo aos operadores do sistema de Justiça, mas se sujeita a requisitos legais que conferem ampla margem à atuação estratégica, notadamente quanto ao *timing* no uso da prisão e da concessão da liberdade.

No caso da Lava Jato, parece pouco razoável cogitar um cenário no qual todas as prisões preventivas tenham sido decretadas com a finalidade de constranger os investigados a delatar, sobretudo porque é raro discutir-se que houve desvios criminosos de recursos da Petrobras em benefício de partidos políticos, empresas e pessoas físicas, contexto que, possivelmente, comporta prisões preventivas cuja legalidade e necessidade não são questionadas. Por outro lado, as peculiaridades apontadas em relação aos nove casos priorizados de modo estratégico pela vara de Curitiba e outros dados que constam no quadro 13 fornecem algumas pistas sobre a relação estratégica entre a colaboração dos réus e o uso da prisão preventiva ou, pelo menos, sobre a criação de expectativas

---

[57] Cf. Habeas Corpus 5029050-46.2014.404.7000 e 5029016-71.2014.404.7000, ambos do TRF4.
[58] Não foram localizados o acordo de colaboração ou a decisão de homologação, mas foi divulgado na imprensa um pedido formulado pela defesa de Léo Pinheiro em que há relato da homologação do acordo.

quanto às opções disponíveis aos investigados na batalha travada com a força-tarefa da Lava Jato.

O rastreio passo a passo da situação processual de cada um dos casos apresentados no quadro 13 foi incluído no final desta parte do livro. Por demandar um cansativo exercício de análise de detalhes, optou-se por fazê-lo num momento específico, o que permite ainda formular outras hipóteses a partir dos dados coletados para a pesquisa.

Pode-se destacar, da análise apresentada, que dezoito dos 34 réus que não colaboraram possivelmente não estavam sob a influência direta da prisão preventiva quando decidiram não colaborar, pois ou não foram presos, ou permaneceram pouco tempo em regime de prisão cautelar (casos de residentes no exterior ou que obtiveram liberdade por meio de *habeas corpus* ou pela própria Justiça Federal de Curitiba). No polo oposto, parece significativo que quase 60% dos réus que colaboraram, com ou sem acordo formal, tenham sido beneficiados assim que decidiram colaborar com os investigadores, pois obtiveram liberdade ou começaram a cumprir a pena prevista no acordo.

Esses dados sugerem que, mesmo que não tenha havido deliberado uso da prisão com a finalidade de constranger determinados investigados a delatar, a forma como a Justiça Federal de Curitiba tratou a prisão dos investigados que colaboraram produziu a expectativa de que a delação era a via mais eficiente para sobreviver ao verdadeiro combate que se tornou a atividade de controle criminal da corrupção, ao menos quando associada ao nome Lava Jato.

As características que foram destacadas dos nove casos julgados em menos de um ano, mesmo sem haver acusados presos no momento da sentença, indicam que, além da prisão como critério para agilização das ações, houve seleção em função da participação de altos executivos das principais empreiteiras investigadas e de pessoas com ligações diretas com o PT ou Lula. Ao considerar que a força-tarefa da Lava Jato assinou acordo de colaboração até mesmo com Marcelo Odebrecht, ex-presidente da *holding* da maior e principal empreiteira ligada aos crimes acusados pela Lava

Jato, que supostamente ocuparia posição de liderança na organização criminosa reiteradamente mencionada nas decisões judiciais, é possível cogitar que a celeridade, nos casos das empreiteiras, tinha por finalidade muito mais a obtenção de delações para punir a classe política do que a efetiva punição dos empresários envolvidos no alegado esquema institucionalizado de corrupção.

Análise dos casos incluídos no quadro 13

São analisadas aqui, inicialmente, as situações apresentadas no quadro 13 (página 181) que sugerem não ter havido incentivo nem constrangimento à colaboração, como ocorreu nos casos de investigados com residência no exterior: Raul Schmidt Felippe Júnior (Polimento) e Rodrigo Tacla Duran (Dragão). A manutenção da prisão preventiva depende, nesses casos, não só de mecanismos de cooperação internacional, mas também da possibilidade de extradição dos investigados, o que reduz de maneira considerável a margem de influência dos atores da Lava Jato sobre a decisão do investigado de colaborar.

Alguns investigados que não colaboraram, mas tiveram a liberdade concedida pelos tribunais (nove casos), em princípio poderiam ser considerados excluídos da esfera de ação estratégica do núcleo de Curitiba no que diz respeito à prisão cautelar como mecanismo de incentivo à colaboração, sobretudo quando saíram do foco da Lava Jato depois de obter a liberdade. Pode-se supor que esses casos envolvem tanto situações em que os atores do sistema de Justiça identificaram dificuldades para superar os empecilhos jurídicos apresentados pelos tribunais como situações em que investigados deixaram de ser interessantes para a Lava Jato, para o exercício da sua ação estratégica em busca dos resultados predefinidos. Um investigado pode deixar de ser interessante para a operação quando o conteúdo esperado da sua delação é suprido pelo conteúdo da delação de outros investigados. Incluem-se nesse grupo os réus: Branislav Kontic (Omertà), Erton Medeiros Fonseca (Juízo Final), Gerson de Mello Almada (Juízo Final), José Carlos

Bumlai (Passe Livre), Ricardo Hoffmann (A Origem), Ronan Maria Pinto (Carbono 14) e Sérgio Cunha Mendes (Juízo Final).

• Raul Schmidt teve duas ações criminais movidas contra ele, que foram transferidas para a jurisdição portuguesa (ações 33 e 39 do quadro 7). Das quatro acusações formuladas contra Rodrigo Tacla Duran, uma foi rejeitada (ação 61) e as demais não foram sentenciadas até dezembro de 2018 (ações 63, 69 e 73).
• Branislav Kontic foi acusado em duas ações movidas no final de 2016 (ações 53 e 56) e permaneceu preso de 26 de setembro a 16 de dezembro de 2016. O segundo processo não foi sentenciado, e a sentença absolutória do primeiro processo foi confirmada pelo Tribunal Regional Federal da 4ª Região. Ele foi denunciado na qualidade de assessor do ex-ministro da Casa Civil, Antonio Palocci, preso em 26 de setembro de 2016 e libertado só depois de ter assinado acordo de colaboração com a Polícia Federal, dando início ao cumprimento da pena prevista no acordo.
• Erton Medeiros Fonseca foi condenado a doze anos e cinco meses de prisão, pena que foi elevada pelo Tribunal Regional Federal a treze anos, cinco meses e dez dias de reclusão, com rejeição dos embargos infringentes em 19 de julho de 2018 (ação 16). A segunda ação foi desmembrada e não foi possível localizar os autos (ação 4). Sua prisão cautelar foi mantida de 14 de novembro de 2014 a 28 de abril de 2015.
• Gerson de Mello Almada (executivo da Engevix) permaneceu preso cautelarmente de 14 de novembro de 2014 a 28 de abril de 2015 e respondeu a três acusações (ações 17, 35 e 62), duas sentenciadas. A primeira ação (17) foi sentenciada em 368 dias, com condenação à pena de dezenove anos de reclusão, elevada pelo Tribunal Regional Federal a 34 anos e vinte dias, pena confirmada nos embargos infringentes julgados em 25 de janeiro de 2018. A ação 35 foi julgada em 257 dias, com condenação de quinze anos e seis meses de reclusão, elevada

para 29 anos e oito meses no julgamento da apelação, pena que também foi mantida nos embargos infringentes julgados em 19 de abril de 2018.
• José Carlos Bumlai possivelmente se incluía no grupo de investigados prioritários da Lava Jato pelo vínculo que mantinha com Lula, com quem compartilhou a posição de réu no caso do sítio de Atibaia (ação 64), sentenciado em 6 de fevereiro de 2019 (625 dias) e com apelação julgada em 27 de novembro de 2019 (196 dias). Sua prisão cautelar foi suspensa algumas vezes devido a problemas de saúde, até ser revogada pela Segunda Turma do Supremo Tribunal Federal em abril de 2017. A primeira acusação contra Bumlai foi julgada em 276 dias, com imposição de pena de nove anos e dez dias, confirmada na apelação e nos embargos infringentes, julgados em 30 de maio de 2018 e 13 de dezembro de 2018, respectivamente (ação 37).
• Ricardo Hoffmann (Lowe Publicidade) permaneceu preso de 10 de abril de 2015 a 15 de janeiro de 2016 e só respondeu a uma ação (26). A ação foi julgada em 131 dias, modificada pelo Tribunal Regional Federal em apelação, com definição de pena final de treze anos, dez meses e 24 dias, mantida nos embargos infringentes julgados em 27 de novembro de 2017.
• Ronan Maria Pinto permaneceu preso de 1º de abril a 8 de julho de 2016 e só respondeu a uma acusação (ação 42), que culminou em pena de cinco anos de reclusão em regime semiaberto, mantida na apelação julgada em 26 de março de 2018.
• Sérgio Cunha Mendes ficou preso de 14 de novembro de 2014 a 28 de abril de 2015. Respondeu a duas ações, uma delas julgada em 327 dias, na qual foi condenado à pena de dezenove anos e quatro meses, elevada para 27 anos e dois meses na apelação julgada em 16 de agosto de 2017 pelo Tribunal Regional Federal, que a confirmou nos embargos infringentes de 17 de maio de 2018.

Por outro lado, dois investigados desse grupo permaneceram presos por longos períodos de tempo antes de obterem a liberdade, o que permite supor que também podem ter sido alvo da estratégia da prisão associada à delação, talvez superada por fatores como resiliência pessoal do investigado, confiança na inocência dele ou persistência na obtenção de resultados favoráveis através do uso de recursos nos tribunais. Compõem esse grupo os réus José Dirceu (Pixuleco) e Othon Luiz Pinheiro da Silva (Radioatividade), este excluído desta análise porque o seu caso foi remetido à Justiça Federal do Rio de Janeiro.

> - José Dirceu permaneceu preso de 3 de agosto de 2015 a 2 de maio de 2017 (Habeas Corpus STF 137.728), de 15 de maio de 2018 (ação 35 do quadro 7) a 26 de junho de 2018 (Reclamação STF 30.245), retornando ao cárcere em 17 de maio de 2019 (execução provisória da pena na ação 46).
> - Othon Pinheiro permaneceu preso de 28 de julho de 2015 a 29 de maio de 2016, e de 6 de julho de 2016 a 11 de outubro de 2017, quando obteve revogação da prisão preventiva em questão de ordem na apelação em trâmite no Tribunal Regional Federal da 2ª Região. Depois disso não houve ajuizamento de outras ações criminais, nem agilização do trâmite da apelação, remetida em 11 de janeiro de 2017, com relatório do primeiro desembargador a votar apresentado em 2 de abril de 2019 (ação 1 do quadro 8). É importante destacar que Othon saiu do raio de atuação do núcleo de Curitiba quando o Supremo Tribunal Federal deslocou para o Rio de Janeiro as investigações envolvendo a Eletronuclear.

O caso de José Dirceu exibe alguns indicativos do uso estratégico da prisão cautelar, possivelmente associado ao potencial explosivo esperado da delação de um ex-ministro da Casa Civil. Ele foi acusado em três ações criminais em Curitiba, uma delas suspensa no recebimento da denúncia porque o juiz Sérgio Moro entendeu ser prioritária a "efetivação das condenações já exaradas e não novas condenações". A decisão não apresenta fundamento legal que justifique a suspensão do processo, nem parâmetros objetivos, fornecidos por precedentes jurisprudenciais, para que o juiz determinasse quais processos eram prioritários e quais deveriam ser paralisados.

Deve-se destacar que a paralisação do andamento de ações ocorreu em vários momentos, algumas vezes com a justificativa genérica de que o magistrado demorou "a despachar pois ocupado com casos mais prementes" (ação 23, desmembrada, quadro 7). Há casos em que os próprios réus se manifestaram pelo prosseguimento do andamento processual, mas esses pedidos foram ora ignorados, ora respondidos com frases como: "é o caso de dar preferência ao trâmite e julgamento, por ora, das diversas outras ações" (ações 12 e 31)[59].

As duas ações que prosseguiram contra José Dirceu foram sentenciadas rapidamente, em pouco mais de 250 dias cada uma. Foi definida a pena de vinte anos e dez meses no caso julgado em 18 de maio de 2016, e de onze anos e três meses no processo sentenciado em 8 de março de 2017 (respectivamente, ações 35 e 46 do quadro 7). José Dirceu conseguiu duas decisões do Supremo Tribunal Federal que lhe permitiram permanecer em liberdade enquanto aguardava os recursos, uma em 2 de maio de 2017, outra em 26 de junho de 2018. O trâmite dos recursos no Tribunal Regional Federal da 4ª Região, depois das decisões do STF, sugere um arranjo sinfônico da Corte paranaense para acelerar o retorno de José Dirceu à prisão.

Se a condenação, em primeira instância, à elevada pena de vinte anos e dez meses de prisão, em 18 de maio de 2016, não justificou a agilização da apelação para que a pena começasse a ser cumprida, pois José Dirceu estava preso preventivamente, isso parece ter mudado com a concessão da liberdade em 2 de maio de

---

[59] Foram identificados trinta processos em tramitação havia mais de dois anos (730 dias), grupo de ações que inclui vinte casos com mais de três anos (1.095 dias) sem julgamento.

2017. O recurso que havia sido remetido ao TRF4 em 28 de agosto de 2016 entrou na lista de prioridades da Corte, e o processo foi enviado para o desembargador revisor poucos dias depois da decisão do STF, em 13 de junho de 2017. Julgada a apelação em 26 de setembro de 2017, com elevação da pena a trinta anos e nove meses de prisão, o TRF4 levou apenas 231 dias (sete meses e 21 dias) para julgar os três recursos seguintes[60]. Com o julgamento dos últimos embargos, não por acaso os mais céleres na Corte desde o início da Lava Jato (28 dias)[61], José Dirceu retornou à prisão em 17 de maio de 2018, mas novamente obteve a liberdade no STF em 26 de junho de 2018. Como nem toda sinfonia termina no quarto movimento, quando José Dirceu foi novamente solto pelo STF, o TRF4 já tinha iniciado o julgamento da apelação relativa à segunda condenação, depois da qual foi julgado o mais célere recurso interposto contra apelações não unânimes na Lava Jato (145 dias), em decisão que menos de três meses depois foi mantida, com determinação do imediato cumprimento da pena, em 16 de maio de 2019. Esse não foi o único caso de gestão estratégica do ritmo de tramitação, como será visto a seguir.

Prosseguindo a análise do caso de investigados que foram presos e optaram por não colaborar, foram identificadas sete pessoas que rapidamente tiveram a prisão revertida por decisão da própria Justiça Federal de Curitiba: Antônio Carlos Vieira da Silva Júnior (Cobra; absolvido na ação 67 do quadro 7)[62], Celso Araripe D'Oliveira (Pixuleco; ação 30, desmembrada), Ildefonso Colares Filho (Resta Um; ações 48 e 49), Othon Zanoide de Moraes Filho (Resta Um; ação 49), Marivaldo do Rozário Escalfoni (Asfixia; ação

---

[60] Esses recursos foram: os embargos de declaração da apelação, usados para sanar omissões e contradições do próprio texto da decisão que julgou a apelação; os embargos infringentes, que o réu pode usar ao se sentir prejudicado em decisão não unânime na apelação, com resultado de 2 x 1, quando mais dois desembargadores são chamados a integrar o colegiado, o que permite que o resultado mude para 2 x 3; e os embargos de declaração dos infringentes, para sanar omissões e contradições na decisão do colegiado ampliado.
[61] Os embargos de declaração nas apelações levaram de 47 a 167 dias para serem julgados; já os embargos de declaração nos infringentes demoraram de 28 a 85 dias.
[62] A ação durou 197 dias. Havia dois presos no momento da sentença, Aldemir Bendine e André Gustavo Vieira da Silva, este solto na própria sentença.

65), Paulo Roberto Gomes Fernandes (Asfixia; ação 65) e Paulo Adalberto Alves Ferreira (Abismo; ação 47).

Antônio Carlos Silva Júnior foi absolvido da única acusação que respondeu em Curitiba. A única ação movida contra Celso Araripe está pronta para ser julgada desde 9 de março de 2018, apesar de ter chegado aos balcões da Justiça Federal de Curitiba em 24 de julho de 2015. As duas acusações formuladas contra Ildefonso Colares foram arquivadas em razão de seu falecimento. A única ação movida contra Othon Moraes Filho tramitava por mais de três anos sem julgamento em dezembro de 2018. Depois de 418 dias de formulada a única acusação contra Marivaldo Escalfoni e Paulo Roberto Fernandes, eles foram condenados a catorze anos e três meses de prisão. Apesar das penas elevadas, que em princípio são uma referência para identificar a gravidade dos crimes reconhecidos pela Justiça Federal do Paraná, a apelação de Marivaldo e Paulo Roberto aguardava julgamento havia 208 dias em dezembro de 2018. A ação contra Paulo Ferreira levou mais de um ano e nove meses para ser julgada em primeira instância (644 dias), e não se pode dizer que o caso era desimportante ou que os crimes a ele imputados não eram graves, já que foi condenado a nove anos e dez meses de prisão. O recurso foi remetido ao Tribunal Regional Federal em agosto de 2018[63].

O histórico desses sete casos sugere que nenhum deles entrou na lista de alvos prioritários da Justiça Federal de Curitiba, seja porque os processos não estão na lista dos que tiveram tramitação acelerada, seja porque a própria Justiça Federal foi rápida ao reverter as prisões preventivas, o que, evidentemente, pode ser explicado pela falta de requisitos legais para a manutenção delas. Mesmo assim, pode-se supor que a colaboração premiada foi especialmente desestimulada nesses casos, ou por não haver risco iminente de encarceramento, ou por não terem sido alvo de sucessivas decisões de prisão preventiva, ou pela diferença no ritmo

---

[63] Ressalte-se que o banco de dados construído para o trabalho que originou este livro tem marco temporal em 31 de dezembro de 2018, portanto algumas situações podem ter se alterado.

de tramitação das ações, em comparação com os casos em que houve agilização.

Ainda sobre os investigados que não assinaram acordo de colaboração premiada, foi possível constatar que os seis casos em que as prisões preventivas estavam mantidas até o encerramento do banco de dados da dissertação que originou este livro envolvem os réus André Vargas (A Origem; ações 26, 29 e 55 do quadro 7), João Augusto Rezende Henriques (Nessun Dorma; ações 33, 39 e 44 do quadro 7), João Vaccari Neto (fase 12; ações 23, 24, 35, 37, 40, 41, 53, 59, 62 e 85 do quadro 7; ação 37 do quadro 8; ação 17 do quadro 9), Gim Argello (Vitória de Pirro; ações 43 e 78 do quadro 7), Jorge Luiz Zelada (Conexão Mônaco; ações 33, 37 – absolvido –, 39 e 44 do quadro 7) e Sérgio Cabral (Descobridor; ação 57 do quadro 7; ações 4-8, 12, 14, 15, 17, 19-22, 24-29, 31, 34, 35 e 38 do quadro 8).

O caso de Sérgio Cabral pode ser excluído desta análise, ao menos no que tange à hipótese de ação estratégica do núcleo de Curitiba de uso da prisão preventiva. O ex-governador fluminense claramente se tornou o alvo prioritário do núcleo do Rio de Janeiro, onde foi acusado em 23 ações criminais até dezembro de 2018, quando já tinha contra ele sete condenações que somavam 169 anos, quatro meses e vinte dias de prisão, em processos que levaram de 259 a 511 dias para serem julgados em primeira instância.

O ex-deputado André Vargas foi preso em 10 de abril de 2015. Foi ágil a sua primeira condenação (131 dias) à pena de catorze anos e quatro meses. As duas outras ações tiveram tramitação mais lenta, o que se constata pelo fato de terem sido sentenciadas mais de 640 dias depois de chegarem aos balcões da Justiça Federal do Paraná. A retirada desses dois casos da lista de prioridades do juiz Sérgio Moro aparentemente foi revista depois que André Vargas foi absolvido pelo Tribunal Regional Federal da 4ª Região, na segunda apelação, em 18 de julho de 2018, pois o terceiro caso, pronto para julgamento desde fevereiro de 2018, foi sentenciado em 17 de agosto de 2018. Isso sugere gestão temporal do processo para assegurar que fosse mantida a prisão preventiva, depois do reforço de uma segunda condenação.

O ex-senador Gim Argello foi preso em 12 de abril de 2016 e rapidamente, em 160 dias, foi condenado à pena de dezenove anos de prisão pelo alegado recebimento de propina paga por quatro empreiteiras para obstruir a CPI da Petrobras. A apelação, remetida ao TRF4 em fevereiro de 2017, foi julgada em novembro do mesmo ano, em 278 dias, com redução da pena a onze anos e oito meses, mantida nos embargos infringentes julgados depois de 190 dias. Como não havia outros casos em tramitação, pouco se pode concluir sobre ação estratégica da Justiça Federal de Curitiba, além da sua agilidade numa ação que resultou em pena que, a princípio, exigiria o cumprimento de três anos e cinco meses em regime fechado se fosse mantida pelo Tribunal Regional Federal[64].

A redução da pena possivelmente levou a força-tarefa de Curitiba a focar numa segunda acusação contra Gim Argello. Dois meses depois do julgamento dos embargos infringentes, foi apresentada nova denúncia também envolvendo a acusação de obstrução da CPI, mas dessa vez com indicação de propinas que teriam sido pagas pela quinta empreiteira (Queiroz Galvão), o que sugere que essa segunda ação teve a única finalidade de ampliar o período de manutenção da prisão, que tinha sido reduzido pelo TRF4, pois Gim Argello é o único réu dessa denúncia, apresentada nos últimos meses de atuação de Sérgio Moro na Justiça Federal de Curitiba (16 de julho de 2018).

Parece plausível que esse tipo de estratégia seja utilizado por órgãos de acusação, mas esse caso merece destaque porque o juiz Sérgio Moro admitiu o prosseguimento dessa segunda ação contra Gim Argello, comportamento diferente daquele adotado em outros casos, em que justificou a paralisação dos processos com o argumento de que o réu já havia sido condenado anteriormente (ações 38, 40 – desmembramento – e 62 do quadro 7). A possibilidade de uma nova condenação em segunda instância, antes de cumprido o período de regime fechado da primeira pena, tem

---

[64] Cf. artigo 112 da Lei de Execuções Penais. A agilidade dessa ação envolveu a segunda prisão de Léo Pinheiro, importante delator na primeira condenação de Lula.

grande potencial para constranger à delação, pois frustra completamente a expectativa de progressão do regime da pena que vem sendo cumprida desde a decretação da prisão preventiva. Por esse motivo, o caso de Gim Argello também sugere que a prisão cautelar foi usada estrategicamente e pôde ter continuidade graças à escolha do juiz de não incluir a segunda ação no grupo dos casos que tiveram sua tramitação suspensa.

Ainda no grupo dos presos que não colaboraram, Jorge Zelada, preso em julho de 2015, e João Henriques, preso em setembro do mesmo ano, compartilham a posição de réus em três ações criminais. Foram rapidamente condenados na primeira ação, em 180 dias; o segundo processo foi conduzido com menor agilidade e julgado em 352 dias; o terceiro tramitava havia mais de dois anos e nove meses sem julgamento até dezembro de 2018 (1.019 dias). Essa diferença de ritmos também sugere o uso da gestão temporal estratégica dos processos pelo juiz Sérgio Moro, ao selecionar aqueles que deveriam ter tramitação prioritária para assegurar a manutenção das prisões decretadas nas fases ostensivas da operação. Diante da expectativa de longo período na prisão, isso poderia incentivar a delação.

João Vaccari Neto foi acusado pelo núcleo de Curitiba de ser o operador financeiro do PT nas alegadas atividades de recebimento de propinas em benefício do partido. Vaccari pode ser considerado um dos investigados mais importantes para a estruturação da narrativa criminosa urdida pela força-tarefa e aceita pelo juiz Sérgio Moro nas decisões e sentenças, pois foi apontado como o último elo da narrativa que tem Lula como alvo final. Por esse motivo, a hipótese de uso estratégico da prisão para obter delações que no final alcançassem o ex-presidente só ganha corpo se identificadas evidências que a confirmem nos processos movidos contra Vaccari. As características das movimentações das dez ações movidas contra o ex-tesoureiro do PT sugerem que a gestão estratégica ocorreu nas duas instâncias da Justiça Federal.

A Justiça Federal de Curitiba manteve tramitação agilizada de cinco dessas dez ações criminais, que foram julgadas entre 189 e 276 dias e resultaram em pena total de 47 anos de prisão. Afora a denúncia oferecida apenas em 19 de dezembro de 2018, as outras quatro saíram do foco de interesse do juiz Sérgio Moro, pois até dezembro desse mesmo ano tramitavam sem julgamento havia 601, 819, 977 e 1.344 dias. A ação de assegurar condenações ágeis, que juntas totalizam uma das maiores penas da Lava Jato, e de quase paralisar o andamento dos outros processos que envolviam o mesmo réu preso preventivamente, também parece confirmar a hipótese de que houve gestão estratégica dos processos para a obtenção dos resultados buscados pelo juiz, que selecionou os investigados considerados prioritários para imposição mais célere das penas.

O mesmo tipo de ação estratégica pode ser observado no Tribunal Regional Federal da 4ª Região, depois que Vaccari foi absolvido nas duas primeiras apelações, com o argumento de que as condenações estavam baseadas exclusivamente na palavra de delatores. Os dois recursos que favoreceram Vaccari foram julgados em 27 de junho e 26 de setembro de 2017 e tramitavam na segunda instância havia 534 dias, o primeiro, e 393 dias, o segundo. Com as duas absolvições, Vaccari estaria bem próximo de obter progressão para o regime semiaberto, pois naquela ocasião tinha duas condenações em primeira instância, com pena total de dezesseis anos e oito meses, e já estava preso desde 15 de abril de 2015[65].

A esperada progressão não ocorreu porque, pouco mais de um mês depois da segunda absolvição em fase recursal, o TRF4 aparentemente acelerou o julgamento da terceira apelação (7 de novembro de 2017 – 195 dias), e a pena de dez anos foi elevada para 24 anos de prisão, patamar que, por razões óbvias, impediu a progressão para o regime semiaberto. Dos 38 réus que tiveram as penas elevadas pelo TRF4, apenas três superam o patamar de aumento de apelação de Vaccari (considerado o número de anos do acréscimo). Não foi feita uma análise comparativa dos argumentos usados pelo TRF4 para identificar um padrão nos critérios usados para elevação das penas. Entretanto, não parece coincidência o

---

[65] Considera-se aqui a progressão a partir de um sexto de cumprimento da pena de dezesseis anos e oito meses (dois anos e nove meses), que usualmente tem períodos de redução pela execução de resenhas de livros, trabalho na prisão e frequência em cursos.

fato de que dois dos três casos com aumentos de pena superiores àqueles aplicados a Vaccari envolvam Gerson de Mello Almada[66], um dos poucos empreiteiros que não assinaram acordo de colaboração, e Renato Duque[67], ex-diretor da Petrobras que não assinou acordo e é apontado pelo Ministério Público Federal como ligado ao PT.

Os seis casos de não colaboradores que permaneceram presos parecem confirmar a hipótese de uso estratégico da prisão e gestão temporal dos processos, ou ao menos apresentam peculiaridades que não impõem uma revisão dessa hipótese. Além disso, pode-se dizer que, de uma forma geral, os casos dos dez presos preventivamente que não colaboraram e foram denunciados em apenas uma ação também reafirmam a hipótese. O fato de terem apenas uma acusação contra eles sugere que não foram incluídos em outras linhas de investigação porque efetivamente não tiveram participação em outros fatos ou porque saíram do foco de interesse dos investigadores depois da fase ostensiva das operações. Incluem-se nessa lista os investigados: Aldemir Bendine (Cobra; ação 67 do quadro 7), Djalma Rodrigues de Souza (fases 46 e 52; ação 74), Eduardo Aparecido de Meira (Vício; ação 46), Flávio Henrique de Oliveira Macedo (Vício; ação 46), João Cláudio Genu (Repescagem; ação 45), Luiz Argôlo (A Origem; ação 27), José Antônio de Jesus (Sothis; ação 68), Márcio de Almeida Ferreira (Asfixia; ação 65), Pedro Augusto Cortes Xavier Bastos (Poço Seco; ação 66) e Roberto Gonçalves (Paralelo; ação 61)[68].

Por outro lado, por não haver tempo hábil para identificação da estratégia de gestão dos processos movidos contra os presos nos últimos meses analisados para a pesquisa aqui apresentada,

---

[66] Ações 17 (a pena passou de dezenove anos para 34 anos e vinte dias) e 35 (a pena passou de quinze anos e seis meses para 29 anos e oito meses) do quadro 7.

[67] Ações 23 (a pena passou de vinte anos e oito meses para 43 anos e nove meses) e 31 (a pena passou de dez anos para 28 anos, cinco meses e dez dias) do quadro 7.

[68] A ação foi julgada em 167 dias, com condenação à pena de quinze anos e dois meses de prisão, elevada pelo Tribunal Regional da 4ª Região, em 17 de outubro de 2018 (279 dias), a dezessete anos, nove meses e 23 dias de prisão. Roberto Gonçalves permaneceu preso em razão da prisão cautelar desde 28 de março de 2017.

entende-se que é preciso cautela na análise desses casos, pois talvez existam acordos de colaboração premiada que foram assinados depois da sentença.

De qualquer forma, ainda que se reconheça que diversos outros fatores podem ter afetado a duração dos processos dos investigados que não colaboraram e a conexão entre prisão, delação e duração desses casos, o quadro 13 e a tabela 4, apresentados anteriomente, trazem outros dados interessantes que sugerem que os resultados alcançados pelo núcleo de Curitiba criaram a expectativa, entre investigados e advogados, de que alguns processos seriam concluídos em curto intervalo de tempo e de que os investigados que se encontravam sob os holofotes dessas narrativas acusatórias poderiam permanecer em seus lares e evitar o cárcere se colaborassem com os investigadores.

Em primeiro lugar, os casos dos colaboradores que estavam em liberdade concedida pela própria Justiça Federal de Curitiba apresentam algumas características que sugerem que as prisões de Hilberto Mascarenhas Alves (Xepa), Leonardo Meirelles (fase 1; ações 3, 6 e 14 do quadro 7), Marcelo Rodrigues (Xepa; ações 43, 51 com 241 dias e 79) e Paulo Roberto Dalmazzo (Erga Omnes; ação 31 com 759 dias) não eram necessárias para os resultados estratégicos da Lava Jato, e a prisão de Carlos Alexandre de Souza Rocha (fase 1) foi revogada porque o crime previsto na denúncia não permite prisão preventiva (operação não autorizada de instituição financeira). Duas das três ações movidas em 2014 contra Leonardo Meirelles nem sequer foram julgadas até dezembro de 2018, o que se explica pelo fato de que os resultados da delação desse investigado foram atingidos com a colaboração de Alberto Youssef. Também foi possível perceber a ausência de interesse estratégico na prisão de Marcelo Rodrigues, na medida em que houve manutenção da prisão de seu irmão Olívio Rodrigues Júnior (Xepa), que só obteve liberdade quando assinou acordo de colaboração premiada. Hilberto Mascarenhas e Paulo Roberto Dalmazzo incluem-se na lista de executivos que assinaram conjuntamente acordos de colaboração da Odebrecht e Andrade Gutierrez, respectivamente. Nesses dois casos, podemos inferir a ausência de interesse estratégico por parte dos operadores da Lava Jato na manutenção da prisão, pois houve a prisão estratégica de outros executivos da empreiteira, como detalhado a seguir.

> - Leonardo Meirelles foi acusado de ser operador financeiro de Alberto Youssef.
> - Carlos Alexandre Rocha foi beneficiado com a suspensão condicional do processo, mas em junho de 2018 o pedido de extinção foi postergado em razão da sua prisão na Operação Efeito Dominó (ação 2 do quadro 7).
> - Marcelo Rodrigues figura como réu nas ações 41 e 53, e Olívio Rodrigues Júnior, nas ações 41, 53, 61, 74 e 75.

O segundo aspecto a destacar são os dezoito réus que deixaram o sistema prisional por terem assinado acordo de colaboração premiada. Encontram-se nessa situação: Antônio Palocci (Omertà; ações 53 com 241 dias, 56 e 79 não julgadas até dezembro de 2018, quadro 7), Bruno Gonçalves Luz (Blackout; ações 60 com 202 dias e 80 não julgada), Dalton dos Santos Avancini (Juízo Final), Eduardo Hermelino Leite (Juízo Final; ação 19 com 221 dias), Elton Negrão de Azevedo Júnior (Erga Omnes), Otávio Marques de Azevedo (Erga Omnes), Flávio David Barra (Radioatividade), João Antônio Bernardi Filho (Erga Omnes; ação 32 com 1.209 dias), João Santana (Acarajé), Mônica Moura (Acarajé), João Procópio Junqueira Pacheco de Almeida Prado (fase 5; ações 14 não julgada, 18 com 327 dias e 18 desmembrada com 1.218 dias), Jorge Antônio da Silva Luz (Blackout; ações 60 com 202 dias e 80 não julgada), Luiz Eduardo da Rocha Soares (Xepa; ações 41 não julgada, 53 com 241 dias e 81 não julgada), Mário Frederico de Mendonça Góes (My Way; ações 23 com 189 dias e 31 com 759 dias), Milton Pascowitch (fase 13; ação 35 com 257 dias), Olívio Rodrigues Júnior (Xepa; ações 41, 53 com 241 dias, 61 com 167 dias, 74, 75 e 81), Paulo Roberto Costa (fase 4; ações 1 com 1.585 dias, 6 com 363 dias, 15 com 237 dias, 16 com 356 dias, 17 com 368 dias, 18 com 327 dias, 19 com 221 dias,

19 desmembrada com 560 dias, 23 com 189 dias, 30 com 228 dias e 31 com 759 dias) e Zwi Skornicki (Acarajé; ação 40 com 313 dias).

> • Palocci, depois de condenado em primeira instância à pena de doze anos, dois meses e vinte dias de prisão, assinou acordo de colaboração com a Polícia Federal que foi homologado pelo Tribunal Regional Federal da 4ª Região em 22 de junho de 2018, mesmo com a discordância do Ministério Público Federal. Por se tratar de acordo assinado com a Polícia Federal, que não propõe penas nos moldes dos acordos assinados pelo MPF, os efeitos práticos da delação ocorreram no julgamento da apelação, em 29 de novembro de 2018, depois de um período para valorar a efetiva colaboração e fazer jus ao benefício previsto no acordo. A pena fixada na sentença foi elevada para dezoito anos e vinte dias de prisão, e a seguir reduzida para nove anos e dez meses em razão da colaboração, com imediata progressão para o regime semiaberto diferenciado, com recolhimento exclusivamente domiciliar. Palocci permaneceu preso de 26 de setembro de 2016 a 29 de novembro de 2018.
> • Bruno Luz foi condenado a sete anos e seis meses em regime fechado e permaneceu preso de 23 de fevereiro de 2017 a 25 de fevereiro de 2019, quando passou a cumprir pena domiciliar em razão de acordo homologado pelo Supremo Tribunal Federal (Execução Penal 5000025455-2018.404.7000).
> • Dalton Avancini e Eduardo Hermelino Leite, incluídos na lista dos primeiros executivos das grandes empreiteiras que assinaram acordo de colaboração (Camargo Corrêa), foram presos em 14 de novembro de 2014 e obtiveram liberdade assim que seus acordos foram homologados (30 de março de 2015 e 23 de março de 2015, respectivamente).
> • Elton Negrão e Otávio Azevedo responderam à ação 31 do quadro 7 (759 dias). Elton (diretor de operações) e Otávio (presidente), executivos da empreiteira Andrade Gutierrez, perma-

neceram presos de 19 de junho de 2015 a 5 de fevereiro de 2016, quando o juiz Sérgio Moro autorizou sua saída da prisão porque eles celebraram acordo de colaboração premiada com a Procuradoria-Geral da República. O acordo foi homologado pelo STF em 5 de abril de 2016.

• Flávio Barra (presidente da Andrade Gutierrez Energia) não foi julgado pela Justiça Federal de Curitiba, pois a ação foi remetida para o Rio de Janeiro (ação 1 do quadro 8). Não foi possível encontrar dados precisos sobre a saída de Flávio da prisão, mas aqui ele está incluído na mesma situação dos outros executivos da Andrade Gutierrez, pois há informação de que seu acordo é semelhante ao que foi assinado pelo presidente da empreiteira (embargos de declaração na sentença da ação 1 do quadro 8).

• João Bernardi Filho ficou preso de 19 de junho a 26 de outubro de 2015, data da homologação do acordo de colaboração premiada pela Justiça Federal de Curitiba.

• João Santana e Mônica Moura foram acusados nas ações 40 (313 dias), 41 (não julgada), 53 (241 dias) e 79 (não julgada). Ambos foram presos em 23 de fevereiro de 2016 e saíram da prisão em 1º de agosto de 2016, em decisão do juiz Sérgio Moro na qual afirmou que, "após cinco meses de prisão cautelar, com a instrução das duas ações penais próximas ao fim e com a intenção manifestada por ambos os acusados de esclarecer os fatos, reputo não mais absolutamente necessária a manutenção da prisão preventiva, sendo viável substituí-la por medidas cautelares alternativas". Apesar de o acordo de colaboração ter sido homologado pelo STF apenas em 3 de abril de 2017, na época em que foram soltos foi divulgada na mídia a assinatura de um termo de confidencialidade com a Procuradoria-Geral da República, dando início às tratativas da colaboração.

• João Procópio ficou preso de 1º de julho de 2014 a 20 de fevereiro de 2015, quando obteve liberdade provisória depois de manifestar interesse em colaborar. Nas duas condenações foi aplicado o percentual (um sexto) de redução da pena prevista no acordo.

- Jorge Luz foi condenado a dez anos de prisão em regime fechado. Permaneceu preso cautelarmente de 23 de fevereiro de 2017 até 25 de fevereiro de 2019, quando passou a cumprir pena domiciliar, em razão de acordo homologado pelo STF.
- Luiz Eduardo ficou preso de 30 de março a 19 de dezembro de 2016 e foi solto dezessete dias depois de assinar acordo de colaboração premiada homologado pelo STF em 28 de janeiro de 2017.
- Mário Góes permaneceu no cárcere de 5 de fevereiro de 2015 a 30 de julho de 2017, quando foi homologado seu acordo de colaboração premiada pela Justiça Federal de Curitiba. A decisão foi fundamentada nos seguintes termos: "considerando os termos do acordo e que sua celebração representa o rompimento pelo acusado das práticas delitivas, converto a prisão preventiva em prisão domiciliar com tornozeleira eletrônica".
- Milton Pascowitch permaneceu no cárcere de 21 de maio a 29 de junho de 2015, quando foi homologado seu acordo de colaboração premiada pela Justiça Federal de Curitiba.
- Olívio Rodrigues Júnior ficou na prisão de 22 de março a 19 de dezembro de 2016 e foi solto dezessete dias depois de assinar acordo de colaboração premiada homologado pelo STF em 28 de janeiro de 2017.
- Paulo Roberto Costa foi preso em 20 de março de 2014 e obteve liberdade no STF em 29 de maio de 2014. Retornou à prisão em 11 de junho de 2014 e deixou novamente o cárcere em 1º de outubro de 2014, dois dias depois da homologação do seu acordo de colaboração premiada pelo STF.
- Zwi Skornicki permaneceu no cárcere de 22 de fevereiro a 12 de agosto de 2016, trinta dias depois da assinatura do acordo de colaboração premiada, homologado pelo STF em 6 de outubro de 2016.

Além desses dezoito casos, que possivelmente mostraram aos outros investigados que a delação era a chave para a saída da prisão, dois acusados nem sequer precisaram assinar acordo para obter liberdade graças à colaboração: Carlos Alberto Pereira da Costa (fase 1) e André Gustavo Vieira da Silva (Cobra; ação 67 do quadro 7). Também é possível identificar o mesmo tipo de mensagem institucional de convite à delação nos sete casos em que os delatores só não foram soltos de imediato porque o acordo previu um tempo complementar de prisão. Isso ocorreu com Fernando Antônio Guimarães Hourneaux de Moura (Pixuleco; ação 35 com 257 dias), Alberto Youssef (fase 1), Carlos Emanuel de Carvalho Miranda (Descobridor; ação 57 com 545 dias), Fernando Antônio Falcão Soares (Juízo Final; ações 20 com 246 dias, 21 – denúncia rejeitada –, 31 com 759 dias, 37 com 276 dias, 39 não julgada e 48 não julgada), Marcelo Odebrecht (Erga Omnes), Nestor Cerveró (fase 8; ações 20 com 246 dias, 21 com 154 dias, 37 com 276 dias e 39) e Pedro Corrêa Andrade Neto (A Origem; ação 28 com 168 dias). Dois deles nem sequer permaneceram longo período presos depois da delação. Fernando Soares foi para o regime domiciliar em apenas 42 dias da homologação do acordo, e Nestor Cerveró recebeu autorização para passar as festas de fim de ano em casa, antes de completar os 190 dias remanescentes para migrar para o regime de pena domiciliar.

> • Carlos Alberto Costa ficou preso de 17 de março até 15 de setembro de 2014, quando obteve liberdade porque manifestou "real intenção de afastar-se [...] do mundo do crime", por meio da "aparente confissão e colaboração do acusado com as autoridades policiais". Permaneceu em liberdade durante as três condenações, nas quais houve redução das penas em um terço, em razão da colaboração, o que resultou em pena final de nove anos e oito meses, substituída por penas restritivas também por causa da colaboração informal, apesar de haver previsão legal de que a substituição por esse tipo de pena só ocorra no caso de condenações inferiores a quatro anos. Depois dessas três condenações, Carlos Alberto Costa assinou

acordo de colaboração, cuja pena unificada de cinco anos em regime aberto foi reconhecida na quarta sentença condenatória (ações 3 não julgada, 13 com 330 dias, 17 com 368 dias, 18 com 327 dias, 18 desmembrada com 1.218 dias e 27, na qual foi reconhecida duplicidade da acusação – litispendência).
• André Vieira permaneceu preso de 27 de julho de 2017 a 7 de março de 2018. A colaboração informal fez que a prisão fosse revogada na própria sentença, e a pena de nove anos e dez meses foi reduzida para seis anos, seis meses e vinte dias.
• Fernando de Moura foi preso em 3 de agosto de 2015 e obteve liberdade três meses depois, em 2 de novembro de 2015. O período de prisão constou no acordo de colaboração homologado em Curitiba no dia 21 de setembro de 2015.
• Alberto Youssef foi preso em 17 de março de 2014 e assinou acordo de colaboração em 24 de setembro de 2014, sete dias depois de ter sido condenado a quatro anos e quatro meses de prisão em regime fechado em ação da Operação Banestado, reaberta por causa da quebra do acordo de delação assinado com a força-tarefa CC5 em 16 de dezembro de 2003. O novo acordo previu o cumprimento de no mínimo três anos em regime fechado, o que foi aceito na primeira condenação ocorrida após a homologação (ação 6 – 20 de outubro de 2014) (ações 3, 4 – absolvido –, 6, 9-12 – Banestado –, 13-16, 18, 18 desmembrada, 19 e 19 desmembrada – absolvido).
• Carlos Miranda foi preso em 17 de novembro de 2016 e teve acordo homologado pelo STF em 22 de novembro de 2017. Também foi acusado em treze ações criminais na Lava Jato do Rio de Janeiro (ações 4-8, 14, 15, 17, 19, 20, 22, 24 e 34 do quadro 8).
• Marcelo Odebrecht foi condenado a dezenove anos e quatro meses de prisão em 8 de março de 2016 (ação 30 do quadro 7) antes de assinar acordo de colaboração premiada (ações 30 com 228 dias, 36, 41, 43 rejeitada, 53 com 241 dias, 56, 64 com 625 dias, 67 com 197 dias, 79 e 85).

- Nestor Cerveró foi preso em 14 de janeiro de 2015. A primeira sentença, que o condenou a mais de doze anos de prisão, em 17 de agosto de 2015, faz menção à existência de negociações da colaboração premiada, que acabou sendo formalizada em 18 de novembro de 2015.
- Pedro Corrêa foi preso em 10 de abril de 2015 e condenado a mais de vinte anos de prisão em 29 de outubro de 2015, pena que passou para 29 anos, cinco meses e dez dias no julgamento da apelação, em 13 de setembro de 2017. O procedimento judicial do acordo foi distribuído ao STF no dia 29 de junho de 2017 (6.199), o que indica que a homologação possivelmente ocorreu no dia 1º de agosto de 2017, quando Pedro Corrêa ainda cumpria pena pela condenação na Ação Penal 470, conhecida como Mensalão (a movimentação processual da delação contém sigilo sobre o conteúdo da decisão).

Esse fluxo de prisões seguidas da tramitação célere de alguns processos selecionados pela Justiça Federal de Curitiba, além do grande potencial para criar a expectativa de que seria possível evitar a prisão ao se tornar delator, também foi acompanhado da decretação de mais de uma prisão preventiva em desfavor de alguns investigados. Fernando Soares, por exemplo, foi preso em 18 de novembro de 2014, recebeu novas ordens de prisão em 25 de março de 2015 e 29 de julho de 2015, e em seguida, em 17 de agosto de 2015, quando já se defendia da segunda acusação, foi condenado a mais de dezesseis anos de prisão. Não por acaso assinou o acordo de colaboração premiada em 8 de setembro de 2015. Marcelo Odebrecht foi preso em 19 de junho de 2015 e recebeu novas ordens de prisão em 24 de julho e 19 de outubro de 2015, esta última estrategicamente decretada apenas três dias depois de o Supremo Tribunal Federal ter concedido liberdade a um dos executivos da empreiteira[69].

---

[69] Liberdade concedida a Alexandrino de Salles Ramos de Alencar no Habeas Corpus 130.254.

Essa terceira ordem de prisão também incluiu mais dois executivos da empresa que já estavam presos, Márcio Faria da Silva e Rogério Santos de Araújo, o que os obrigou a retomar a via-crúcis de tramitação de novos *habeas corpus* para questionar a nova prisão. Cerca de um mês depois de Marcelo Odebrecht e Rogério Araújo serem condenados a penas superiores a dezenove anos (sentença de 8 de março de 2016), a imprensa noticiou a assinatura de termo de confidencialidade que deu início às tratativas do acordo de colaboração premiada, finalizado em dezembro de 2016.

A delação dos executivos da Odebrecht também teve um empurrão estratégico com a prisão temporária da secretária da empresa, Maria Lúcia Guimarães Tavares, que assinou acordo de colaboração em 1º de março de 2016, dois dias antes de vencer a prorrogação da prisão temporária, o que possivelmente evitou a decretação de sua prisão preventiva ou ao menos reforçou a mensagem oficial de que a delação era a via mais segura para evitar o cárcere[70]. A pressão sobre os executivos da Odebrecht foi reforçada com a prisão do executivo Fernando Migliaccio pela Justiça suíça poucos dias depois da decretação de sua prisão na Operação Acarajé (22 de fevereiro de 2016), e é provável que isso o tenha levado a assinar o acordo de colaboração em 13 de maio de 2016.

Os dois casos que deixaram mais rastros da ação estratégica da Justiça Federal de Curitiba na relação entre prisão e delação envolvem Léo Pinheiro e Agenor Franklin Magalhães Medeiros, executivos da OAS que somente depois de terem apontado a responsabilidade criminal de Lula obtiveram o benefício de redução da pena. A despeito da ausência de acordo de colaboração, que só foi assinado em 2019, as penas dos executivos foram reduzidas seguindo os parâmetros da pena prevista no acordo de colaboração de Marcelo Odebrecht.

Por fim, Renato Duque[71], ex-diretor da Petrobras apontado como ligado ao PT, é o colaborador que não fez acordo e não saiu da

---

[70] Prisão temporária decretada na Operação Acarajé (22 de fevereiro de 2016).
[71] Ações em ordem de julgamento: 23 (189 dias), 30 (228 dias), 35 (257 dias), 46 (254 dias), 53 (241 dias), 31 (759 dias), 47 (644 dias), 32 (1.209 dias), 24, 36, 38 e 40 desmembrada.

prisão que aparece no quadro 13. Os dados relacionados a Duque, preso desde 16 de março de 2015, também parecem compatíveis com a hipótese de uso estratégico da prisão preventiva e da gestão temporal dos processos. Sua colaboração começou depois de quatro condenações, julgadas em menos de 260 dias, que somavam mais de 57 anos de prisão. Diante da colaboração na quinta ação criminal, apenas no segundo interrogatório, no qual, não por acaso, foi feita a delação envolvendo Lula, Sérgio Moro adotou a criativa solução de autorizar a progressão de regime depois de cinco anos de pena, independentemente do total de penas já acumuladas por outras condenações e "condicionado à continuidade da colaboração"[72].

Colaboração premiada

Além da controvertida conexão entre o uso das prisões preventivas e das delações, discutida anteriormente, os acordos de colaboração premiada celebrados na Lava Jato trazem várias marcas de heterodoxia ou, no mínimo, de intensa atividade criativa dos operadores do sistema de Justiça que modelaram os contornos do instituto, aproveitando-se do vácuo legislativo sobre o tema.

A delação premiada foi introduzida no país nos anos 1990 e, desde então, passou a ser prevista em diversas leis que autorizam o seu uso em situações específicas, em geral relacionadas ao tipo de crime envolvido (hediondo, contra o sistema financeiro, de tráfico de drogas e outros). A lei das organizações criminosas, aprovada em 2013, prevê o acordo de colaboração premiada para qualquer crime que envolva criminalidade organizada, o que explica a referência ao texto legal nos acordos de colaboração homologados na Lava Jato.

Apesar do consenso sobre a possibilidade de uso generalizado desse instituto, a lei de 2013 previu apenas aspectos gerais da cola-

---

[72] A progressão é calculada em função do somatório de todas as penas que a pessoa recebeu nos vários processos em que foi condenada. Depois que terminam os processos, todas as penas se somam, e o preso com bom comportamento pode obter progressão quando cumpre pelo menos um sexto desse somatório.

boração, o que deixou no vácuo diversas situações práticas surgidas ao longo da operação. Isso talvez se explique pelo fato de que mecanismos negociais não fazem ou não faziam parte da cultura jurídica do país, notadamente em matéria criminal.

O núcleo da Lava Jato de Curitiba supriu com êxito esse vácuo deixado pelos parlamentares, ao fazer uso de intensa atividade criativa na definição das cláusulas dos acordos e, no caso da Justiça Federal do Paraná, ao adotar soluções que ajudaram a introduzir a cultura da delação premiada de forma muito rápida no sistema de justiça criminal. Destaquem-se a homologação quase irrestrita dos acordos assinados pela força-tarefa e a deferência ao Ministério Público Federal ao aplicar as penas propostas nos acordos, além da flexibilidade no reconhecimento dos efeitos das colaborações tardias, medidas que talvez tenham dado certa sensação de segurança àqueles que passaram a pensar na possibilidade de aderir à colaboração e incentivado novas adesões.

Os acordos preveem desde regimes de penas denominados "fechado diferenciado", "semiaberto diferenciado" e "aberto diferenciado" (cumpridos em domicílio, em geral com monitoramento eletrônico por meio de tornozeleira) até a possibilidade de recuperação da multa compensatória, na proporção dos valores ilícitos recuperados a partir das informações prestadas pelo colaborador (cláusula 7ª, parágrafo 4º do acordo de Alberto Youssef), invenções que não constam na lei que trata das colaborações premiadas.

Quase todos os acordos analisados têm cláusulas relativas à suspensão das investigações e ações (presentes e futuras) a partir do momento que o somatório das penas nos casos julgados alcance determinado patamar. Depois de atingido esse patamar, todas as penas já aplicadas são unificadas e substituídas por períodos bem inferiores de efetivo cumprimento, em geral nos regimes criados pela força-tarefa. A título de exemplo, o acordo de Cesar Ramos Rocha, executivo da Odebrecht preso na fase Erga Omnes, previu a condenação a pena unificada não inferior a dezessete anos e seis meses nas ações já ajuizadas ou não, mas essa pena foi substituída pelo efetivo cumprimento de três períodos sucessivos: nove meses no regime fechado diferenciado (domiciliar com tornozeleira); um ano e seis meses no regime semiaberto diferenciado (recolhimento domiciliar nos fins de semana e no período noturno), com prestação de serviços à comunidade; e três anos e seis meses no regime aberto diferenciado (recolhimento domiciliar nos fins de semana), também com prestação de serviços à comunidade.

Não se pode dizer que a inventividade dos atores de Curitiba seja algo inesperado, pois eles repetiram a estratégia adotada no caso Banestado, em que foram assinados dezenove acordos de delação premiada envolvendo crimes contra a administração pública para os quais não havia tratamento específico em lei. O acordo assinado por Alberto Youssef em 16 de dezembro de 2003 está estruturado em dez itens, que vão da base jurídica às hipóteses de rescisão[73]. Todos foram repetidos no acordo assinado com a força-tarefa da Lava Jato mais de dez anos depois, mas a redação foi aprimorada e houve mais detalhamento de cláusulas, o que sugere aprendizado institucional a partir dos resultados observados nos acordos assinados nos anos 2000, além da mesma estratégia de suprir as lacunas da legislação.

O aprendizado também se revela na institucionalização de regras criadas pelo próprio Ministério Público Federal e pela Enccla, possivelmente em função dos êxitos e problemas observados nos acordos assinados, em especial depois da Lava Jato. Alguns exemplos: o Manual de Colaboração Premiada, elaborado pela Enccla em 2014; a Orientação Conjunta 1/2018, emitida pelas Câmaras de Coordenação e Revisão do MPF que atuam no combate à corrupção, com orientações procedimentais para formalização dos acordos de colaboração premiada; a criação do Sistema de Monitoramento de Colaborações (Simco) pela Procuradoria-Geral da República, que tem a finalidade de garantir a efetividade das colaborações, com o cumprimento integral das cláusulas do acordo; a

---

[73] O acordo está estruturado nos seguintes itens: base jurídica, proposta do Ministério Público Federal, condições da proposta, validade da prova, garantia contra a autoincriminação, imprescindibilidade da defesa técnica, cláusula de sigilo, homologação judicial, controle judicial e rescisão.

Nota Técnica 1/2017 da 5ª Câmara de Coordenação e Revisão do MPF, que aborda os acordos de leniência na área anticorrupção, relevantes nas acusações criminais.

Além disso, os acordos homologados na Lava Jato não trazem uma estimativa das penas que seriam aplicadas se todos os fatos confessados fossem objeto de condenação, o que dificulta aferir a razoabilidade da pena máxima neles prevista e das penas reduzidas que efetivamente foram aplicadas. Ou seja, a princípio, o juiz que homologou os acordos não verificou a proporcionalidade entre os benefícios propostos e a pena aplicável à totalidade dos crimes confessados, ou pelo menos esse tipo de análise não constou em nenhuma das decisões de homologação analisadas na pesquisa aqui apresentada.

Pode-se cogitar que a atuação criativa dos operadores da Lava Jato ao longo de tantos meses, atingindo grandes empresários e o alto escalão da política, foi possível devido a pelo menos três fatores.

Em primeiro lugar, os acordos assinados trazem cláusulas que restringem a possibilidade de recurso dos réus[74]. Isso impediu que eventuais ilegalidades no conteúdo do acordo, assim como a proporcionalidade das penas propostas (aceitas na sentença), fossem apreciadas pelos tribunais superiores, pois somente o delator tem legitimidade para impugnar judicialmente o acordo. Excluída a possibilidade de recurso contra a sentença alinhada com os termos do acordo, o tema se encerra na primeira instância. Se houver concordância entre o Ministério Público Federal e o juiz no que diz respeito à forma de aplicar os acordos de colaboração, essa espécie de pacto entre os operadores da primeira instância impede qualquer controle sobre as delações por parte dos tribunais superiores.

[74] Há previsões como: "as partes somente poderão recorrer da decisão judicial no que toca à fixação da pena, ao regime de seu cumprimento, à pena de multa e à multa cível, limitadamente ao que extrapolar os parâmetros deste acordo, prejudicados os recursos já interpostos com objetivos diversos" (Paulo Roberto Dalmazzo); ou "a defesa desistirá de todos os *habeas corpus* impetrados no prazo de 48 horas, desistindo também do exercício de defesas processuais, inclusive sobre discussões sobre competência e nulidade" (Paulo Roberto Costa).

O segundo fator que facilitou a atuação dos operadores da Lava Jato pode ser identificado no empenho do juiz Sérgio Moro para que fosse usado o acordo de colaboração premiada, que ele defende ao menos desde os anos 2000 (Moro, 2004), inclusive quando foi ouvido em reunião da Sub-relatoria de Normas de Combate à Corrupção da Comissão Parlamentar Mista de Inquérito (CPMI) dos Correios, em janeiro de 2006. Na quase totalidade das sentenças oriundas do núcleo de Curitiba aparece repetida a frase: "na apreciação desses acordos, para segurança jurídica das partes, deve o juiz agir com certa deferência", e a seguir são mencionadas as penas propostas no acordo de colaboração premiada, a que o juiz se refere como "penas acertadas".

Finalmente, o terceiro fator que parece ter contribuído para a profusão dos acordos criativos oriundos da Lava Jato de Curitiba foi a agilidade na obtenção de resultados graças ao uso da colaboração. Isso facilitou a replicação do modelo não só nos núcleos da Lava Jato do Rio de Janeiro e de Brasília, como também em diversas outras operações envolvendo os mais variados tipos de crimes. Depois de uma primeira sentença na qual houve omissão relativamente à aplicação das penas do acordo, corrigida em embargos de declaração[75] no dia 13 de setembro de 2016 (ação 1 do quadro 8), os casos julgados pela Justiça Federal do Rio de Janeiro também adotaram a sistemática de ampla aceitação das penas previstas nos acordos de colaboração. Na única sentença condenatória do núcleo de Brasília, proferida em 1º de junho de 2018, também foi aceito sem ressalvas o conteúdo dos acordos na fixação das penas (ação 3 do quadro 9).

As informações divulgadas pela mídia revelam que, em dezembro de 2014, havia doze acordos de colaboração premiada celebrados pela Lava Jato, número que passou a quarenta em janeiro de 2016 e chegou a 158 em junho de 2017. Pelos dados oficiais da

---

[75] Os embargos de declaração são um recurso julgado pelo próprio juiz que proferiu a decisão e têm por objetivo sanar omissão, obscuridade ou contradição no texto da decisão impugnada.

força-tarefa da Lava Jato do Ministério Público Federal, até setembro de 2019 havia 48 acordos de colaboração homologados em Curitiba, 37 no Rio de Janeiro e dez em São Paulo, além de 136 homologados pelo Supremo Tribunal Federal. Considerando que em setembro de 2016 já havia dezesseis sentenças do núcleo de Curitiba em que tinham sido aceitas as penas propostas nos acordos, pode-se supor que os demais núcleos já estavam emparedados pelos métodos paranaenses, seja pela repercussão positiva na opinião pública, dos resultados até então atingidos, seja pelo fato de que os demais núcleos tiveram réus com acordos homologados pela Justiça Federal de Curitiba e pelo STF. Recusar o conteúdo desses acordos possivelmente implicaria alto custo político, ao menos enquanto soava uníssono o coro de apoio à Lava Jato e seus métodos[76].

Até mesmo o STF aderiu aos métodos de Curitiba na homologação irrestrita de acordos assinados pela Procuradoria-Geral da República, dos quais podem ser destacados os acordos dos executivos da Odebrecht, apelidados pela mídia de "delação do fim do mundo" e homologados pela ministra Cármen Lúcia em plantão judiciário. Esse tema só começou a ganhar destaque na Corte a partir de novembro de 2017, quando o ministro Ricardo Lewandowski deixou de homologar um acordo com a justificativa de que a lei não autoriza as partes a combinarem antecipadamente os patamares e os regimes das penas.

Outro aspecto que chama a atenção é a significativa participação de colaboradores entre os réus e as testemunhas de acusação ao longo da operação, em Curitiba, a ponto de haver ações em que todos os réus se tornaram colaboradores, ou a maior parte das testemunhas ostentava a posição de delatores. A tabela 5 exibe o

---

[76] Pode-se exemplificar com a primeira ação julgada pelo núcleo do Rio de Janeiro, que teve início em Curitiba, na qual foram aceitas as penas previstas no acordo de Victor Sérgio Colavitti, homologado pela Justiça Federal de Curitiba, assim como as penas previstas nos acordos homologados pelo STF envolvendo Clóvis Renato Numa Peixoto Primo, Flávio David Barra, Gustavo Ribeiro de Andrade Botelho, José Antunes Sobrinho, Olavinho Ferreira Mendes, Otávio Marques de Azevedo e Rogério Nora de Sá (ação 1 do quadro 8).

percentual de colaboradores entre os réus denunciados, os réus sentenciados[77] e as testemunhas de acusação, levando em consideração as ações 1 a 85 do quadro 7, excluídos os processos desmembrados, as quatro ações relativas ao caso Banestado e o processo envolvendo a Eletronuclear, redistribuído ao Rio de Janeiro.

Tabela 5 – Proporção de colaboradores entre denunciados, sentenciados e testemunhas de acusação do núcleo de Curitiba (até 31 de dezembro de 2018).

Proporção de colaboradores	Réus colaboradores				Testemunhas colaboradoras	
	Número de ações (na denúncia)		Número de ações (na sentença)		Número de ações (na denúncia)	
Sem colaborador	38	47,5%	17	37,8%	17	21,3%
Até 24,9%	13	16,3%	4	8,9%	10	12,5%
De 25% a 49,9%	21	26,3%	16	35,6%	12	15%
De 50% a 74,9%	8	10%	5	11,1%	19	23,8%
De 75% a 100%	0	0%	3	6,7%	22	27,5%
Total de ações	80	100%	45	100%	80	100%

Elaborada pela autora.

Os números sugerem não só a relevância do uso da colaboração premiada na operação, mas também ampla oferta da colaboração aos investigados, o que aponta a existência de uma estratégia da acusação direcionada a poucos e específicos alvos finais. Não há

---

[77] Consideram-se como sentenciados os casos de absolvição e condenação, o que exclui os denunciados que foram retirados no curso da ação por duplicidade (litispendência), morte, suspensão condicional do processo, incidente de insanidade e rejeição da denúncia. A participação de colaboradores pode ser ainda maior, porque nem sempre o Ministério Público Federal indica a qualidade de colaborador na denúncia, como no caso de testemunhas que ostentavam a posição de réus em outras ações, mas foram ouvidas em colaboração informal ao MPF, como a ex-liderança do PP, Pedro Corrêa, nas ações 50 (apartamento tríplex) e 56 (Instituto Lula).

dados suficientes para realizar o mesmo tipo de análise no que diz respeito ao núcleo de Brasília, mas isso também parece ter ocorrido no núcleo do Rio de Janeiro, conforme os dados apresentados na tabela 6 a seguir, que também traz as proporções de colaboradores entre os denunciados, os sentenciados[78] e as testemunhas, excluídos os casos desmembrados e a ação 43 do quadro 8, cuja denúncia não foi localizada na íntegra.

Tabela 6 – Proporção de colaboradores entre denunciados, sentenciados e testemunhas de acusação do núcleo do Rio de Janeiro (até 31 de dezembro de 2018).

Proporção de colaboradores	Réus colaboradores				Testemunhas colaboradoras	
	Número de ações (na denúncia)		Número de ações (na sentença)		Número de ações (na denúncia)	
Sem colaborador	24	57,1%	6	37,5%	2	4,8%
Até 24,9%	10	23,8%	4	25%	4	9,5%
De 25% a 49,9%	7	16,7%	5	31,3%	8	19%
De 50% a 74,9%	1	2,4%	1	6,3%	10	23,8%
De 75% a 100%	0	0%	0	0%	18	42,9%
Total de ações	42	100%	16	100%	42	100%

Elaborada pela autora.

O intenso uso da prisão preventiva, associada à colaboração premiada, gerou até mesmo o aumento da demanda por equipa-

---

[78] Valem as mesmas observações feitas anteriormente, mas aqui foram incluídos como sentenciados alguns denunciados não efetivamente julgados, pois a ação foi suspensa, quanto a eles, por já terem sido condenados às penas máximas do acordo. No núcleo de Curitiba, esses colaboradores não foram incluídos na denúncia como réus, mas diretamente como testemunhas de acusação, com o reconhecimento do direito de não serem denunciados em razão do acordo (ocasionalmente foram processados até a sentença, mas sem fixação de pena, por já ter sido atingida a pena máxima do acordo, como na ação 31 do quadro 7). No curso da operação, esse mesmo procedimento passou a ser adotado no núcleo do Rio de Janeiro.

mentos de monitoramento eletrônico – as tornozeleiras eletrônicas. Houve registro de um boom no setor, que não por acaso é dominado por uma empresa sediada em Curitiba.

Outros traços da atuação voluntarista e casuística foram determinantes para a obtenção desses resultados, alguns quase imperceptíveis sem uma lupa direcionada a alguns atos internos da Justiça Federal que revelam alto grau de discricionariedade. Antes disso, convém trazer algumas considerações sobre a controvérsia que cerca a questão da competência de Curitiba para julgar os casos da Lava Jato, considerando que a Petrobras é uma sociedade de economia mista que tem sede no Rio de Janeiro, o que levaria o caso à Justiça do estado fluminense[79].

COMPETÊNCIA DA JUSTIÇA FEDERAL DO PARANÁ

O tema da competência para julgar os casos da Lava Jato de Curitiba encerra o que talvez seja o melhor exemplo de ação estratégica usada para se esquivar da incidência dos preceitos legais, em busca dos resultados atingidos pela operação.

As regras sobre competência criminal dos órgãos do Judiciário apresentam dezenas de minúcias. Há uma série de parâmetros para determinar a qual "Justiça" um caso deve ser encaminhado (eleitoral, federal, estadual e militar) e qual instância do Judiciário pode apreciá-lo (primeira instância ou tribunais, em casos de autoridades com prerrogativa de foro). Neste livro, a opção foi trazer apenas os aspectos mais relevantes e controversos e que, por essa razão, situam-se na zona de disputas entre os atores envolvidos com as investigações e as ações criminais.

Como foi dito anteriormente, os crimes federais são apenas aqueles descritos no texto da Constituição Federal. A ampla competência residual que não envolve delitos eleitorais e militares cabe aos juízes vinculados aos Tribunais de Justiça dos estados. Isso

---

[79] Como abordado no primeiro capítulo, a Justiça Federal cuida dos crimes praticados em prejuízo da União, suas autarquias e empresas públicas, rol que não inclui sociedades de economia mista, como a Petrobras.

permite de pronto afirmar que a corrupção e os crimes em licitação praticados em prejuízo da Petrobras não são crimes federais, pois a estatal tem natureza de sociedade de economia mista. Surge, então, uma primeira questão relevante: como a Petrobras tornou-se o referencial para estabelecer quais casos deviam permanecer em Curitiba, que nem sequer é sede da empresa?

A resposta a essa questão exige percorrer alguns passos, para entender como os atores do sistema de Justiça agiram para fazer isso acontecer. O primeiro passa pela identificação de crimes federais dentro do universo de ilícitos apurados pela Lava Jato de Curitiba. A seguir, deve ser discutido se e quando a Justiça Federal pode julgar crimes que não compõem o rol dos crimes federais. Por fim, e certamente o mais relevante, é preciso esquadrinhar como se define a unidade da Justiça Federal que tem competência para tratar um caso que envolva uma multiplicidade de crimes praticados em várias partes do território nacional.

As decisões que autorizaram as fases ostensivas da Lava Jato e as denúncias apresentadas em Curitiba mencionam diversos fatos, e alguns podem configurar crimes em relação aos quais não se discute a competência federal, como os crimes contra o sistema financeiro: evasão de divisas, gestão fraudulenta e operação não autorizada de instituição financeira[80].

Além disso, as decisões de recebimento da denúncia, as sentenças e as análises de impugnação da competência de Curitiba trazem como fundamento a existência de depósitos mantidos no exterior que seriam a expressão financeira dos crimes de corrupção e lavagem de dinheiro apurados pela operação. Parece não haver espaço para defender que não há propinas depositadas fora do Brasil, diante do elevado volume de recursos repatriados por indicação dos próprios colaboradores, como mencionado no início deste capítulo. Havendo indícios de valores obtidos de forma ilícita e mantidos de forma oculta no exterior, também parece frágil defender a ausência de competência federal, pois, com a introdu-

---

[80] Cf. artigo 109, inciso VI da CF/1988 e Lei 7.492/1986.

ção no território nacional das Convenções das Nações Unidas contra a Corrupção e contra o Crime Organizado Transnacional, os atos de corrupção e lavagem de dinheiro que produzam resultados no exterior passam para a competência federal, ainda que envolvam uma sociedade de economia mista como a Petrobras[81].

Percorrido o primeiro passo, com a identificação de crimes que a princípio deveriam ser apreciados pela Justiça Federal, deve-se analisar se e quando há possibilidade de essa Justiça apreciar acusações de crimes que estejam fora de sua área de atuação. Nesse aspecto, o debate parece que se encontra numa zona cinzenta de legalidade que confere amplas margens aos operadores do Direito. Há uma cláusula legal que autoriza a atribuição de dois ou mais casos a um mesmo juiz quando a prova de um dos crimes pode influenciar a prova de outro, com preponderância da Justiça Federal se não existem crimes eleitorais e militares. Nem é preciso dizer o quão subjetiva pode ser uma análise sobre a valoração das provas num processo criminal, o que abre portas para o uso de argumentos de toda ordem para justificar a existência daquilo que os juristas denominam de "conexão probatória".

Em resumo, pode-se dizer que a Justiça Federal do Paraná decidiu, e os tribunais ratificaram, inclusive o Supremo Tribunal Federal, que os casos envolvendo a Petrobras apresentam uma ligação que exige apenas um juiz responsável pelo julgamento de todos eles. Apesar de o tema estar envolto em muitas controvérsias, pressupõe-se aqui que existe a alegada conexão e a necessidade de julgamento conjunto. Mas ressalte-se que essa solução jurídica está amparada no uso estratégico do crime de organização criminosa, tema já abordado neste livro.

> • A ação indicada por Sérgio Moro como fundamento inicial para a necessidade de conexão foi julgada em 6 de maio de 2015 (ação 13 do quadro 7). O encerramento da ação, que tem

---

[81] Cf. artigo 109, inciso V da CF/1988 e Decretos 5.105/2004 e 5.687/2006.

por objeto os fatos que justificaram a fixação da competência em Curitiba, não foi abordado nas decisões judiciais analisadas na pesquisa apresentada neste livro. O enfrentamento desse tema tem relevância porque há previsão legal de que a força atrativa da primeira ação criminal se encerre com o seu julgamento (artigo 82 do Código de Processo Penal). Basta constatar que Sérgio Moro se exonerou do cargo de juiz, e ninguém afirma que isso impede a análise dos casos remanescentes pelo juiz que os assumiu. Ou seja, as provas de um processo que são úteis para outro caso podem ser transferidas/copiadas, sem a necessidade de violar a regra geral que prevê que a competência deve ser determinada pelo local de consumação dos crimes.

• As sentenças das ações criminais de Curitiba não esclarecem por que os julgamentos dependeram do conteúdo das provas produzidas na ação 13. Ou seja, não há indicação de que realmente existia a alegada conexão probatória. A ação originária tem como crime mais grave a lavagem de dinheiro, que na denúncia não indica nenhuma ligação direta com a Petrobras ou seus diretores, pois consiste em investimentos feitos numa empresa situada na cidade de Londrina, PR. A denúncia menciona que a lavagem de dinheiro tem como crime antecedente o de corrupção, praticado pelo ex-deputado José Janene, apurado no Mensalão. No julgamento final afirma-se, inclusive, que se trata de "recursos do Fundo Visanet administrados pelo Banco do Brasil e recursos da Câmara dos Deputados", além de "empréstimos fraudulentos do Banco Rural" (item 160 da sentença). Se as provas produzidas nesse caso não têm nenhuma relevância para as investigações que se seguiram, não havia justificativa para a manutenção de todos os processos da Petrobras em Curitiba.

Na construção do argumento de conexão probatória, o crime de organização criminosa exerceu o papel de curinga para azeitar a narrativa de que todos os crimes praticados em prejuízo da estatal devem ser tratados em bloco, algo bem semelhante à análise feita por Arantes (2018) sobre o Mensalão. Essa narrativa possivelmente contempla dois objetivos: evitar a redistribuição dos processos a atores do sistema de Justiça menos comprometidos com os resultados; justificar a definição de uma linha de investigação que pressupõe a necessidade de identificar e punir a liderança da organização criminosa.

Partiu-se então para o passo seguinte, em que os rastros de ação estratégica são mais fáceis de identificar, pois a Justiça Federal do Paraná ocultou informações relevantes nas decisões judiciais, o que impediu o controle efetivo, pelos tribunais, da aplicação das regras que definem o juiz natural dos casos.

A determinação da unidade da Justiça Federal que deve ser responsável pelas investigações e pelos julgamentos de casos conexos segue regras que aparecem sintetizadas de modo muito didático no julgamento do Supremo Tribunal Federal que resultou no primeiro desmembramento da Lava Jato de Curitiba, ocorrido em 23 de setembro de 2015. No voto do relator ministro Dias Toffoli, que definiu o envio do caso envolvendo a então senadora Gleisi Hoffmann (PT/PR) para a Justiça Federal de São Paulo, são relacionados todos os fatos investigados e identificados os locais onde cada crime teria sido consumado, concluindo que "a maior parte dos crimes de lavagem de dinheiro e de falsidade ideológica se consumaram em São Paulo".

O detalhamento feito pelo ministro se explica porque, algumas linhas antes, ele explicitou de modo muito claro que a lista das regras para definir o juiz competente nos casos de conexão segue uma ordem hierárquica. Em síntese, no caso de vários crimes cometidos em diversas cidades, o primeiro critério para a definição do juiz é o local onde foi praticado o crime mais grave. No caso de vários crimes de mesma gravidade, a definição deve se pautar pelo lugar onde foi praticado o maior número de crimes. Apenas no caso de essas duas regras não serem suficientes para solucionar o caso, ou seja, se existir a mesma quantidade de crimes igualmente graves praticados em cada cidade, o juiz competente será aquele que primeiro realizar algum ato no processo

Só é possível saber se os atores do sistema de Justiça respeitaram essas regras se nas decisões judiciais estiverem discriminados todos os fatos investigados e se houver uma fundamentação mínima sobre os parâmetros utilizados pelo juiz para identificar onde os crimes foram consumados, pois há discussões jurídicas sobre o tema do local de consumação para cada tipo de crime. A relação dos fatos investigados/denunciados é essencial para viabilizar o controle público da lisura da atividade judicial, já que o número de crimes parece ser a principal variável utilizada para definir a competência em casos complexos como a Lava Jato. A exposição do raciocínio jurídico utilizado pelo juiz para concluir sobre o local de consumação também é necessária para permitir que as partes contestem a solução jurídica adotada e que os tribunais efetivamente exerçam controle sobre a atuação do juiz de primeira instância. Não se trata de mera formalidade, pois a garantia da aplicação de critérios objetivos para determinar qual juiz será responsável por um caso concreto faz toda a diferença num país onde não há uniformidade na estrutura dos tribunais, que ainda gozam de autonomia administrativa no que diz respeito a temas decisivos para os resultados de uma grande operação de combate à corrupção.

A leitura das decisões judiciais oriundas da Justiça Federal de Curitiba sugere que foi adotada uma ação estratégica para assegurar que os casos da Lava Jato fossem mantidos nessa cidade: o juiz Sérgio Moro não incluiu nelas a relação de todos os fatos criminosos, acompanhados dos respectivos locais de consumação, limitando-se a citar apenas os poucos fatos que faziam referência a alguma cidade do estado do Paraná.

Diversas decisões que reconheceram a competência de Curitiba limitaram-se a mencionar o caso que teria definido essa competência: um crime de lavagem de dinheiro praticado por meio de investimentos feitos em Londrina, crime que, de acordo com a denúncia, teria como antecedente a corrupção praticada pelo ex-deputado José Janene, apurada no Mensalão (ação 13 do quadro 7). A empresa sediada em Londrina (Dunel Indústria e Comércio Ltda.) não aparece novamente nas outras denúncias da força-tarefa da Lava Jato. As decisões judiciais também se mostram omissas em relação às provas desse crime de lavagem de dinheiro que poderiam influenciar as provas dos demais crimes apurados pela operação.

> • A investigação que levou à identificação dos investimentos da Dunel teve como alvo inicial Carlos Chater, a primeira pessoa investigada pela operação que teve quebra de sigilo bancário autorizada, em 8 de fevereiro de 2009. No relatório da Polícia Federal, afirma-se que surgiram indícios da atuação de Alberto Youssef nessa investigação. Carlos Chater também foi a primeira pessoa a ter as comunicações interceptadas, de 17 de julho a 18 de dezembro de 2013. A denúncia que descreve os investimentos na Dunel faz menção ao uso de contas bancárias em nome da empresa Posto da Torre Ltda., sediada num posto de gasolina em Brasília, e que deu origem ao nome Lava Jato. Não foi possível o acesso ao conteúdo dos autos indicados como início dessas investigações, nem obter explicações dos atores da Lava Jato sobre a ausência de movimentação processual de 2011 a 2014, período em que o procedimento permaneceu arquivado. Esse longo tempo de arquivamento que precedeu o pedido de interceptação telefônica deferido por Sérgio Moro sustenta a hipótese de que houve manipulação das regras de competência.

A pergunta que a Lava Jato deixou sem resposta: qual a relevância das evidências sobre os investimentos feitos por Janene na Dunel para os processos com acusações de corrupção e desvios da Petrobras? Aparentemente, nenhuma. Isso sugere, inclusive, que nem sequer havia conexão entre os fatos apurados naquela investigação e as demais denúncias da operação, pois a influência da prova é o pressuposto para a manutenção de todos os casos com o mesmo juiz.

> • A hipótese de que não havia conexão é compatível com o comportamento do Ministério Público Federal, que de início se manifestou pela incompetência da Justiça Federal de Curitiba no caso envolvendo a Dunel, o que produziria dois resultados possíveis: a remessa a outra unidade da Justiça Federal apenas desse caso, por não ter conexão com os demais; ou a remessa de toda a investigação para outra unidade, caso houvesse conexão entre os casos. Como parece pouco provável que algum membro do MPF em Curitiba pretendesse abrir mão da operação, a alegação de incompetência talvez tenha sido motivada pela convicção de que não existia conexão com os outros processos. E o indeferimento do pedido, feito pelo juiz Sérgio Moro, possivelmente decorreu da convicção de que era essencial manter em Curitiba algum caso que viabilizasse a referência a alguma cidade do Paraná.

Determinadas decisões judiciais que negaram pedidos de reconhecimento da incompetência da Justiça Federal de Curitiba feitos pelas defesas tornam essa estratégia ainda mais clara. O juiz Sérgio Moro ressaltou, em várias decisões, que as apurações da Lava Jato incluíram crime de corrupção em obras da Refinaria Presidente Getúlio Vargas (Repar), apenas para deixar registrada a sede da refinaria na cidade de Araucária, PR. Nessas decisões não aparecem especificados os lugares onde ocorreram os atos de corrupção, que não foram necessariamente consumados no local de realização das obras, e, o mais importante, nelas não são mencionados os crimes de lavagem de dinheiro que também constam nas denúncias e que são os principais ilícitos apurados pela Lava Jato.

A lavagem de dinheiro é o crime mais grave que consta nas acusações da Lava Jato, mas, para determinar qual unidade da Justiça Federal assumiria os casos iniciais da operação, o juiz deveria fazer uma relação de todos os crimes dos inquéritos/processos conexos, para identificar onde houve a consumação do maior número deles. Todos os fatos criminosos apontados nas investigações que tramitaram durante os primeiros meses da operação, ou ao menos nas primeiras decisões de prisão preventiva, deveriam ser considerados, na sua totalidade, para a identificação do local de concentração do maior número de crimes. A própria divisão das acusações em várias ações criminais facilitou o uso dessa estratégia de ocultação, pois permitiu que em cada uma das ações fossem completamente ignorados os locais de consumação dos crimes apurados nas demais.

> • A referência às obras na Repar traz outro elemento que sugere a estratégia de omissão dos fatos com a finalidade de inviabilizar o controle, pelos tribunais, sobre a competência, pois a acusação que envolve obras na Repar (Paraná) também inclui obras na Refinaria de Paulínia (Replan), em São Paulo, no Gasoduto Pilar-Ipojuca (Pernambuco) e no Gasoduto Urucu-Coari-Manaus (Amazonas). Ou seja, quando o juiz utiliza essa ação penal (23 do quadro 7) para defender a competência de Curitiba, intencionalmente deixa de mencionar que há crimes envolvendo obras em outras localidades.
> • A pena do crime de corrupção é mais elevada que a do crime de lavagem de dinheiro, mas as denúncias e sentenças o associam à existência de organização criminosa, o que agrava a pena da lavagem de dinheiro. O próprio juiz Sérgio Moro afirma a maior gravidade da lavagem de dinheiro (sentença da ação 8 e exceção de incompetência da ação 13, ambas do quadro 7).
> • Quando foram julgados os cinco questionamentos sobre a competência na ação que contém a alegada lavagem de dinheiro envolvendo a empresa situada em Londrina, em 15 de agosto de 2014, já havia catorze ações criminais na Justiça Federal do Paraná, mas os fatos criminosos supostamente conexos não foram relacionados para identificar em qual cidade se concentravam. Também foram ignorados os principais fatos sobre a Petrobras investigados na época, relacionados às grandes empreiteiras que foram objeto de buscas e apreensões em 14 de novembro de 2014, data em que a força-tarefa já apontava a existência individualizada dos crimes apurados.

Pode-se supor que o comportamento estratégico dos atores da Lava Jato do Paraná, em especial do juiz Sérgio Moro, decorreu da percepção de que, se as decisões contivessem todas as informações necessárias para análise da competência, os tribunais teriam de reconhecer que a maioria dos crimes, notadamente os de lavagem de dinheiro, tinha sido praticada na cidade de São Paulo, sede de quase todas as grandes empreiteiras investigadas e onde funcionava "o escritório de lavagem comandado por Alberto Youssef", expressão usada pelo juiz no recebimento de diversas denúncias, obviamente sem mencionar que ficava nessa cidade.

O próprio juiz Sérgio Moro afirma que, em decisões datadas de 24 de fevereiro e 10 de novembro de 2014, foi reconhecido que as empresas CSA Project Finance Consultoria, GFD Investimentos, MO Consultoria, Empreiteira Rigidez e RCI Software "foram utilizadas em esquema criminoso de desvio de recursos públicos", através de depósitos nas suas contas, "com simulação da prestação de serviços por elas aos depositantes, a fim de ocultar a natureza criminosa das transações, em realidade de lavagem de dinheiro ou pagamento de propina". Essas empresas, que se afirma serem ligadas ao "escritório de lavagem" de Alberto Youssef, são mencionadas em várias decisões e sentenças, mas nunca se informa que todas estão sediadas na cidade de São Paulo, assim como o escritório de contabilidade Arbor Consultoria e Assessoria Contábil, que auxiliaria Youssef.

Destaque-se a decisão que autorizou a deflagração da fase Juízo Final, relativa à primeira prisão dos executivos de grandes empreiteiras, na qual são relacionados diversos depósitos feitos nas contas da MO Consultoria e GFD Investimentos, utilizadas para o alegado pagamento de propinas. A decisão também menciona que os contratos apreendidos no escritório de Alberto Youssef "usualmente preveem a prestação de serviços de consultoria especializados às empreiteiras contratadas, MO Consultoria, GDF [sic] Investimentos, Empreiteira Rigidez ou RCI Software, inclusive para serviços na área petrolífera". Nela há a discriminação de vários contratos com essas empresas, mas em nenhum trecho consta a informação de que todas têm sede em São Paulo. A decisão relaciona pelo menos 23 empresas envolvidas com os crimes investigados, mas apenas em uma há menção à sede (da filial), não por acaso na cidade de Curitiba, omitindo-se que dezesseis estão sediadas no estado de São Paulo. A relação das empresas, com suas respectivas sedes, encontra-se no quadro 14 a seguir. A relação das empresas ligadas a Alberto Youssef aparece no quadro 15.

Quadro 14 – Sede das empresas citadas na decisão da fase Juízo Final.

Empresa	CNPJ	Sede
OAS S/A	14.811.848/0001-05	São Paulo, SP
Construtora OAS S/A	14.310.577/0001-04	São Paulo, SP
Engevix Engenharia S/A	00.103.582/0001-31	Barueri, SP
Consórcio RNEST O. C. Edificações	10.710.987/0001-91	Ipojuca, PE
Consórcio Integradora URC	11.196.579/0001-26	Barueri, SP
Galvão Engenharia S/A	01.340.937/0001-79	São Paulo, SP
Construtora Queiroz Galvão S/A	33.412.792/0001-60	Rio de Janeiro, RJ
Investminas Participações S/A	08.278.143/0001-71	São Paulo, SP
Coesa Engenharia Ltda.	13.578.349/0006-61	São Paulo, SP
Consórcio Sehab	12.601.042/0001-67	São Paulo, SP
Constran S/A	61.156.568/0001-90	São Paulo, SP
Mendes Júnior Trading e Engenharia S/A	19.394.808/0001-29	São Paulo, SP
Odebrecht Plantas Ind. Participações S/A	09.334.075./0001-83	São Paulo, SP
UTC Engenharia S/A	44.023.661/0001-08	São Paulo, SP
Construções e Com. Camargo Corrêa S/A	61.522.512/0001-02	São Paulo, SP

Empresa	CNPJ	Sede
Consórcio Nacional Camargo Corrêa	10.517.133/0001-93	Ipojuca, PE
Sanko Sider Com. Ind. Exp.	01.072.027/0001-52	São Paulo, SP
Sanko Serviços de Pesquisa Ltda.	11.044.507/0001-63	São Paulo, SP[1]
Clyde Union Imbil Ltda.	11.515.609/0001-10	S. B. Campo, SP[1]
Toshiba Infraestr. América do Sul Ltda.	08.870.769/0005-04	Curitiba, PR[2]
Costa Global Consultoria Part. Ltda.	16.478.733/0001-76	Rio de Janeiro, RJ
Iesa Engenharia S/A	29.918.943/0001-80	Rio de Janeiro, RJ
Consórcio Ipojuca Interligações	11.387.267/0001-08	Ipojuca, PE

Elaborado pela autora a partir do cadastro CNPJ da Receita Federal.
[1] Informação confirmada no site da Jucesp.
[2] Matriz com sede em Contagem, MG.

Quadro 15 – Sede das empresas ligadas a Alberto Youssef.

Empresa	CNPJ	Sede
GFD Investimentos Ltda.	10.806.670/0001-53	São Paulo, SP
CSA Project Finance Consultoria Int. Ltda.	04.090.574/0001-59	São Paulo, SP
MO Consultoria Com. e Laudos Est. Ltda.	06.964.032/0001-93	São Paulo, SP
Empreiteira Rigidez Ltda.	05.279.268/0001-28	São Paulo, SP
RCI Software Ltda.	08.227.325/0001-13	São Paulo, SP
Arbor Consultoria e Assessoria Contábil Ltda.	11.289.886/0001-51	São Paulo, SP
AJJP Serviços Admin. Educacionais Ltda.	10.938.609/0001-60	São Paulo, SP
Sanko Sider Com. Ind. Exp.	01.072.027/0001-52	São Paulo, SP

Elaborado pela autora a partir do cadastro CNPJ da Receita Federal.

Relato semelhante consta na decisão de 24 de março de 2014, que autorizou a prisão preventiva de Paulo Roberto Costa, primeiro executivo da Petrobras identificado nas investigações da Lava Jato. Na decisão são mencionados dois momentos em que Paulo Roberto apareceu como suspeito da prática de crimes: no faturamento de um veículo Land Rover Evoque pago por Alberto Youssef; no recebimento de comissões em obras públicas entre 2011 e 2012, identificado em interceptação de comunicação mantida entre Youssef e o gestor da empresa Sanko Sider (sediada em São Paulo), além de um e-mail de uma gerente financeira dessa empresa no qual haveria uma relação de comissões pagas por meio das empresas MO Consultoria e GFD Investimentos.

Sérgio Moro afirma que as empresas são controladas por Alberto Youssef, mas omite a informação de que estão sediadas em São Paulo. O comportamento estratégico de ocultação de informações relevantes para identificar onde a operação deveria tramitar agrega-se a um emparedamento imposto aos tribunais, que decorre da opção de dividir as acusações em várias ações criminais e da agilização na solução dos primeiros casos.

A divisão das acusações dificulta – quase impossibilita – que os tribunais possam mensurar a quantidade de crimes conexos praticados em cada cidade. Quando foi julgada a primeira apelação pelo Tribunal Regional Federal da 4ª Região, em 21 de setembro de 2015, dez ações criminais já tinham sido julgadas por Sérgio Moro, entre elas os casos das empreiteiras OAS e Camargo Corrêa[82]. O primeiro recurso especial foi remetido ao Superior Tribunal de Justiça em 9 de setembro de 2016, quando 21 casos já tinham sido julgados em primeira instância[83]. Além do maior volume de fatos que chegam aos tribunais quando o tema é analisado pela

---

[82] Apelação da ação 4. Casos já julgados em primeira instância: ações 4, 6, 7, 11, 13, 15 (OAS), 19 (Camargo Corrêa), 20, 21 e 23, todas do quadro 7.
[83] Primeiro recurso especial da ação 4. Casos já julgados em primeira instância: ações 4-7, 11, 13, 15 (OAS), 16 (Galvão Engenharia), 17 (Engevix), 18 (Mendes Júnior), 19 (Camargo Corrêa – duas ações), 20, 21, 23, 26 (ex-deputado André Vargas), 27 (ex-deputado Luiz Argôlo), 28 (ex-deputado Pedro Corrêa), 30 (Odebrecht), 33 e 35 (ex-ministro José Dirceu), todas do quadro 7.

primeira vez, dificultando a identificação da estratégia adotada pelo juiz de primeira instância, há evidentes custos políticos quando são anulados os julgamentos já realizados, pois a opinião pública dificilmente percebe como abusiva a ação do juiz que atua sob a roupagem do discurso de combate à corrupção.

A ação estratégica adotada para abraçar toda a Lava Jato revela-se em mais duas ocasiões, ambas voltadas a contornar as regras do foro privilegiado[84].

A primeira ocorreu quando Paulo Roberto Costa direcionou um pedido diretamente ao Supremo Tribunal Federal, sob a alegação de que a operação havia investigado o então deputado André Vargas. Esse pode ser considerado um dos pontos de tensão mais relevantes da operação, pois as informações que chegaram ao gabinete do ministro Teori Zavascki tinham potencial para transferir a Lava Jato para o STF, com resultados imprevisíveis para os rumos da operação.

A primeira decisão do STF sobre a Lava Jato, que tornou o ministro Teori Zavascki responsável por todos os questionamentos que se seguiram, foi a suspensão de toda a operação, em 18 de maio de 2014, com revogação das prisões até então existentes. Zavascki mencionou um relatório policial sobre comunicações interceptadas em que foram relacionadas inúmeras trocas de mensagens entre Alberto Youssef e André Vargas por longo período de tempo. O ministro relatou ainda que outros congressistas foram apontados como suspeitos e que os policiais solicitaram diligências complementares focadas especificamente no então deputado Cândido Vaccarezza. Por fim, deu destaque ao "afrontoso" ato praticado pelo juiz Sérgio Moro, que manteve as investigações na primeira instância e desmembrou por conta própria a parte que envolvia o

---

[84] O controvertido tema do foro por prerrogativa de função, também chamado de foro privilegiado, entrou na agenda do Supremo Tribunal Federal no curso da Operação Lava Jato. No julgamento de questão de ordem na Ação Penal 937, em 3 de maio de 2018, a Corte restringiu as hipóteses de foro a parlamentares federais, o que teve consequências imediatas para a Lava Jato, com a remessa para a primeira instância de diversas investigações que tramitavam no STF.

parlamentar para enviá-la ao STF, quando a Corte já havia decidido, mais de uma vez, que a decisão relativa ao desmembramento é exclusivamente dela.

Agilidade e estratégia de emparedamento compuseram a receita adotada por Sérgio Moro para esquivar-se da interferência do STF[85]. No mesmo dia da decisão, ele pediu informações a Zavascki sobre o seu alcance, ressaltando que os casos originados da Lava Jato incluíam o mandante de tráfico de 698 quilos de cocaína, com indícios da existência de um grupo organizado transnacional com diversas conexões no exterior, além de três ações criminais sobre crimes financeiros e lavagem de dinheiro envolvendo três grupos de doleiros, dois deles com risco de fuga, pela existência de saldos milionários em contas no exterior[86]. O abacaxi recebido por Zavascki foi prontamente embalado, com a reconsideração parcial da liminar e a manutenção de todas as prisões não relacionadas a Paulo Roberto Costa. A manutenção das prisões exigiu que a decisão final fosse tomada rapidamente, o que permitiu o prosseguimento dos casos na Justiça Federal de Curitiba a partir de 10 de junho de 2014.

O que, num primeiro momento, aparentava ser o primeiro controle efetivo da Lava Jato pelos tribunais superiores, acabou se tornando uma carta branca para o núcleo de Curitiba, que recebeu o carimbo do STF atestando que o caso poderia ser conduzido pelo juiz Sérgio Moro. Os questionamentos sobre as prisões até então existentes possivelmente encontrariam maior resistência no Tribunal Regional Federal e no Superior Tribunal de Justiça, pois a prévia passagem dos casos pelo gabinete de um ministro do STF de alguma forma valida a análise de que as prisões envolvem crimes graves.

O segundo comportamento estratégico que permite contornar as regras relativas a foro privilegiado decorre da natureza sigilosa das interceptações telefônicas e da discricionariedade dos investigadores em relação à análise do conteúdo das comunicações. Os

---

[85] Ofício do juiz Sérgio Moro disponível no evento 93 da ação 8 (quadro 7).
[86] Ações 3 (Alberto Youssef), 4 (tráfico), 7 (Nelma Kodama) e 8 (Carlos Chater), todas do quadro 7.

atores do sistema de Justiça precisam apresentar justificativas para que uma pessoa tenha suas conversas captadas, mas é grande a discricionariedade na definição de quais pessoas são consideradas suspeitas e deverão constar nos relatórios de interceptação. A natureza sigilosa dessas medidas torna praticamente impossível o controle por algum ator externo, mas houve ao menos um episódio em que a ação estratégica aparece visível na Lava Jato de Curitiba.

A revista *Época* divulgou, no dia 26 de abril de 2014, trecho de conversa mantida entre Alberto Youssef (interceptado) e o então deputado Luiz Argôlo, que teria ocorrido no dia 28 de fevereiro do mesmo ano. A divulgação da informação sigilosa exigiu que o juiz Sérgio Moro determinasse que a Polícia Federal produzisse um relatório sobre a interceptação, e nele foi informado que os investigadores não sabiam quem era o interlocutor de Youssef, até então identificado apenas como "LA". Depois disso, os policiais obtiveram a informação, com a empresa de telefonia, de que o aparelho estava em nome da Câmara dos Deputados, o que não traria dificuldades em identificar "LA", que enviou a Youssef uma mensagem com seu endereço residencial em Brasília (segundo relato de Sérgio Moro).

O vazamento para a imprensa, que não teve dificuldades em descobrir quem era o interlocutor de Alberto Youssef, sugere que os policiais também sabiam que o usuário do telefone era Luiz Argôlo, mas não buscaram confirmar a informação com a empresa de telefonia, e a interceptação estendeu-se de 14 de setembro de 2013 a 17 de março de 2014. A confirmação exigiria documentação informando que Argôlo era investigado, e isso tornaria obrigatório o envio da investigação ao Supremo Tribunal Federal[87].

Essa hipótese é reforçada ao se analisar o conteúdo da acusação contra Argôlo pela força-tarefa de Curitiba quando ele não era mais deputado (ação 27 do quadro 7). As evidências da prática de cinco atos de corrupção e lavagem de dinheiro relacionadas na denúncia incluem conversas interceptadas entre 20 de setembro de 2013 e 2 de janeiro de 2014, período em que Argôlo ainda era deputado.

---

[87] O relatório de interceptação, datado de 15 de maio de 2014, traz a informação de que o pedido para identificar o titular do telefone foi enviado à empresa de telefonia no dia 5 de maio daquele ano. Relatório disponível no evento 1, out28 da ação 27 (quadro 7).

As conversas tratam da indicação de contas bancárias para pagamento das alegadas propinas, conteúdo que dificilmente não teria sido considerado suspeito pelos policiais assim que as conversas foram captadas.

Os documentos oficiais até então analisados não sugerem que houve anuência do juiz Sérgio Moro, por isso atribui-se aqui a ação estratégica aos órgãos de investigação que se envolveram diretamente com as interceptações. Isso não minimiza a gravidade desse cenário, em especial se pesquisas específicas sobre o tema confirmarem que existe razoável institucionalização dessa prática.

O quadro descrito neste livro sugere que o uso estratégico da gestão temporal dos processos foi especialmente relevante para assegurar que a operação fosse mantida em Curitiba, pois impôs aos tribunais elevado custo político, perante a opinião pública, de ser responsável pela impunidade, sentimento coletivo que em geral se manifesta quando os tribunais reconhecem nulidades nos processos de corrupção. Impunidade essa que ninguém poderia assegurar que ocorreria se o núcleo da Lava Jato de Curitiba não tivesse agido estrategicamente para abraçar toda a operação. O caso envolvendo a Eletronuclear, por exemplo, foi enviado de Curitiba ao Rio de Janeiro em 11 de novembro de 2015, o que não impediu que fosse julgado em 337 dias, mesmo contando com quinze réus e catorze testemunhas do Ministério Público Federal (ação 1 do quadro 8). Dos dezesseis casos julgados pelo núcleo do Rio de Janeiro, nove levaram menos de um ano, e nenhum se estendeu por mais de um ano e seis meses.

ASPECTOS ORGANIZACIONAIS

O caráter nacional da Justiça Federal não assegura uniformidade à gestão temporal das ações judiciais existentes em cada uma das varas federais do país. Além das diferenças decorrentes do mosaico de realidades encontradas num país continental, a arena das disputas políticas que envolvem a repartição dos recursos públicos destinados ao Judiciário não favorece a construção de um cenário institucional de uniformidade[88]. Cada Tribunal Regional Federal tem autoridade para definir quando e como ocorre a especialização de varas e a forma de distribuição de processos.

Os resultados da Lava Jato em Curitiba, notadamente aqueles obtidos graças a uma incomum agilidade em algumas ações criminais, tiveram a relevante contribuição dos órgãos diretivos do Tribunal Regional Federal da 4ª Região, que gozam de poder de agenda amparado na ampla autonomia de gestão da estrutura administrativa.

A edição de sucessivos atos normativos pelo TRF4, com efeitos a partir de 19 de dezembro de 2014, permitiu que o juiz responsável pela Lava Jato em Curitiba só recebesse processos que tivessem relação com a operação. Foi suspensa a distribuição de outros casos, o que foi previsto para durar pelo menos até 5 de fevereiro de 2020[89]. Isso permitiu que Sérgio Moro se dedicasse exclusivamente aos casos da operação, transformando a vara de Curitiba numa ilha de excelência em termos de agilidade dos processos e da possibilidade de analisar mais acuradamente os casos e a fundamentação das decisões.

Como já foi observado, além desse apoio seletivo decorrente da discricionariedade administrativa dos tribunais, o próprio juiz de Curitiba fez uso de critérios bastante discutíveis ao priorizar o andamento de determinados casos, o que permite produzir resultados orientados para os investigados que serão mais incentivados

---

[88] Sobre as disputas envolvendo a estrutura administrativa dos Tribunais Regionais Federais, destaque-se a Emenda Constitucional 73/2013, que criou quatro novos tribunais e foi suspensa liminarmente pelo ministro Joaquim Barbosa na ADI 5.017, movida pela Associação Nacional dos Procuradores Federais. O julgamento estava programado para ocorrer na sessão do dia 6 de junho de 2018, mas foi retirada da pauta a pedido do atual relator, ministro Luiz Fux. Mesmo pendente de julgamento, em maio de 2019 o Conselho da Justiça Federal aprovou projeto de lei sobre a criação do TRF6 (Minas Gerais), também aprovado pelo Superior Tribunal de Justiça em 11 de junho de 2019 e remetido ao parlamento em 6 de novembro desse ano, onde recebeu o número 5.919/2019.
[89] Resoluções TRF4 164 de 19 dez. 2014; 8 de 11 fev. 2015; 120 de 19 nov. 2015; 7 de 12 fev. 2016; 38 de 6 maio 2016; 78 de 9 ago. 2016; 93 de 12 set. 2016; 17 de 6 mar. 2017; 56 de 6 jul. 2017; 133 de 5 dez. 2017; 49 de 7 jun. 2018; 60 de 16 jul. 2017; 49 de 7 jun. 2018; 60 de 16 jul. 2018; 6 de 23 jan. 2019 e 75 de 1 ago. 2019.

a delatar e, em consequência, os atores do alto escalão da política que serão mais atingidos.

A ação estratégica do TRF4, sinal claro de forte sintonia entre o tribunal e o juiz do caso, permitiu que os processos da 13ª Vara recebessem tratamento diferenciado dos demais casos de corrupção que circulam pelos balcões da Justiça Federal. Além de possibilitar uma agilidade acima da média da Justiça brasileira, a dedicação exclusiva do juiz a esses processos foi especialmente relevante ao se considerar que a Escola Nacional de Formação e Aperfeiçoamento de Magistrados identifica um recorrente déficit de fundamentação nas decisões dos juízes, como abordado no primeiro capítulo.

Existem alguns incentivos institucionais ao comportamento voluntarista dos atores do sistema de Justiça que estão voltados para o combate à corrupção, o que pode contribuir para movimentos de replicação do laboratório de combate à corrupção construído em Curitiba, mas isso também depende da atuação discricionária dos gestores de cada um dos cinco Tribunais Regionais Federais do país.

Seguindo a trilha do núcleo paranaense, o TRF2 promoveu o reforço dos funcionários da 7ª Vara Criminal, responsável pelos casos da Lava Jato no Rio de Janeiro, além de designar um magistrado para auxiliar o juiz responsável pelo caso e suspender ou reduzir temporariamente a distribuição de casos não ligados à operação[90].

O expediente de reduzir o ingresso de novos casos não foi adotado pelo TRF1, que optou por designar um juiz para auxiliar nas atividades da 10ª Vara do Distrito Federal e, em novembro de 2017, criar uma nova Vara criminal, por meio da conversão de uma antiga vara cível, além de especializar a 12ª Vara Criminal para desafogar a única vara especializada sediada na capital do país. A estratégia adotada em Brasília acabou provocando a paralisação de diversos processos, pois gerou uma discussão sobre quais casos poderiam ser redistribuídos para a nova vara especializada.

---

[90] Cf. Portaria JF/RJ 310 de 13 jun. 2017; Portaria TRF2 263 de 16 maio 2017; Ato TRF2-ATC 138 de 10 maio 2017; Ato TRF2-ATC-2017/00365 de 25 set. 2017; Provimento TRF2 18 de 19 dez. 2017; Ato TRF2 30 de 30 jan. 2018; Provimento TRF2 4 de 7 jul. 2016; Provimento TRF2 13 de 17 nov. 2016; Provimento TRF2 2 de 20 fev. 2017; Provimento TRF2 5 de 10 maio 2017; Provimento TRF2 11 de 17 ago. 2017 e Provimento TRF2 18 de 19 dez. 2017.

Os gráficos 11 e 12 a seguir exibem o histórico de processos distribuídos anualmente, entre 2014 e 2018, nas três varas analisadas neste capítulo, além do saldo de processos em tramitação no fim de cada ano.

Gráfico 11 – Processos distribuídos anualmente (2014-2018).

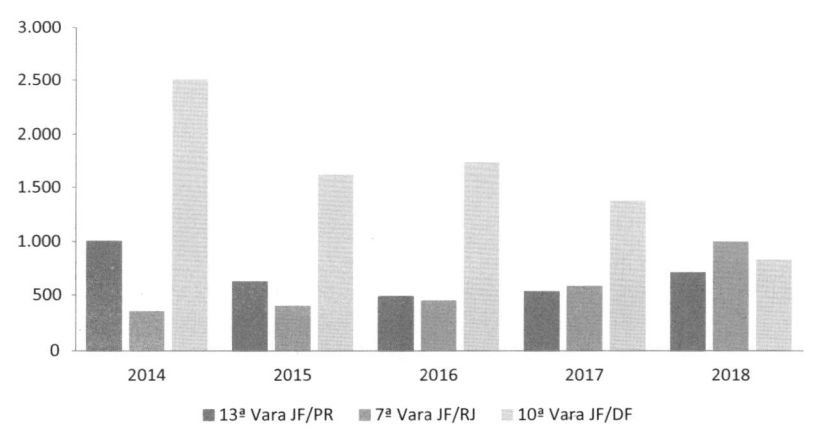

Elaborado pela autora.

Gráfico 12 – Processos em tramitação em dezembro (2014-2018).

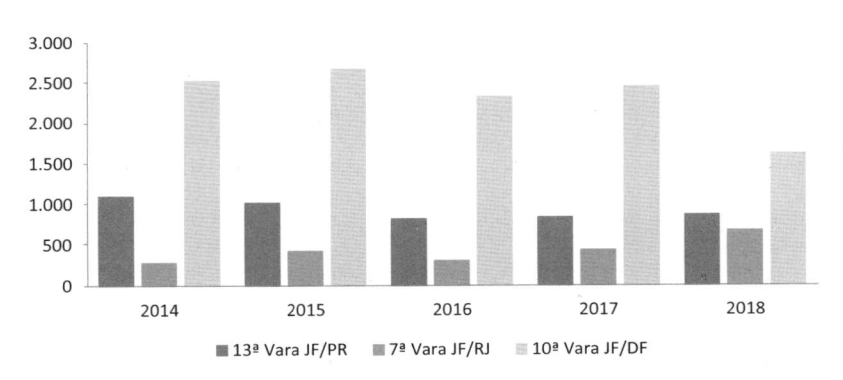

Elaborado pela autora.

Apesar de não se ter aprofundado a investigação sobre as causas pretéritas que produziram a gritante diferença observada nos gráficos[91], a diferença no tratamento dessas três unidades que atuam numa mesma operação já fornece um indicativo do quão seletivo pode ser o controle criminal da corrupção no país, diante de decisões discricionárias na gestão administrativa do sistema de justiça, o que se agrava nos casos de postura voluntarista dos juízes.

Isso é especialmente relevante ao levar em conta que os núcleos de Curitiba e do Rio de Janeiro atuam de forma preponderante nos desdobramentos da Lava Jato, enquanto a Justiça Federal que circunda o centro de poder do país hospedava, em maio de 2017, mais de vinte grandes operações criminais[92].

As intervenções cirúrgicas descritas aqui, promovidas pelos órgãos com capacidade decisória administrativa dos tribunais, podem produzir resultados muito relevantes no cenário eleitoral, já que a ágil condenação de atores políticos pode frustrar os planos daqueles que pretendem participar de eleições. O exercício dessa capacidade estatal do sistema de Justiça vai muito além da simples solução de casos concretos, atividade principal do Judiciário, e transforma alguns atores das camadas intermediárias e inferiores desse poder em verdadeiros designers de políticas públicas de combate à corrupção (*policies*), com capacidade para definir as regras do jogo (*polity*) ou interferir na competição eleitoral (*politics*).

---

[91] Uma análise comparativa mais precisa também dependeria da identificação de supostas diferenças nos critérios adotados pelas unidades sobre o tipo de assunto que gera um novo processo, pois é possível que pedidos incidentais (restituição de bens, pedidos de medidas cautelares, embargos de terceiros e outros) sejam formalizados no interior de processos já existentes (a restituição dentro do processo de busca e apreensão, por exemplo) ou mediante a criação de um novo processo exclusivamente para resolução do pedido, o que pode justificar que uma vara tenha o mesmo volume de trabalho representado em estatísticas processuais não equivalentes.

[92] Em maio de 2017 havia as seguintes operações em trâmite na 10ª Vara Federal do Distrito Federal: Greenfield, Perfídia, Cui Bono?, Janus, Sépsis, Zelotes, Acrônimo, Sete Erros, Abate, Choque, Elementar/Miqueias, Java, Mina da Terra, Patriota, Pícaro, Postalis, São Cristóvão, SwissLeaks, Cálice de Hígia, Bullish, Métis, Panela de Pressão, Navalha (Piauí) e Conclave. Cf. Tribunal Regional Federal da 1ª Região. Nota de esclarecimento da 10ª Vara Federal da Seção Judiciária do DF. *Notícias*, 19 maio 2017.

Não seria possível encerrar esta parte do livro sem fazer algumas considerações sobre a condenação do ex-presidente Lula, não apenas por ter sido a primeira vez que um ex-presidente foi condenado por crime comum no país, mas especialmente porque a tramitação célere dessa ação levou à sua exclusão da competição eleitoral de 2018, o que guarda estreita conexão com a hipótese sobre gestão estratégica do tempo de andamento dos processos criminais.

A CONDENAÇÃO DO EX-PRESIDENTE LULA

Os dados apresentados neste capítulo sugerem que a Lava Jato de Curitiba foi estruturada e se desenvolveu adotando estratégias que pressupõem a existência de uma hipotética organização criminosa de estrutura piramidal, esquadrinhada nas denúncias e decisões judiciais, formada por uma base integrada por operadores financeiros, por uma camada intermediária de gestores das grandes empreiteiras e pelo topo, composto pelas lideranças políticas, que seriam coordenadas pelo ex-presidente Lula. Estratégia semelhante já havia sido utilizada no caso do Mensalão, que chegou à antessala da presidência, mais precisamente à Casa Civil (Arantes, 2018).

Pode-se dizer que o núcleo curitibano da Lava Jato foi estruturado e conduzido pela Polícia Federal e pelo Ministério Público Federal, de um lado, e pela Justiça Federal, de outro, para atingir essencialmente os integrantes do sistema político. E, dentro desse grupo, parece difícil negar que Lula foi o alvo principal desde as fases iniciais da investigação, ao menos desde a assinatura, em 2014, dos acordos de colaboração premiada de Paulo Roberto Costa (27 de agosto), Alberto Youssef (24 de setembro), Augusto Ribeiro Neto (22 de outubro) e Pedro Barusco Filho (19 de outubro), todos ouvidos como testemunhas no caso do tríplex do Guarujá.

A primeira denúncia formulada contra o ex-presidente aponta o Mensalão e a Lava Jato "como faces de uma mesma moeda" e defende que nos dois casos houve "a criação de uma estrutura que direcionava benefícios aos que estavam no poder e aos seus partidos". O Ministério Público Federal afirma ainda que "uma nota comum dessas engrenagens delituosas foi o seu funcionamento em benefício de LULA, não só pelas vantagens financeiras que recebeu, mas também pela governabilidade conquistada e pelo fortalecimento de seu partido". Ao apontar a existência de diversos casos de corrupção semelhantes na Caixa Econômica Federal, na Eletronuclear e no Ministério do Planejamento, Orçamento e Gestão, a força-tarefa da Lava Jato afirma que os recursos desviados "foram utilizados para arrecadação de propina para agentes e partidos políticos" e que Lula figura no "vértice de diversos esquemas criminosos".

A identificação do alvo principal da força-tarefa de Curitiba ficou muito clara no célebre documento em PowerPoint exibido pelo MPF quando foi apresentada a primeira acusação contra Lula, em 14 de setembro de 2016. O coordenador da força-tarefa de Curitiba, ao falar da repercussão da coletiva em que exibiu o documento, ofereceu a justificativa de que a representação gráfica teve a intenção de mostrar que "Lula era o comandante do sistema criminoso implantado na Petrobras" (Dallagnol, 2017).

Espera-se que investigadores e acusadores busquem estratégias que viabilizem a futura condenação e prisão das pessoas que se incluam na narrativa criminosa por eles defendida, na qualidade de partes interessadas no resultado. O que chama a atenção, no entanto, são as diversas evidências de engajamento da Justiça Federal de Curitiba e, muitas vezes, também dos integrantes do Tribunal Regional Federal da 4ª Região na forma de gerir os processos criminais da operação, com claros sinais de alinhamento com a pretensão do MPF.

A gestão temporal dos processos orientou-se pelo papel que os principais investigados ocupam dentro do quadro geral descrito pelos acusadores, e repetiu-se nas decisões judiciais. Essa estratégia envolveu inclusive a agilização seletiva dos processos de investigados que no fim foram aceitos como colaboradores, mesmo ocupando posições elevadas dentro dos denominados núcleos empresarial e financeiro da alegada organização criminosa.

Concorde-se ou não com essa estrutura narrativa, e independentemente das controvérsias jurídicas sobre a legalidade da condenação, o fato é que ela ajuda a explicar o comportamento estratégico de traçar como meta prioritária a condenação de Lula. A eficácia da condenação, entretanto, só seria assegurada se ocorresse a tempo de evitar a imunidade penal decorrente de uma eventual vitória na eleição para a presidência da República.

Merecem análise algumas peculiaridades das ações movidas contra o ex-presidente em Curitiba. Lula foi denunciado três vezes pela força-tarefa paranaense (ações 50, 56 e 64 do quadro 7). Sem nenhuma pretensão de esgotar a análise dos casos, que contêm dezenas de aspectos merecedores de estudos que não cabem neste livro, destacam-se quatro temas sobre a forma de gestão dessas ações: imunidade de advogados, interceptação telefônica, condução coercitiva e gestão temporal das ações na Justiça Federal e dos recursos no TRF4.

Já foi ressaltado que a Lava Jato produziu relevantes pontos de conflito envolvendo a imunidade da comunicação entre advogados e clientes. No caso de Lula, as discussões em torno da imunidade dos advogados conectou-se com estratégias na documentação do resultado das interceptações telefônicas. Pode ser considerado o ápice desse duelo a interceptação telefônica do terminal do escritório do advogado Roberto Teixeira, sogro do advogado constituído do ex-presidente, posteriormente acusado em duas ações em Curitiba (ações 56, Instituto Lula, e 64, sítio de Atibaia, do quadro 7).

Aparentemente, o terminal do escritório de advocacia foi interceptado por equívoco, pois as decisões judiciais apontam que o cadastro do Instituto Lula na Receita Federal exibia o número de telefone do escritório. Se isso impedia que os investigadores soubessem que o telefone estava instalado no escritório dos advogados, essa informação certamente passou a ser conhecida quando teve início a captação das conversas, mas esse fato foi omitido no relatório da interceptação[93]. Ainda que o conteúdo das comunica-

---

[93] A interceptação perdurou de 19 de fevereiro a 16 de março de 2016. Cf. sentença da ação 50 (tríplex) do quadro 7.

ções não tenha sido utilizado nas decisões judiciais que se seguiram, a manutenção da interceptação, mesmo depois de verificado que o telefone não era da empresa interceptada, reforça a percepção de que práticas heterodoxas podem ter lugar nas fases em que há menor controle sobre os limites da discricionariedade dos investigadores e sobre possíveis ilegalidades.

Além de os investigadores terem ocultado a informação de que as conversas interceptadas envolviam o escritório de advocacia, também foi reconhecida usurpação da competência do Supremo Tribunal Federal na decisão do juiz Sérgio Moro sobre conteúdo de uma conversa que envolvia a então presidenta Dilma Rousseff, seguida de uma rumorosa e afobada divulgação de vários trechos da comunicação interceptada em 16 de março de 2016. O conteúdo da conversa foi utilizado pelo ministro Gilmar Mendes para impedir a nomeação de Lula para o cargo de ministro-chefe da Casa Civil em 18 de março de 2016.

Mesmo diante do potencial explosivo da divulgação de uma conversa envolvendo a presidenta da República e um ex-presidente, Sérgio Moro informou ao STF que "o levantamento do sigilo não teve por objetivo gerar fato político-partidário, polêmicas ou conflitos, algo estranho à função jurisdicional". No andar de cima, Gilmar Mendes não manifestou incômodo com a ilegalidade da atuação da Lava Jato, ao afirmar que naquele momento não era "necessário emitir juízo sobre a licitude da gravação em tela" para a suspensão da posse do ex-presidente, em 18 de março de 2016. Fazendo uso do mecanismo de ação individual que Arguelhes e Ribeiro (2018) cunharam como "ministrocracia", Gilmar Mendes não revogou sua decisão nem levou o caso ao colegiado, mesmo depois que o plenário reconheceu, em 31 de março de 2016, a ilicitude da interceptação do trecho divulgado.

O veto à posse de Lula, num momento em que o governo Dilma descia ladeira abaixo, carente da articulação política que possivelmente seria suprida pela atuação do ex-presidente, talvez constitua um dos principais efeitos da atuação voluntarista dos atores da Lava Jato na arena política, que nesse episódio contaram com o raro e indispensável apoio do ministro Gilmar Mendes. Esse fato só perde em relevância para a exclusão de Lula da competição eleitoral em 2018, possibilitada pela agilização seletiva da sua condenação, como mostrado a seguir.

As polêmicas envolvendo as conduções coercitivas na Lava Jato superam-se no caso do ex-presidente. Ele não só foi alvo de medida sem prévia intimação para prestar esclarecimentos na Polícia Federal, como também foi a ela submetido com o fundamento de que seria necessária para "evitar possíveis tumultos", com a ressalva de que a medida não teve o objetivo de "colocá-lo em posição vexatória". Além da heterodoxia de criar um novo fundamento para o uso da medida compulsória, chama a atenção o trecho final da decisão, em que o juiz afirma que a ordem judicial só deveria ser cumprida "caso o ex-Presidente convidado a acompanhar a autoridade policial para prestar depoimento na data das buscas e apreensões, não aceite o convite"[94]. Ao tentar amenizar a carga impositiva da medida, nomeando-a como "convite", que por natureza só é atendido pelo destinatário voluntariamente, o trecho traz um bom exemplo de como o vernáculo pode ser utilizado de maneira estratégica nas decisões judiciais.

A finalidade declarada de evitar tumultos não foi atingida, e talvez também tenha sido inviabilizada com a repercussão que a medida produziu algumas horas depois do início do seu cumprimento, ocorrido em 4 de março de 2016, na fase denominada Aletheia. Ressalte-se que, diferentemente de outras fases da operação em que houve prisão cautelar dos principais investigados – o que implicou dar início à ação criminal no intervalo aproximado de um mês –, a denúncia derivada dessa fase foi apresentada em 14 de setembro de 2016. Com exceção da fase 6, em que ocorreu apenas condução coercitiva e buscas em endereços relacionados a Paulo Roberto Costa (que já estava preso), e da fase Caça-Fantasmas, derivada da Aletheia, essa foi a única em que houve conduções coercitivas sem a prisão simultânea dos principais investigados.

---

[94] Decisão do dia 29 de fevereiro de 2016 nos autos 5007401-06.2016.404.7000.

A partir da hipótese de que, para os atores do sistema de Justiça, a racionalidade da condução coercitiva sem prévia intimação reside no constrangimento imposto ao investigado, que se vê diante do dilema de prestar depoimento sem ter prévio conhecimento dos documentos ou exercer o direito ao silêncio e perder uma oportunidade de defesa, a condução coercitiva de Lula foge do padrão da Lava Jato de Curitiba, pois a ação foi ajuizada mais de seis meses depois da fase ostensiva.

Essa exceção pode enfraquecer a hipótese aqui discutida, mas também pode-se valorá-la como evidência de que a condução coercitiva de Lula teve a finalidade exclusiva de desgastar a imagem política do ex-presidente, em especial porque ele já havia prestado depoimento na Polícia Federal de Brasília em 6 de janeiro de 2016, sem registro de incidentes. Essa hipótese vai ao encontro de manifestações de Lula feitas em janeiro e fevereiro de 2016, quando ele disse que sua candidatura a presidente dependeria do contexto de 2018 e que seria candidato se o PT entendesse que isso fosse necessário.

O desejo do PT teve pouca relevância, pois Lula foi condenado de forma célere a nove anos e seis meses de prisão, pena que foi elevada a doze anos e um mês no julgamento unânime da apelação, ocorrido apenas 154 dias depois da remessa dos recursos ao TRF4, antecedência mais do que suficiente para garantir a inelegibilidade do ex-presidente pelos oito anos seguintes ao cumprimento da pena.

Como já abordado anteriormente, as análises feitas aqui não avançam sobre o conteúdo e a valoração das provas existentes nas investigações e ações penais, tampouco sobre a avaliação dos atores do sistema de Justiça em relação aos fatos que foram qualificados como crimes. Os apontamentos feitos nesta parte do livro não constituem exceção, por isso as considerações sobre a ação estratégica relacionada à condenação de Lula se concentram no *timing* da tramitação dessa ação e daquelas que se relacionam diretamente com réus delatores que foram testemunhas-chave para o decreto condenatório.

Quatro ações sem acusados presos no momento da sentença foram mais céleres que a condenação de Lula, e têm relação direta com a efetividade da condenação do ex-presidente. A primeira diz respeito à denúncia feita contra executivos da Camargo Corrêa, cujo presidente, Dalton dos Santos Avancini, e o vice-presidente, Eduardo Hermelino Leite, passaram de réus a colaboradores e foram indicados como testemunhas de acusação na ação do tríplex (ação 19 do quadro 7 – 221 dias). José Carlos Bumlai também foi indicado como testemunha de acusação e figurou como alvo principal na ação 37 (276 dias), que tem por objeto um empréstimo supostamente fraudulento que também consta na denúncia que foi precedida da prisão de Ronan Maria Pinto (ação 42 – 300 dias), apontado na decisão como um dos beneficiários finais do empréstimo feito a pedido do PT.

O quarto caso se refere à primeira acusação feita contra os executivos da OAS. Não parece coincidência o fato de que a denúncia contra Lula indica como testemunhas de acusação três executivos e uma engenheira da empreiteira, além de incluir como réus dois executivos já condenados, Agenor Franklin Magalhães Medeiros e Léo Pinheiro[95], que foram especialmente beneficiados ao delatarem o ex-presidente. O contexto dessas delações, notadamente a de Léo Pinheiro, traz as marcas da ação estratégica que associa gestão do tempo processual com as prisões e delações, mas dessa vez com características que apontam Lula como alvo final.

Léo Pinheiro (Juízo Final)[96] e Agenor Franklin Medeiros (Juízo Final)[97] foram condenados em 5 de agosto de 2015 a dezesseis

---

[95] As testemunhas ligadas à OAS são: Carmine de Siervi Neto (diretor superintendente da OAS Empreendimentos), Ricardo Marques Imbassahy (diretor financeiro da OAS Empreendimentos), Igor Ramos Pontes (gerente regional de contratos da OAS Empreendimentos) e Mariuza Aparecida da Silva Marques (engenheira).

[96] Ações 15 (237 dias), 23 desmembrada, 43 (160 dias), 47 (644 dias), 50 (301 dias), 54 (sem julgamento), 64 (sem julgamento) e 85 (sem julgamento) do quadro 7.

[97] Agenor Franklin Medeiros foi preso em 14 de novembro de 2014 e obteve *habeas corpus* no Supremo Tribunal Federal em 28 de abril de 2015. Foi acusado nas ações 15 (237 dias), 23, 47 (644 dias), 50 (301 dias), 64 e 85 do quadro 7. Foi condenado a dezesseis anos e quatro meses (ação 15), quatro anos e seis meses (ação 47 – reduzida a dois anos e três meses) e seis anos (ação 50 – aplicada unificação das penas com possibilidade de progressão de regime depois de dois anos em regime fechado). As apelações foram julgadas em 407 (ação 15) e 154 (ação 50) dias, com elevação da primeira pena (26 anos e sete meses) e redução da segunda (um ano, dez meses e sete dias).

anos e quatro meses de pena (ação 15), mas se encontravam fora da prisão desde 28 de abril de 2015, quando já respondiam à segunda denúncia apresentada pela força-tarefa (ação 23).

A terceira acusação feita a Léo Pinheiro envolve a alegada tentativa de obstrução da CPI da Petrobras (ação 43), que foi distribuída nos balcões da Justiça Federal de Curitiba em 6 de maio de 2016, poucos dias depois da deflagração da Operação Vitória de Pirro, na qual foi preso o ex-senador Gim Argello, no dia 12 de abril de 2016. Até aqui se observa o procedimento-padrão da Lava Jato de seguir uma trajetória em que a denúncia é precedida de uma fase ostensiva com medidas de prisão cautelar, que não incluiu Léo Pinheiro. Depois de quatro meses de tramitação desse caso, em 2 de setembro de 2016, Sérgio Moro decretou a prisão preventiva de Léo Pinheiro, cumprida em 5 de setembro de 2016, apenas nove dias antes da apresentação da primeira denúncia contra Lula, na qual o executivo da OAS também foi acusado de corrupção e lavagem de dinheiro.

Pouco mais de dois meses depois dessa segunda prisão, a pena de Léo Pinheiro foi elevada pelo TRF4, em 23 de novembro de 2016, passando a 26 anos e sete meses de prisão. Além da aparente sincronização da atuação judicial nas duas ações criminais, três características desses processos chamam a atenção. Em primeiro lugar, a prisão realizada em 2016 foi decretada mais de cinco meses depois do pedido do Ministério Público Federal, o que não foi identificado em nenhum outro pedido de prisão da Lava Jato do Paraná (os pedidos são rapidamente apreciados, ainda que possam ser negados). Além disso, a prisão parece ter um *delay*, considerando-se que a CPI da Petrobras, fato que dá substrato à decisão, já havia sido concluída quase um ano antes dela. Por fim, também houve mudança na posição adotada pelo juiz em outros casos, nos quais afastou a necessidade da prisão em razão do comportamento colaborativo do investigado.

A sentença, no caso da CPI da Petrobras (13 de outubro de 2016), cuja celeridade recursal se destaca no gráfico 10, apresentado no início do capítulo, reconheceu a "confissão e parcial colaboração" de Léo Pinheiro, mas insistiu na necessidade da prisão, com o fundamento de que "somente uma colaboração completa e abrangente seria efetiva para afastar os riscos que a preventiva busca afastar".

Além disso, também fugindo ao comportamento que havia adotado em outros casos de colaboração sem prévio acordo, nos quais aplicou percentual de redução sobre a pena apurada[98], Sérgio Moro inovou na forma de valorar a colaboração de Léo Pinheiro na primeira condenação de Lula, em 12 de julho de 2017. O juiz ressaltou a relevância do depoimento de Léo Pinheiro, por envolver "crimes praticados pelo mais alto mandatário da República", e aplicou os mesmos critérios de redução previstos no acordo assinado por Marcelo Odebrecht, não sem antes afirmar que "questões novas demandam soluções novas"[99].

Enquanto a gestão temporal dos casos envolvendo Léo Pinheiro foi especialmente relevante para obter a delação do empresário, utilizada para fundamentar a condenação de Lula, o ritmo de tramitação da ação do ex-presidente tem marcas sugestivas de agilização para inviabilizar sua candidatura em 2018. Não se quer dizer com isso que a condenação teve esse objetivo, mas sim que a gestão temporal do caso traz evidências de que ele foi agilizado para permitir que a condenação em segunda instância ocorresse a tempo de impedir a sua participação na eleição, pois uma eventual vitória nas urnas impediria a aplicação da pena e até mesmo o prosseguimento da ação.

As três ações movidas em Curitiba contra o ex-presidente não contaram com réus presos em nenhum momento da tramitação, o que significa que nem mesmo nas fases iniciais houve fato que

---

[98] Leonardo Meirelles (ação 6 do quadro 7), Carlos Alberto Pereira da Costa (ações 13, 17 e 18) e Ediel Viana da Silva (ações 8 e 13).

[99] A sentença adota conteúdo decisório claramente condicional, na medida em que define que a redução da pena depende da confirmação pelo Tribunal Regional Federal, criando uma hipótese nova de obrigatoriedade de interposição de recurso, e condicionando expressamente seus efeitos "à continuidade da colaboração, apenas com a verdade dos fatos em todos os outros casos criminais em que o condenado for chamado a depor. Caso constatado, supervenientemente, falta de colaboração ou que o condenado tenha faltado com a verdade, o benefício deverá ser cassado".

justificasse o trâmite acelerado para evitar excessos de prazo nas prisões. A prescrição também não justifica a prioridade à tramitação, pois, se fosse aplicada a pena mínima numa condenação por corrupção, a Justiça Federal teria o prazo de dois anos para o julgamento em primeira instância, que poderia ocorrer até 20 de setembro de 2018 no caso do tríplex[100].

A primeira condenação foi julgada em 301 dias, com a realização de 25 audiências num intervalo de apenas 169 dias[101]. O segundo julgamento demorou mais que o dobro do tempo para ocorrer (625 dias)[102] e o terceiro caso já tramitava havia 747 dias[103] sem julgamento em dezembro de 2018.

A significativa diferença de duração é compatível com a hipótese de que a primeira condenação foi agilizada com a finalidade de inviabilizar a candidatura do ex-presidente em 2018, na medida em que uma delas já seria suficiente para atingir tal objetivo. É interessante observar que, se o caso do tríplex tivesse a mesma duração da segunda condenação, Lula não teria sido excluído da eleição de 2018, pois, ainda que mantida a célere tramitação no TRF4, a apelação seria julgada em 18 de dezembro de 2018. A gritante diferença impressa pelo TRF4 no ritmo de tramitação das apelações do caso do tríplex pode ser observada no gráfico 10,

---

[100] Considera-se a pena mínima do crime de corrupção (dois anos) sem a causa de aumento pela prática de ato de ofício e com a redução do prazo prescricional pela metade, pois o ex-presidente tinha mais de setenta anos de idade. Na prática, o prazo de prescrição estimado pela sentença seria de seis anos para a pena de corrupção e de quatro anos para a pena de lavagem de dinheiro, pois Lula foi condenado a seis anos pelo primeiro crime e a três anos e seis meses pelo segundo. Assim, diante da sentença proferida, não haveria prescrição para nenhuma das penas se o julgamento fosse realizado até 20 de setembro de 2020.

[101] Ação 50 do quadro 7. A denúncia foi distribuída em 14 de setembro de 2016 e contém indicação de oito réus e 27 testemunhas, dez delas colaboradoras. O caso foi decidido em primeira instância em 12 de julho de 2017 e as apelações foram julgadas em 24 de janeiro de 2018.

[102] Ação 64 do quadro 7. A denúncia foi distribuída em 22 de maio de 2017 e contém indicação de treze réus, cinco deles colaboradores, além de 39 testemunhas, número que inclui vinte colaboradores. O caso foi julgado em primeira instância em 6 de fevereiro de 2019.

[103] Ação 56 do quadro 7. A denúncia foi distribuída em 14 de dezembro de 2016 e contém indicação de nove réus e 22 testemunhas de acusação, das quais catorze já eram colaboradoras.

onde se verifica que apenas um caso teve julgamento mais rápido (138 dias), com apenas um apelante, que estava preso (ação 21 do quadro 7). Destacam-se três aspectos na atuação do tribunal nesse caso, abordados a seguir.

Em primeiro lugar, percebe-se uma estratégia de ocultação dos reais parâmetros utilizados para acelerar o caso do ex-presidente. Em resposta a questionamento da defesa sobre esse tema, o presidente do TRF4 aponta um relatório do Conselho da Justiça Federal em que foi reconhecido que o tribunal possui "excelente estrutura e organização que resultam em alta produtividade, cumprindo o preceito constitucional de duração razoável dos processos". Além disso, a agilidade no julgamento foi justificada por ser compatível com a média de duração dos julgamentos do tribunal, onde a celeridade seria a regra e não a exceção, além de indicar que a norma sobre obediência à ordem cronológica de distribuição sofre exceções, como a meta 4 do Conselho Nacional de Justiça, que prevê a priorização do "julgamento dos processos relativos à corrupção e improbidade administrativa".

O trecho integral da meta 4 não foi transcrito no documento. Omitiu-se a informação de que o CNJ definiu como prioridade, em 2018, o julgamento de 70% dos casos de corrupção distribuídos até 31 de dezembro de 2015, o que não inclui o caso de Lula, que ingressou na primeira instância da Justiça Federal em 14 de setembro de 2016.

O segundo aspecto a considerar é a ausência de referência, nos esclarecimentos do desembargador, à diferença de complexidade entre os casos gerais julgados pela 8ª Turma do TRF4 e as apelações do caso do tríplex. A pauta da sessão que precedeu o julgamento da apelação do ex-presidente e a da sessão seguinte trazem alguns dados interessantes sobre esse tema[104].

---

[104] A partir da relação de processos incluídos na pauta da 8ª Turma nos dias 13 de dezembro de 2017 e 31 de janeiro de 2018, selecionaram-se os casos que envolvem julgamentos de mérito de apelações, com identificação da duração desde a data de autuação no TRF4 até a sessão de julgamento. O conteúdo dos casos foi identificado a partir do voto do desembargador relator no andamento processual dos casos.

No dia 13 de dezembro de 2017 houve julgamento sobre o mérito de 52 apelações, que duraram de 29 a 1.139 dias (média de 281 dias, bem superior aos 154 dias do caso do tríplex). Além disso, não se observa a presença de casos complexos nem mesmo entre as 35 apelações que duraram mais do que o caso de Lula, as quais envolvem reduzido número de apelantes em temas descritos com bastante simplicidade no relatório do primeiro voto, relativos a transporte/venda de maços de cigarro contrabandeados, sonegação fiscal, estelionato, porte/introdução de cédulas falsas, receptação de relógios, falsidade documental, importação de munição/medicamentos, extração de argila, tráfico e falso testemunho. Esse quadro é compatível com a análise feita por Madeira e Geliski (2019), que identificaram a preponderância de *petty corruption* nos julgamentos do TRF4, notadamente contrabando e descaminho.

Casos do mesmo tipo ocuparam a pauta da sessão realizada em 31 de janeiro de 2018, quando houve julgamento sobre o mérito de 48 apelações que duraram de 75 a 964 dias (média de 236 dias), 31 delas preteridas pelo caso do ex-presidente, mesmo envolvendo majoritariamente casos com apenas um apelante e fatos descritos de forma muito simples pelo desembargador relator (em sua maioria relacionados a importação ilegal de mercadorias, sobretudo cigarros).

É aceitável que casos de maior complexidade demandem mais tempo para julgamento dos recursos, o que seria ainda mais justificável no caso de um tribunal que recebeu avaliação geral positiva de cumprimento dos prazos razoáveis. Pode-se dizer que, se um tribunal possui estrutura que lhe permite julgar os recursos com celeridade, desobedecer à ordem da fila só se justificaria se houvesse risco de prescrição, o que nem de longe era o caso do processo do tríplex, que fora sentenciado dez meses antes do julgamento da apelação. Considerado o patamar das penas fixadas pela primeira instância, o julgamento de todos os recursos poderia ocorrer até 24 de janeiro de 2022 para que não houvesse prescrição de nenhuma das duas penas fixadas; caso ocorresse até 24 de janeiro de 2024, ainda permaneceria excluída da prescrição a pena de seis anos pela condenação por corrupção.

A terceira consideração sobre o caso do ex-presidente envolve o episódio em que o desembargador de plantão, Rogério Favreto, deferiu pedido de *habeas corpus* formulado por deputados do PT no fim de semana, com determinação da liberdade de Lula até o trânsito em julgado da condenação. O que merece ser destacado nesse episódio nem é a controvertida decisão em plantão judiciário, mas sim a mobilização que se seguiu para impedir um dia de liberdade ao ex-presidente, o que envolveu a Polícia Federal, Sérgio Moro, o desembargador relator Gebran Neto e o presidente do TRF4. Em vez de cumprir a ordem judicial, que poderia ser revertida no dia seguinte pelo relator do caso, a autoridade policial responsável pela custódia do ex-presidente manteve contato com Sérgio Moro, que durante as férias despachou nos autos, orientando o delegado a não cumprir a decisão do desembargador plantonista. Apesar de tudo ter ocorrido num domingo, dia em que apenas juízes e desembargadores plantonistas exercem atividades jurisdicionais, rapidamente a decisão liminar foi revertida, pois Gebran Neto determinou que a Polícia Federal não cumprisse a ordem de liberdade, o que foi validado pelo presidente do TRF4 no mesmo dia, ao ser acionado para um igualmente controvertido conflito de competência entre o plantonista e desembargador relator responsável pelo processo.

Não teria muita utilidade imaginar o que teria ocorrido se Lula tivesse sido solto no domingo e a prisão tivesse sido restabelecida na segunda-feira, mas o comportamento dos juízes que atuaram para reverter a decisão de Favreto sugere que cogitaram um cenário apocalíptico e aponta elevado envolvimento com a efetividade da condenação do ex-presidente.

Esse envolvimento aparece de forma marcante na gestão temporal das ações criminais ligadas a Lula, conduzidas de modo a impedir que uma possível eleição à presidência da República tornasse sem efeito a condenação.

Não é simples verificar se apenas depois de Lula ter anunciado publicamente a sua candidatura houve gestão temporal estratégica dos casos que viabilizaram sua condenação a tempo de excluí-lo da eleição, ou se antes disso essa estratégia já estava sendo usada. Não se exclui a segunda hipótese, porque aconteceu divulgação na mídia do movimento "Volta, Lula", em 2014, além de uma intensa especulação sobre sua pretensão de retornar à presidência da República, o que possivelmente transformou a sua potencial candidatura num fantasma para o núcleo da Lava Jato de Curitiba, pois a vitória numa eleição para a presidência da República constituiria obstáculo à condenação criminal do presidente por atos estranhos ao mandato[105]. Entretanto, o candidato condenado criminalmente por órgão colegiado fica excluído da competição eleitoral[106], o que confere racionalidade à estratégia de agilizar a tramitação para alcançar a sanção criminal do candidato que figurava como alvo principal da operação.

Seja como for, diversas peculiaridades nas ações movidas contra o ex-presidente sugerem que houve gestão estratégica para viabilizar julgamentos a jato da denúncia, mesmo com elevado número de réus e de testemunhas a serem ouvidas, bem como das apelações no célebre caso do tríplex que o excluiu das eleições de 2018.

Dizendo claramente: se a condenação de Lula em segunda instância não tivesse ocorrido a tempo de impedir sua candidatura, a pena imposta ao alvo central da operação não seria efetivamente aplicada se ele vencesse as eleições de 2018. É interessante destacar a escolha política dos atores do Judiciário Federal, que, tendo em mãos a opção de deixar sob as rédeas do eleitor o controle político da responsabilidade de Lula sobre os desvios da Petrobras, optaram por excluir essa possibilidade para fazer prevalecer a caneta dos togados.

Esse seria o encerramento de uma narrativa sobre a Lava Jato se a operação se resumisse a um conjunto de investigações e ações criminais que apuram os alegados desvios de recursos dos cofres da Petrobras. Entretanto, a condenação do ex-presidente é um capítulo intermediário da Lava Jato, com grande relevância pela sua

---

[105] Cf. artigo 86, parágrafo 4º da Constituição Federal.
[106] Cf. artigo 2º da Lei Complementar 135/2010.

repercussão na arena eleitoral, mas que tem episódios precedentes e vários outros que se sucederão.

A condenação de Lula e os resultados da Lava Jato ocorrem depois de um contínuo processo de aprimoramento institucional do controle criminal da corrupção, detalhado na primeira parte do livro. Esse desenvolvimento ampliou as capacidades estatais da Justiça Federal, introduziu e aprimorou ferramentas voltadas à produção mais eficiente de provas nas investigações, além de ter facilitado o intercâmbio entre os países na área criminal, num contexto de pressões internacionais pelo combate mais efetivo à corrupção e à lavagem de dinheiro. A própria Operação Lava Jato não se resume aos núcleos analisados neste livro, pois diversos desdobramentos das investigações iniciadas em Curitiba foram direcionados a outras unidades do Judiciário, seja por se referirem a fatos não relacionados à Petrobras (concentrados em Curitiba), seja pelos efeitos do novo paradigma fixado pelo Supremo Tribunal Federal sobre o foro privilegiado, em maio de 2018.

Os núcleos centrais da Lava Jato aqui analisados abrangem investigações e ações criminais que se desenrolaram num período de quase cinco anos, quando fatores externos ao sistema de Justiça emergiram como resposta à operação. De um lado, a Lava Jato obteve apoio de vários setores da sociedade, inclusive de movimentos sociais que promoveram atos públicos em defesa da operação, além de significativo apoio na mídia, no meio jurídico e de integrantes da oposição ao governo Dilma Rousseff. No polo oposto, a operação foi alvo de críticas de parte da mídia e de parcela significativa da advocacia privada, que reiteradamente apontou abusos nos métodos utilizados, o que ainda provocou a reação dos atores atingidos pela operação, do empresariado e do sistema político.

As análises sobre o significado, as causas e os efeitos desses fatores externos à operação possivelmente demandam maior distanciamento temporal do cientista social, já que a operação continua a produzir resultados, com recorde de número de denúncias apresentadas pelo núcleo paranaense em 2019. Além disso, parece razoável que as análises sobre esses fatores externos ocorridos enquanto a

Lava Jato produziu seus resultados também considerem o papel da própria operação como variável que contribuiu para produzir várias mudanças no cenário social, político e econômico, notadamente diante da declaração pública de que integrantes da operação usaram estratégias na divulgação de fatos investigados. Também é preciso considerar que as forças-tarefa, por definição, são constituídas para funcionar temporariamente, o que tem repercussão no significado de medidas administrativas adotadas na reformulação do quadro de agentes públicos envolvidos com os núcleos da Lava Jato. De qualquer forma, os fatores externos surgidos no curso da operação não foram suficientes para comprometer ou inviabilizar os resultados produzidos analisados neste livro.

Pode-se dizer que os efeitos das mudanças institucionais sobre o combate à corrupção no país ultrapassam a Lava Jato, na medida em que o quadro de mudanças pode produzir resultados em outras investigações e operações, mesmo sem a articulação na gestão administrativa que, por medidas discricionárias, conferiu ao núcleo de Curitiba recursos extras que disponibilizaram um dos elementos-chave para os resultados alcançados: o controle do tempo.

Reflexões críticas e os próximos capítulos

Nas últimas décadas, o Brasil conheceu um importante desenvolvimento institucional no que diz respeito ao combate à corrupção, notadamente na esfera federal. Diversas agências que atuam na rede de *accountability* foram criadas e outras foram aprimoradas, como a Controladoria-Geral da União e o Tribunal de Contas da União, além da Polícia Federal e do Ministério Público Federal. Pode-se ainda observar um processo de mudanças institucionais que se refletem diretamente na punição criminal da corrupção na esfera federal, que apresentava um diagnóstico de ineficiência, ao menos até os impressionantes resultados atingidos pela Operação Lava Jato, que levou grandes empresários e políticos de alto escalão à prisão.

Várias mudanças descritas neste livro podem ser consideradas essenciais para a eficiência do controle criminal da corrupção, seja por permitirem a agilização de procedimentos de produção de provas e de tramitação das ações, seja por otimizarem as atividades de análise financeira necessárias para rastrear e comprovar crimes financeiros, que em geral envolvem operações complexas e ultrapassam as fronteiras nacionais.

A densa análise das ações criminais aqui apresentada, entretanto, revela que os resultados não foram atingidos apenas graças aos avanços institucionais ligados ao controle criminal da corrupção. Além de valer-se dos aprimoramentos institucionais promovidos nos anos que antecederam a operação, o Judiciário Federal atuou com altas doses de voluntarismo e fez uso de uma gestão estratégica do tempo de tramitação dos processos judiciais que permitiu alcançar os resultados apontados, fazendo desses processos instrumentos para atingir determinados fins convergentes com a pretensão do Ministério Público e com o discurso de envolvimento e protagonismo do Judiciário no combate à corrupção. Pode-se dizer, parodiando o ministro Marco Aurélio Mello, do Supremo Tribunal Federal, que no núcleo curitibano da Lava Jato os processos tinham capa e ela influenciou a gestão temporal dos casos.

Esse diagnóstico torna mais premente o debate público sobre alguns aspectos do controle criminal da corrupção que têm reflexos na arena política e no funcionamento da democracia.

Em primeiro lugar, há limites pouco claros da discricionariedade dos atores do sistema de Justiça, que abrange desde escolhas relativas a prioridades no controle criminal da corrupção até mudanças endógenas amparadas na autonomia administrativa. O tema dos limites da atuação discricionária desses atores assume relevância na medida em que a falta de mecanismos efetivos de controle amplia as margens de ação voluntarista, o que abre portas para a seletividade movida por fatores não submetidos a escrutínio público, inclusive com a defesa oculta de interesses de agremiações partidárias ou de agentes políticos específicos. A potencial interferência e até mesmo a defesa de interesses de países estrangeiros também são sinais de alerta diante da deficiência de controle sobre as comunicações e a troca de informações entre investigadores brasileiros e agentes vinculados a outros países.

Há de se reconhecer que os atores envolvidos com determinada operação de combate à corrupção deparam com limites quanto à extensão dos fatos e à relação dos políticos que podem ser investigados e processados, em decorrência de regras sobre competência, da prescrição de fatos antigos e da existência de foro privilegiado. Por outro lado, essas limitações adquirem uma roupagem de legitimidade que dificulta a identificação e o controle do uso político do processo criminal, em especial se movido por preferências ideológicas que não podem ser facilmente associadas a partidos políticos.

O segundo aspecto envolve a ampla zona cinzenta conferida ao Judiciário na interpretação e aplicação de algumas leis, seja pela vagueza semântica do texto legal, seja pelo déficit normativo na atividade legislativa do Congresso Nacional. Essa zona cinzenta permite o uso voluntarista de institutos jurídicos, como a prisão preventiva e a colaboração premiada, principalmente quando há alinhamento entre os objetivos buscados pelos órgãos de investigação e pelo Judiciário, na medida em que eles encontram confortável espaço para inovar na aplicação dos institutos jurídicos sem passar pelo debate público na arena parlamentar. Um bom exemplo pode ser identificado na atuação do Conselho Nacional do Ministério Público ao avançar sobre atividades legislativas típicas do Congresso Nacional, como ocorreu com o "acordo de não persecução penal", regulado pela Resolução 181/2017, mas que só foi previsto em lei aprovada pelo Congresso em 2019.

Há uma extensa lista de questionamentos razoáveis que podem ser feitos sobre os fundamentos usados na Lava Jato para determinar ou não a prisão antes de definida a responsabilidade criminal dos investigados. Mesmo sem enfrentar tais discussões, é difícil negar que a ampla autonomia na interpretação dos fatos e na aplicação das regras sobre prisões cautelares aumenta sobremaneira a área cinzenta em que os atores do sistema de Justiça podem mover suas peças. Isso dificulta que finalidades escusas sejam detectadas pelos órgãos de controle e até mesmo pelos tribunais, onde o volume de casos possivelmente inviabiliza a análise de detalhes das investigações que não constam nas decisões judiciais.

A Operação Lava Jato mostra que os problemas decorrentes da discricionariedade foram agravados diante da estratégia adotada pelo núcleo paranaense para manter os casos da Petrobras em Curitiba. Isso impediu que os tribunais realizassem um controle efetivo sobre as regras de competência, o que abre uma porta para a atuação concertada entre os atores da primeira instância, que pode ou não ser replicada em outras unidades do Judiciário. Além disso, o malabarismo adotado para evitar que uma grande operação siga o destino que todas as demais seguiriam é um sinal de alerta que suscita pelo menos dois questionamentos.

O primeiro envolve a discussão sobre o papel do Judiciário numa ação criminal, já que o elevado interesse na condução de um caso sugere o comprometimento do juiz com o resultado do processo. Isso esbarra num princípio caro às democracias: a imparcialidade daquele que exerce o papel de julgador. O tema é especialmente importante diante da dificuldade de comprovar a parcialidade do juiz.

A participação de Sérgio Moro no governo Bolsonaro, no qual ocupou o cargo de ministro da Justiça de janeiro de 2019 a abril de 2020, ilustra bem esse problema e como o Judiciário tem sido relutante em enfrentá-lo. Os políticos ligados ao PT formularam diversos pedidos alegando a parcialidade do juiz, todos negados sem grande dificuldade pelos tribunais enquanto Moro era magistrado em Curitiba. O alinhamento dele ao candidato que venceu o PT no segundo turno, manifestado pela aceitação do cargo de ministro da Justiça apenas quatro dias depois das eleições, não só silenciou diversos apoiadores da Lava Jato, como também deixou em banho-maria os pedidos ainda pendentes sobre a parcialidade do agora ex-juiz.

A segunda questão envolve a interação de dois temas: seletividade e judicialização da política pela via criminal. A seletividade pode ser analisada com relação ao espectro de pessoas atingidas pelas grandes operações de combate à corrupção de médio e alto escalão, que basicamente são os atores que competem na arena eleitoral pelas posições de poder numa democracia.

A competição dentro das regras do jogo pressupõe que o desenho institucional seja modelado de tal modo que o controle criminal da corrupção alcance de forma mais ou menos equivalente todos os competidores. Pode-se considerar que diferenças estruturais do sistema de Justiça constituem elemento de incerteza e fazem parte dos cálculos dos atores políticos, mas estes certamente não contam com estratagemas adotados por atores do Judiciário para determinar quais casos receberão tratamento prioritário e, o que é mais importante, quais atores políticos serão excluídos da competição eleitoral em razão desses estratagemas.

Esses problemas se agravam diante da discricionariedade administrativa dos tribunais para promover mudanças na capacidade estatal das unidades da Justiça Federal, como ocorreu na 13ª Vara de Curitiba e, em menor intensidade, nas varas da Lava Jato do Rio de Janeiro e de Brasília. Ao considerar o princípio de que a Justiça deve ser igual para todos, as condições especiais reunidas na vara paranaense permitem afirmar que houve quebra dessa isonomia e que, em nome da eficiência processual, atores da classe política foram seletivamente atingidos pelo controle criminal da corrupção que se deu a partir de Curitiba.

As mudanças circunstanciais, que decorrem de pura discricionariedade dos tribunais, não encontram fundamento numa norma geral nacional sobre os parâmetros que devem ser utilizados pelas unidades da Justiça Federal para identificar e justificar que determinado caso receba tratamento prioritário e por quanto tempo. O mesmo tipo de discricionariedade seletiva pode ser observado na formação das forças-tarefa do Ministério Público e da Polícia Federal: não há regramento que assegure a uniformidade nacional do seu uso e da sua efetividade.

A falta de institucionalização dessas práticas, somada à ação estratégica de impedir que os tribunais identificassem a unidade correta da Justiça Federal onde a operação deveria ser mantida, transferiu para meia dúzia de membros do Judiciário a autoridade quase imperial de definir quais atores políticos seriam condenados rapidamente e, em consequência, quais seriam excluídos das competições eleitorais.

Os fatores estruturais que geram seletividade no controle criminal da corrupção política, agravados pela ação voluntarista, num contexto de amplas margens de discricionariedade dos atores do sistema de Justiça, levam inclusive à necessidade de revisão do debate sobre a eficiência da fase de punição criminal.

Análises pautadas em fatores meramente quantitativos, relacionados ao número de políticos e grandes empresários sujeitos a sanções de natureza penal, deixam de lado duas questões que também se inserem no tema da eficiência: como se opera esse controle e quão isonômica é sua incidência.

O controle criminal que ultrapassa barreiras da legalidade, além de fragilizar a democracia pela ruptura do Estado de Direito, também pode ser qualificado como uma atuação corrupta, em especial se proporciona benefícios pessoais ou institucionais a quem o promove.

Tampouco há como apontar eficiência num controle que não se opera de forma equânime, seja por violar o princípio de igualdade das democracias, seja por representar um fator de desequilíbrio da arena política, com risco de deslegitimação da política ou das pautas defendidas por aqueles que são seletivamente atingidos pelo controle criminal.

O comportamento voluntarista dos atores do Judiciário exposto neste livro, que permitiu a atuação altamente seletiva do controle da corrupção, sugere que são precipitadas as análises que defendem de forma quase irrestrita o envolvimento do Judiciário no combate à corrupção. Ainda que se reconheça a importância do controle criminal da corrupção política, devem ser feitas ponderações sobre o papel do Judiciário na atividade estatal de persecução penal, sobretudo diante dos efeitos altamente gravosos da sanção criminal ao indivíduo e ao seu entorno, além da questão ligada à possível ineficiência desse tipo de punição para reduzir ou desincentivar a corrupção (Oliveira, Cunha, 2017; Da Ros, 2019).

O desenho das democracias em geral inclui o Judiciário numa posição de equidistância entre o Estado que acusa e o indivíduo que responde a uma acusação, modelo expressamente previsto no desenho institucional brasileiro. Esse modelo se fragiliza quando o Judiciário passa do papel de árbitro de conflitos para o de combatente que usa de sua privilegiada posição no processo penal para buscar resultados incluídos nas missões institucionais dos órgãos de acusação.

O caso brasileiro ainda tem a peculiaridade de contar com uma Polícia Federal estruturada e com corpo qualificado (Arantes, 2011a), além de um Ministério Público dotado de ampla autonomia e independência, mas sujeito a poucos mecanismos de *accountability*, entre eles o controle exercido pelo Judiciário nas atividades de persecução penal (Arantes, 2011b; Moncau et al., 2015; Kerche, 2018). Incluir a justiça criminal na missão de combate à corrupção implica reduzir ainda mais o deficiente controle que existe sobre a atuação do Ministério Público no país, com potencial inclusive para aumentar os níveis de corrupção dentro do sistema de Justiça. A célebre equação da corrupção formulada por Klitgaard (1998) parece se aplicar nessa análise: $C = M + D - A$, ou seja, a corrupção (C) é equivalente ao monopólio da decisão (M) mais a discricionariedade (D) menos a prestação de contas (A).

Além disso, há um discurso recorrente, entre os atores do sistema de Justiça envolvidos com a Operação Lava Jato, sobre a natureza institucionalizada e generalizada da corrupção identificada a partir do caso da Petrobras[1]. Ao pressupor que esse diagnóstico está correto, depara-se com um problema adicional relacionado ao funcionamento da democracia, que envolve o déficit de legitimidade quando alguns integrantes do sistema de Justiça definem de forma cirúrgica qual parcela da corrupção sistêmica será priorizada.

A Lava Jato mostra que parte do sistema de justiça criminal abraçou a missão de decidir e implementar um tipo de política pública de gestão de choque no combate à corrupção, pela mobilização de recursos materiais e humanos para exercer um controle ágil, efetivo e cirurgicamente selecionado.

Esse receituário para lidar com a corrupção sistêmica, além de passar pela questão da legitimidade do sistema de Justiça, também

---

[1] Pontes e Anselmo (2019), que atuaram como policiais na fase de investigação, denominam de "crime institucionalizado" a "nova morfologia do crime" que apuraram na Lava Jato, em "esquemas que transpassavam diferentes esferas de governo". Dallagnol (2017) relata que "a Lava Jato comprovou a existência de uma corrupção generalizada, infiltrada em diversos órgãos públicos como parte de um modo de governar que envolvia vários partidos políticos". Moro (2018) afirma que "foi descoberto um esquema de corrupção sistêmica" no qual "o pagamento de vantagem indevida era tido como o padrão de comportamento comum, a regra do jogo".

leva o Judiciário a se apropriar do debate sobre o tipo de política pública anticorrupção mais adequado à solução do problema, que envolve o que a literatura denomina de dilemas coletivos de segunda ordem, por não haver equilíbrio na solução cooperativa (Ostrom, 2000). Isso é especialmente relevante porque estudos da corrupção em perspectiva comparada apontam que são raros os casos de sucesso no curto prazo, sobretudo se não são acompanhados de mudanças para aumentar a transparência dos órgãos públicos e o monitoramento de suas ações por outras agências (Taylor, 2018).

A narrativa que teve início no processo incremental de desenvolvimento institucional do arcabouço anticorrupção, até culminar na maior operação de combate à corrupção já realizada no país, certamente não tem seu último capítulo na Lava Jato. Ainda que desconhecidos os capítulos por vir, parece seguro apostar que ao menos algumas das inovações introduzidas por essa operação serão replicadas não só na Justiça Federal, mas também em outras esferas do Judiciário.

A colaboração premiada possivelmente se destaca entre essas mudanças, pois a agilização de um grupo de ações criminais, somada a prisões preventivas de alvos estratégicos, levou a uma reação em cadeia que não só intensificou o uso da colaboração, como também produziu uma mensagem pública das vantagens do acordo, que facilita as atividades dos órgãos de investigação e reduz sensivelmente os ônus dos investigados que recorrem à colaboração. Além disso, se estiver correta a análise aqui apresentada sobre a relevância da agilidade seletiva da Lava Jato como incentivo à colaboração premiada, a decisão do Supremo Tribunal Federal que voltou a proibir o cumprimento da pena após a decisão em segunda instância, de novembro de 2019, reduz ainda mais as chances de replicação dos resultados atingidos pelo núcleo paranaense da operação.

As apostas sobre o que esperar do controle criminal da corrupção depois da Lava Jato também devem considerar as mudanças legislativas, aprovadas e em andamento, que surgiram como possível reflexo do ambiente político criado pela operação.

A aprovação da Lei 13.964/2019, apelidada de "pacote anticrime", insere-se num contexto de disputas entre narrativas de recrudescimento da punição pela via criminal, de reação do sistema político à Lava Jato e de aprimoramento dos controles sobre os atores do sistema de justiça criminal. O longo texto legal tem dispositivos que claramente são direcionados a evitar a replicação de arranjos concertados como os que ocorreram na Lava Jato, como o juiz de garantias e algumas restrições à decretação de prisão preventiva.

A figura do juiz de garantias, não implementada em razão de liminar concedida pelo ministro Luiz Fux, exige a atuação de dois juízes diferentes num caso criminal, um para análise dos pedidos da polícia e do Ministério Público, na fase de investigação, da qual o investigado não participa, e outro para atuar na condução do processo, em que acusação e defesa podem expor seus argumentos e participar da produção da prova. Por um lado, é esperado que esse instituto jurídico desacelere o ritmo de tramitação dos casos criminais mais complexos, na medida em que o segundo juiz recebe um caso sobre o qual desconhece os detalhes. Por outro, minimiza os riscos de ação concertada entre os órgãos de investigação e o magistrado, além de favorecer a imparcialidade, por atenuar os riscos de que o contato direto com a fase de investigação comprometa a receptividade do juiz à versão dos fatos apresentada pela defesa.

Vê-se que os efeitos esperados desse instituto se relacionam diretamente aos fatores que contribuíram para os resultados atingidos pela Lava Jato e às críticas que acompanharam a trajetória da operação. Essas críticas também parecem estar por trás das mudanças nas regras da prisão preventiva, que agora pressupõe perigo gerado pela liberdade do investigado e a existência de fatos novos ou contemporâneos, além da vedação de ser utilizada como cumprimento antecipado da pena.

Resta saber se todos os esforços mobilizados para viabilizar uma operação do porte da Lava Jato efetivamente produzirão resultados duradouros de desincentivo à corrupção sistêmica que se afirma existir no país, o que parece uma aposta bem arriscada diante do recorte seletivo que caracteriza a operação.

Referências bibliográficas

ABRAMO, C. W. "Percepções pantanosas: a dificuldade de medir a corrupção", *Novos estudos Cebrap*, São Paulo, n. 73, pp. 33-37, nov. 2005.
ACEMOGLU, D.; VERDIER, T. "The choice between market failures and corruption", *American Economic Review*, v. 90, n. 1, pp. 194-211, mar. 2000. Disponível em: <https://economics.mit.edu/files/3908>. Acesso em: 19 out. 2019.
ADDISON, H. J. "Is administrative capacity a useful concept? Review of the application, meaning and observation of administrative capacity in political science literature", *LSE Research Paper*, 2009.
ALENCAR, C. H. R.; GICO JR., I. "Corrupção e judiciário: a (in)eficácia do sistema judicial no combate à corrupção", *Revista Direito GV*, São Paulo, v. 7, n. 1, pp. 75-98, jun. 2011.
ALEXY, R. *Teoria da argumentação jurídica*. Trad. Zilda Schild Silva. São Paulo: Landy, pp. 257-62, 2008.
ALMEIDA, R. "Estudo de caso: foco temático e diversidade metodológica", *in*: ABDAL, A. *et al.* (orgs.). *Métodos de pesquisa em Ciências Sociais*: Bloco Qualitativo. São Paulo: Cebrap, 2016.
ALSTON, L. *et al. Brazil in transition*. Beliefs, leadership, and institutional change. Princeton: Princeton University Press, 2016.
AMARAL, T. B. *Habeas corpus nos tribunais superiores*: uma análise e proposta de reflexão. Rio de Janeiro: Escola de Direito do Rio de Janeiro da Fundação Getúlio Vargas, 2016.
AMORIM NETO, O. "A crise política brasileira de 2015-2016: diagnóstico, sequelas e profilaxia", *Relações Internacionais*, Lisboa, n. 52, pp. 43-54, dez. 2016.

ANTONELLO, C. S.; GODOY, A. S. *Aprendizagem organizacional no Brasil*. Porto Alegre: Bookman, 2011.

ARANHA, A. L.; FILGUEIRAS, F. "Instituições de accountability no Brasil: mudança institucional, incrementalismo e ecologia processual", *Cadernos Enap*, Brasília, v. 1, n. 44, pp. 1-51, 2016. Disponível em: <http://repositorio.enap.gov.br/handle/1/2561>. Acesso em: 8 maio 2018.

ARANTES, R. B. *Ministério Público e política no Brasil*. São Paulo: Educ/Sumaré, 2002.

_____. "Ministério Público na fronteira entre a Justiça e a política", *Justitia*, São Paulo, v. 64, n. 197, pp. 325-35, dez. 2007.

_____. "Polícia Federal e construção institucional", *in*: AVRITZER, L.; FILGUEIRAS, F. (orgs.). *Corrupção e sistema político no Brasil*. Rio de Janeiro: Civilização Brasileira, pp. 99-132, 2011a.

_____. "The Federal Police and the Ministério Público", *in*: POWER, T. J.; TAYLOR, M. M. (eds.). *Corruption and democracy in Brazil:* the struggle for accountability. Notre Dame: University of Notre Dame Press, pp. 184-217, 2011b.

_____. "Rendición de cuentas y pluralismo estatal en Brasil: Ministerio Público y Policía Federal", *Desacatos*, Cidade do México, n. 49, pp. 28-47, 2015.

_____. "Mensalão: um crime sem autor?", *in*: MARONA, M. C.; DEL RIO, A. (orgs.). *Justiça no Brasil*: às margens da democracia. Belo Horizonte: Arraes Editores, pp. 338-89, 2018.

_____; MOREIRA, T. Q. "Democracia, instituições de controle e justiça sob a ótica do pluralismo estatal", *Opinião Pública*, v. 25, n. 1, pp. 97-135, 2019.

_____ et al. "Controles democráticos sobre a administração pública no Brasil: Legislativo, tribunais de contas, Judiciário e Ministério Público", *in*: LOUREIRO, M. R.; ABRUCIO, F. L.; PACHECO, R. S. (orgs.). *Burocracia e política no Brasil:* desafios para a ordem democrática no século XXI. Rio de Janeiro: Editora FGV, pp. 109-47, 2010.

ARGUELHES, D. W.; RIBEIRO, L. M. "Ministrocracia: o Supremo Tribunal individual e o processo democrático brasileiro", *Novos estudos Cebrap*, São Paulo, v. 37, n. 1, pp. 13-32, abr. 2018.

AVRITZER, L. *Impasses da democracia no Brasil*. Rio de Janeiro: Civilização Brasileira, 2016.

_____. *O pêndulo da democracia*. São Paulo: Todavia, 2019.

_____; FILGUEIRAS, F. *Corrupção e controles democráticos no Brasil* (Textos para Discussão Cepal-Ipea n. 32). Brasília: Comissão Econômica para América Latina e o Caribe & Instituto de Pesquisa Econômica Aplicada, dez. 2011.

―――――; MARONA, M. "A tensão entre soberania e instituições de controle na democracia brasileira", *Dados*, Rio de Janeiro, v. 60, n. 2, pp. 359-93, 2017.

BADARÓ, G. H.; BOTTINI, P. C. *Lavagem de dinheiro*: aspectos penais e processuais penais. 2. ed. São Paulo: Editora Revista dos Tribunais, 2013.

BEACH, D.; PEDERSEN, R. B. *Process-tracing methods:* foundations and guidelines. Ann Arbor: University of Michigan Press, 2013.

BENNETT, A.; CHECKEL, J. T. (eds.). *Process tracing*: from metaphor to analytic tool. Cambridge: Cambridge University Press, 2015.

BENNETT, C. J.; HOWLETT, M. "The lessons of learning: reconciling theories of policy learning and policy change", *Policy Sciences*, v. 25, n. 3, pp. 275-94, 1992.

BOVENS, M. "Analyzing and assessing accountability: a conceptual framework", *European Law Journal*, v. 13, n. 4, pp. 447-68, 2007.

BRADEMAS, J.; HEIMANN, F. "Tackling international corruption: no longer taboo", *Foreign Affairs*, v. 77, n. 5, pp. 17-22, set./out. 1998.

BRASIL. Ministério da Justiça. Departamento de Recuperação de Ativos e Cooperação Jurídica Internacional. Cinco anos de Operação Lava Jato. *Cooperação em Pauta*. Brasília, n. 49, pp. 1-5, mar. 2019. Disponível em: <https://justica.gov.br/sua-protecao/lavagem-de-dinheiro/institucional-2/publicacoes/cooperacao-em-pauta/CooperaoemPautaMaro2019.pdf>. Acesso em: 11 abr. 2019.

BRINKS, D. M.; LEVITSKY, S.; MURILLO, M. V. *Understanding institutional weakness*: power and design in Latin American institutions. Cambridge: Cambridge University Press, 2019.

CAPEZ, F. *Curso de Direito Penal*: v. 1, Parte Geral. 22. ed. São Paulo: Saraiva Educação, 2018.

CARSON, L.; PRADO, M. M. "Mapping corruption and its institutional determinants in Brazil", *IRIBIA Working Paper, n. 8*. International research initiative on Brazil and Africa, jul. 2014. Disponível em: <https://papers.ssrn.com/sol3/papers.cfm?abstract_id=2497935>. Acesso em: 4 abr. 2019.

CARVALHO, E.; LEITÃO, N. "O novo desenho institucional do Ministério Público e o processo de judicialização da política", *Revista Direito GV*, ano 6, n. 2, pp. 399-422, 2010.

CHEMIM, R. *Mãos Limpas e Lava Jato:* a corrupção se olha no espelho. Porto Alegre: Citadel Editora, 2017.

CONSELHO DA JUSTIÇA FEDERAL. Centro de Estudos Judiciários. *Uma análise crítica da lei dos crimes de lavagem de dinheiro.* Série Pesquisas do CEJ, v. 9. Brasília: CJF, 2002. Disponível em: <https://www.cjf.jus.br/cjf/corregedoria-da-justica-federal/centro-de-estudos-judiciarios-1/publicacoes-1/pesquisas-do-cej/uma-analise-critica-da-lei-dos-crimes-de-lavagem-de-dinheiro>. Acesso em: 2 nov. 2019.

_____. Centro de Estudos Judiciários. *Propostas para um novo modelo de persecução criminal*: combate à impunidade. Brasília: CJF, 2005. Disponível em: <https://www.cjf.jus.br/cjf/corregedoria-da-justica-federal/centro-de-estudos-judiciarios-1/publicacoes-1/cadernos-cej/propostas-para-um-novo-modelo-de-persecucao-criminal-combate-a-impunidade>. Acesso em: 24 maio 2019.

CONSELHO NACIONAL DE JUSTIÇA. *Relatório analítico propositivo*: Justiça Criminal, impunidade e prescrição. Brasília: CNJ, 2019 (Justiça Pesquisa).

COSTA, A. M.; MACHADO, B. A.; ZACKESKI, C. *A investigação e a persecução penal da corrupção e dos delitos econômicos*: uma pesquisa empírica no Sistema de Justiça Federal. Brasília: ESMPU, 2016.

CUNHA, M. P. "The times they are a-changin': a sociedade organizacional à entrada do século XXI", *in*: ANTONELLO, C. S. *et al. Aprendizagem organizacional no Brasil.* Porto Alegre: Bookman, pp. xi-xxv, 2011.

CUNHA, R. S; PINTO, R. B. P. *Crime organizado*: comentários à nova lei sobre crime organizado – Lei n. 12.850/2013. 2. ed. Salvador: Juspodivm, 2014.

DALLAGNOL, D. *Brasil é o paraíso da impunidade para réus do colarinho branco.* Associação Nacional dos Procuradores da República, 1º out. 2015. Disponível em: <https://www.anpr.org.br/imprensa/artigos/20886-brasil-e-o-paraiso-da-impunidade-para-reus-do-colarinho-branco->. Acesso em: 31 out. 2019.

_____. *A luta contra a corrupção.* Rio de Janeiro: Primeira Pessoa, 2017.

DA ROS, L. "Accountability legal e corrupção", *Revista da Controladoria-Geral da União*, v. 11, n. 20, pp. 1.251-275, 2019.

_____; INGRAM, M. C. "Law, Courts, and judicial politics", *in*: AMES, B. (ed.). *Routledge handbook of Brazilian politics routledge*, 2018.

_____; TAYLOR, M. M. "Juízes eficientes, judiciário ineficiente no

Brasil pós-1988", *BIB – Revista Brasileira de Informação Bibliográfica em Ciências Sociais*, pp. 1-31, 2019.

ELSTER, J. "Forces and mechanisms in Constitution-making", *Duke Law Review*, n. 45, pp. 364-96, 1995.

FAGALI, B. J. *O acordo de leniência da legislação anticorrupção empresarial brasileira*: o difícil equilíbrio entre sua utilidade e sua atratividade. Dissertação (Mestrado em Direito) – Faculdade de Direito, Universidade de São Paulo, 2018.

FOX, J. A. "Social accountability: what does the evidence really say?", *World Development*, v. 72, pp. 346-61, 2015.

FREITAS, V. P. de. *Justiça Federal*: histórico e evolução no Brasil. Curitiba: Juruá, 2004.

GALLIE, W. B. "Essentially contested concepts", *Proceedings of the Aristotelian Society*, v. 56, pp. 167-98, 1956.

GEDDES, B. "Building 'State' autonomy in Brazil, 1930-1964", *Comparative Politics*, v. 22, n. 2, pp. 217-35, 1990.

GERSEN, J. E.; STEPHENSON, M. C. "Over-accountability", *Journal of Legal Studies*, v. 6, n. 2, pp. 185-243, 2014.

GINSBURG, T.; ELKINS, Z.; BLOUNT, J. "Does the process of Constitution-making matter?", *Annual Review of Law and Social Science*, v. 5, n. 5, pp. 201-23, 2009.

GOMES, A. de O.; GUIMARÃES, T. A. "Desempenho no Judiciário: conceituação, estado da arte e agenda de pesquisa", *Revista de Administração Pública*, Rio de Janeiro, v. 47, n. 2, pp. 379-401, abr. 2013.

GOMIDE, A. A.; PEREIRA, A. K.; MACHADO, R. "Apresentação; o conceito de capacidade estatal e a pesquisa científica", *Sociedade e Cultura*, v. 20, n. 1, 2017.

GRECO, R. *Curso de Direito Penal*: Parte Geral. 17. ed. Rio de Janeiro: Editora Impetus, 2017.

GUPTA, S.; DE MELLO, L.; SHARAN, R. "Corruption and the provision of health care and education services", *in*: JAIN, A. K. (Ed.). *The political economy of corruption*. London: Routledge, pp. 111-41, 2001.

HABIB, M.; ZURAWICKI, L. "Corruption and foreign direct investment", *Journal of International Business Studies*, v. 33, n. 2, pp. 291-307, jun. 2002.

HADDAD, C. H. B.; QUARESMA, L. B. O. "Dois lados da mesma moeda: o tempo no STF", *Revista Direito GV*, São Paulo, v. 10, n. 2, pp. 639-54, jul./dez. 2014.

HALL, P. A. "Policy paradigms, social learning, and the State: the case of economic policymaking in Britain", *Comparative Politics*, v. 25, n. 3, pp. 275-96, abr. 1993.

HEDSTRÖM, P.; YLIKOSKI, P. "Causal mechanisms in the Social Sciences", *Annual Review of Sociology*, v. 36, pp. 49-67, 2010.

INGRAM, M. C. "Judicial Power in Latin America", *Latin American Research Review*, v. 50, n. 1, pp. 250-60, 2015.

JANOT, R. *Nada menos que tudo*: bastidores da operação que colocou o sistema político em xeque. São Paulo: Planeta do Brasil, 2019.

KERCHE, F. "Autonomia e discricionariedade do Ministério Público no Brasil", *Dados – Revista de Ciências Sociais*, v. 50, n. 2, pp. 259-79, 2007.

_____. "Ministério Público, Lava Jato e Mãos Limpas: uma abordagem institucional", *Lua Nova*, São Paulo, v. 105, pp. 255-86, 2018.

_____; FERES JR., J. (orgs.). *Operação Lava Jato e a democracia brasileira*. São Paulo: Contracorrente, 2018.

KLITGAARD, R. *Controlling corruption*. University of California Press, 1988.

KOCHER, M. A. "State capacity as a conceptual variable", *Yale Journal of International Affairs*, v. 5, n. 2, 2010.

KOERNER, A. *Judiciário e cidadania na Constituição da República brasileira*. São Paulo: DCP-USP/Hucitec, 1998.

LEITE, A.; TEIXEIRA, A. *Crime e política*: corrupção, financiamento irregular de partidos políticos, caixa dois eleitoral e enriquecimento ilícito. São Paulo: Editora FGV, 2017.

LEITE, P. M. *A outra história da Lava Jato*: uma investigação necessária que se transformou numa operação contra a democracia. São Paulo: Geração Editorial, 2015.

LEVCOVITZ, S. "A corrupção e a atuação do Judiciário Federal 1991-2010", *in*: 38º Encontro Anual da Anpocs, Caxambu, 2014. Trabalho apresentado no GT18 – Instituições judiciais, agentes e repercussão pública.

LIMA, R. B. *Manual de processo penal*. 5. ed. Salvador: Juspodivm, 2017.

LINDBERG, S. I. "Mapping accountability: core concepts and subtypes", *International Review of Administrative Sciences*, v. 79, n. 2, pp. 202-26, 2003.

LINDVALL, J.; TEOREL, J. "State capacity as power: a conceptual framework", *Lund University Publications*, 2016.

LOPES JR., A. *Direito processual penal*. São Paulo: Saraiva Educação, 2018.

_____; ROSA, A. "Crise de identidade da 'ordem pública' como fundamento da prisão preventiva", *Consultor Jurídico*, São Paulo, 6 fev. 2015. Disponível em: <https://www.conjur.com.br/2015-fev-06/limite-penal-crise-identidade-ordem-publica-fundamento-prisao-preventiva>. Acesso em: 14 maio 2019.

LOUREIRO, M. R. *et al.* "Do controle interno ao controle social: a múltipla atuação da CGU na democracia brasileira", *Cadernos Gestão Pública e Cidadania*, São Paulo, v. 17, n. 60, jan./jun. 2012.

LÜHRMANN, A.; MARQUARDT, K. L.; MECHKOVA, V. "Constraining governments: new indices of vertical, horizontal and diagonal accountability", *Varieties of Democracy Institute*, Working Paper, n. 46. University of Gothenburg, abr. 2017.

MACHADO, M. R. *Internacionalização do Direito Penal*: a gestão de problemas internacionais por meio do crime e da pena. São Paulo: Editora 34/Edesp, 2004.

_____; PASCHOAL, B. "Monitorar, investigar, responsabilizar e sancionar: a multiplicidade institucional em casos de corrupção", *Novos Estudos Cebrap*, São Paulo, v. 35, n. 1, pp. 11-36, mar. 2016.

MACIEL, D. A.; KOERNER, A. "Sentidos da judicialização da política: duas análises", *Lua Nova*, São Paulo, n. 57, pp. 113-33, 2002.

MADEIRA, L. M.; GELISKI, L. "O combate a crimes de corrupção pela Justiça Federal da Região Sul do Brasil", *Revista de Administração Pública*, 2019.

MAHONEY, J.; THELEN, K. "A theory of gradual institutional change", *in*: *Explaining institutional change*: ambiguity, agency, and power. Cambridge: Cambridge University Press, pp. 1-37, 2010.

MAINWARING, S.; WELNA, C. *Democratic accountability in Latin America*. Oxford: Oxford University Press, 2003.

MARCH, J. G.; OLSEN, J. P. "The new institutionalism: organizational factors in political life", *The American Political Science Review*, Washington, v. 78, n. 3, pp. 734-49, set. 1984.

MARIQUITO, C. S. "Fundamentação das decisões judiciais: sua importância para o processo justo e seu 'desprezo' numa sociedade que tem pressa", *Revista Eletrônica de Direito Processual*, v. 8, n. 8, 2011.

MATTOS, D. C. *A seletividade penal na utilização abusiva do* habeas corpus *nos crimes de colarinho branco*. 148f. Dissertação (Mestrado em Ciência Jurídica) – Centro de Ciências Sociais Aplicadas do Campus de Jacarezinho, Universidade Estadual do Norte do Paraná, Jacarezinho, 2015.

MAURO, P. "Corruption and the composition of government expenditure", *Journal of Public Economics*, v. 69, n. 2, pp. 263-79, jun. 1998.

METZKER, D. "A desproporcionalidade da pena do artigo 273 do CP", *Migalhas*, 11 set. 2019. Disponível em: <https://www.migalhas.com.br/dePeso/16,MI310643,81042-A+desproporcionalidade+da+pena+do+artigo+273+do+CP>. Acesso em: 6 nov. 2019.

MINAGÉ, T. *Prisões e medidas cautelares à luz da Constituição*. Rio de Janeiro: Lumen Juris, 2015.

MONCAU, L. et al. *Avaliação de transparência do Ministério Público*. Rio de Janeiro: Escola de Direito e Escola Brasileira e Administração Pública e de Empresas da FGV, 2015.

MONTENEGRO, E. M.; BELLUCO, C. G. "Caso Banestado e suas ramificações: 7 anos", *Revista Perícia Federal*, v. 5, n. 19, nov./dez. 2004. Disponível em: <https://www2.mppa.mp.br/sistemas/gcsubsites/upload/60/REVISTA%2019_7%20anos%20do%20caso%20banestado.pdf>. Acesso em: 29 jun. 2019.

MORO, S. F. "Considerações sobre a Operação Mani Pulite", *Revista CEJ*, Brasília, n. 26, pp. 56-62, jul./set. 2004. Disponível em: <https://www.conjur.com.br/dl/artigo-moro-mani-pulite.pdf>. Acesso em: 11 abr. 2019.

_____. "Preventing systemic corruption in Brazil", *Daedalus*, v. 147, n. 3, pp. 157-68, 2018.

_____. "Sobre a Operação Lava Jato", *in*: PINOTTI, M. C. (org.). *Corrupção*: Lava Jato e Mãos Limpas. São Paulo: Portfolio-Penguin, pp. 184-216 (e-book), 2019.

MORRIS, S. D.; KLESNER, J. L. "Corruption and trust: theoretical considerations and evidence from Mexico", *Comparative Political Studies*, v. 43, n. 10, pp. 1.258-285, 2010.

MULGAN, R. "'Accountability': an ever-expanding concept?", *Public Administration*, v. 78, n. 3, pp. 555-73, 2000.

NARDELLI, M. A. M. "A expansão da justiça negociada e as perspectivas para o processo justo: a *plea bargaining* norte-americana e suas traduções no âmbito da *civil law*", *Revista Eletrônica de Direito Processual*, Rio de Janeiro, v. 14, n. 1, 2014.

NETTO, V. *Lava Jato*: o juiz Sérgio Moro e os bastidores da operação que abalou o Brasil. Rio de Janeiro: Primeira Pessoa, 2016.

NUCCI, G. S. *Curso de Direito Penal*: v. 1, Parte Geral. 3. ed. Rio de Janeiro: Forense, 2018.
NUNES, E. O. *A gramática política do Brasil:* clientelismo e insulamento burocrático. 5. ed. Rio de Janeiro: Zahar, 2017.
O'DONNELL, G. "Accountability horizontal e novas poliarquias", *Lua Nova*, São Paulo, n. 44, pp. 27-54, 1998.
OLIVEIRA, A. V. "Justiça Federal: evolução histórico-legislativa", *in*: VELOSO, R. C.; SILVA, F. Q. (orgs.). Justiça Federal: estudos doutrinários em homenagem aos 45 anos da Ajufe. Belo Horizonte: Editora D'Plácido, 2017.
OLIVEIRA, F. L. "Apresentação: o sistema de Justiça brasileiro", *Justiça em foco*: estudos empíricos. Rio de Janeiro: Editora FGV, pp. 7-12, 2012. Disponível em: <http://bibliotecadigital.fgv.br/dspace/handle/10438/10358>. Acesso em: 19 abr. 2018.
————; SADEK, M. T. A. "Estudos, pesquisas e dados em Justiça", *in*: OLIVEIRA, F. L. (org.). *Justiça em foco*: estudos empíricos. Rio de Janeiro: Editora FGV, pp. 15-62, 2012.
————; CUNHA, L. G. "A legitimidade das leis e das instituições de Justiça na visão dos brasileiros", *Contemporânea – Revista de Sociologia da UFSCar*, v. 7, pp. 275-96, 2017.
OLIVEIRA, M. V. B.; MACHADO, B. A. "O fluxo do sistema de Justiça como técnica de pesquisa no campo da segurança pública", *Revista Direito e Práxis*, Rio de Janeiro, v. 9, n. 2, pp. 781-809, 2018.
OLIVEIRA, R. S. *Competência criminal da Justiça Federal*. São Paulo: Revista dos Tribunais, 2002.
OLIVEIRA, V. E.; COUTO, C. G. "Politização da Justiça: quem controla os controladores?", *in*: 40º Encontro Anual da Anpocs, Caxambu, MG, 2016.
OSTROM, E. "Collective action and the evolution of social norms", *Journal of Economic Perspectives*, v. 14, n. 3, pp. 137-58, 2000.
PADULA, A. J. A.; ALBUQUERQUE, P. H. M. "Corrupção governamental no mercado de capitais: um estudo acerca da Operação Lava Jato", *Revista de Administração de Empresas*, São Paulo, v. 58, n. 4, pp. 405-17, jul./ago. 2018.
PAGOTTO, L. "Esforços globais anticorrupção e seus reflexos no Brasil", *in*: DEL DEBBIO, A. et al. (coords.). *Temas de anticorrupção & compliance*. Rio de Janeiro: Elsevier, pp. 21-43, 2013.
PAGOTTO, L. U. C. *O combate à corrupção*: a contribuição do Direito Econômico. 409f. Tese (Doutorado em Direito Econômico e Finan-

ceiro) – Faculdade de Direito da Universidade de São Paulo, São Paulo, 2010.

PALUDO, J. (coord.); LIMA, C. F. S.; ARAS, V. *Forças-tarefas:* Direito Comparado e legislação aplicável. Manuais de Atuação ESMPU, v. 8. Brasília: Escola Superior do Ministério Público (ESMPU), 2011. Disponível em: <http://escola.mpu.mp.br/publicacoes/series/manuais-de-atuacao/volume-8-forcas-tarefas>. Acesso em: 18 nov. 2017.

PERUZZOTTI, E.; SMULOVITZ, C. (eds.). *Controlando la política*: ciudadanos y medios en las nuevas democracias latinoamericanas. Buenos Aires: Temas, 2002.

PIERSON, P. *Politics in time*: history, institutions, and social analysis. Princeton: Princeton University Press, 2004.

PINOTTI, M. C. (org.). *Corrupção*: Lava Jato e Mãos Limpas. São Paulo: Portfolio-Penguin, 2019.

PONTES, J.; ANSELMO, M. *Crime.gov*: quando corrupção e governo se misturam. Rio de Janeiro: Objetiva, 2019.

POPPER, K. R. *A lógica da pesquisa científica*. São Paulo: Cultrix, 1975.

POWER, T. J.; TAYLOR, M. M. (eds.). "Introduction: accountability institutions and political corruption in Brazil", in: *Corruption and democracy in Brazil*: the struggle for accountability. Notre Dame: University of Notre Dame Press, pp. 1-28, 2011.

PRAÇA, S. *Guerra à corrupção*: lições da Lava Jato. São Paulo: Évora, 2017.

_____; TAYLOR, M. M. "Inching toward accountability: the evolution of Brazil's Anticorruption Institutions, 1985-2010", *Latin American Politics and Society*, v. 56, n. 2, pp. 27-48, 2014.

PRONER, C. et al. (orgs.). *Comentários a uma sentença anunciada*: o Processo Lula. Bauru: Canal 6, 2017.

RIBEIRO, L. M.; PAULA, C. J. de. "Conselho Nacional de Justiça", in: *Dicionário Histórico-Bibliográfico Brasileiro*. Centro de Pesquisa e Documentação de História Contemporânea do Brasil. Rio de Janeiro: FGV, 2010.

_____; MACHADO, I.; SILVA, K. "Tempo na ou da justiça criminal brasileira: uma discussão metodológica", *Opinião Pública*, Campinas, v. 18, n. 2, pp. 355-82, nov. 2012.

ROSE-ACKERMAN, S. *Corruption and government:* causes, consequences, and reform. Cambridge: Cambridge University Press, 1999.

SADEK, M. T. A. "Ministério Público", *in*: AVRITZER, L. *et al.* (orgs.). *Corrupção*: ensaios e críticas. 2. ed. Belo Horizonte: Editora UFMG, pp. 454-60, 2012.

SANTOS, J. C. S. *Direito Penal*: Parte Geral. 7. ed. Florianópolis: Empório do Direito, 2017.

SARTORI, G. "Concept misformation in comparative politics", *American Political Science Review*, v. 64, n. 4, pp. 1.033-53, dez. 1970.

SCHEDLER, A. "Conceptualizing accountability", *in*: SCHEDLER, A.; DIAMOND, L.; PLATTNER, M. F. (eds.). *The self-restraining State*: power and accountability in new democracies. Boulder: Lynne Rienner Publishers, pp. 13-29, 1999.

SCHILLING, F.; KOERNER, A. "El derecho regenerará a la República? Notas e indagaciones sobre la política y la racionalidad jurídica de la actual ofensiva conservadora en curso en Brasil", *Revista Voces en el Fénix*, v. 69, pp. 56-63, 2018.

SCHMIDT, A. Z.; BOARO, G. "Uma lupa no voto do ministro Luís Roberto Barroso no HC 152.752", *Consultor Jurídico*, São Paulo, 25 abr. 2018. Disponível em: <https://www.conjur.com.br/2018-abr-25/opiniao-lupa-voto-barroso-hc-152752-parte>. Acesso em: 5 maio 2019.

SEANWRIGHT, J.; GERRING, J. "Case selection techniques in case study research", *Political Research Quarterly*, v. 61, n. 2, pp. 294-308, 2008.

SELIGSON, M. A. "The impact of corruption on regime legitimacy: a comparative study of four Latin American countries", *The Journal of Politics*, v. 64, n. 2, pp. 408-33, maio 2002.

SILVA, E. M. T. "Ensino de Direito no Brasil: perspectivas históricas gerais", *Psicologia Escolar e Educacional*, Campinas, v. 4, n. 1, pp. 307-12, 2000.

SPECK, B. W. "Auditing institutions", *in*: POWER, T. J.; TAYLOR, M. M. (eds.). *Corruption and democracy in Brazil*: the struggle for accountability. Notre Dame: University of Notre Dame Press, pp. 127-61, 2011.

STONE, D. "Learning lessons, policy transfer and the international diffusion of policy ideas", *CSGR Working Paper Series*, Working Paper, n. 69. University of Warwick, abr. 2001.

SUPERIOR TRIBUNAL DE JUSTIÇA. *Manual de padronização de textos do STJ*. 2. ed. Brasília: STJ, 2016. Disponível em: <https://ww2.stj.jus.br/publicacaoinstitucional/index.php/Manual/article/view/129/102>. Acesso em: 7 maio 2019.

SUTHERLAND, E. H. *Crime de colarinho branco*. Trad. Clécio Lemos. Rio de Janeiro: Revan, 2015.

TAYLOR, M. M. "The Federal Judiciary and Electoral Courts", *in*: POWER, T. J.; TAYLOR, M. M. (eds.). *Corruption and democracy in Brazil*: the struggle for accountability. Notre Dame, EUA: University of Notre Dame, pp. 162-83, 2011.

_____. "Corruption and accountability in Brazil", *in*: KINGSTONE, P. R.; POWER, T. *Democratic Brazil divided*. Pittsburgh: University of Pittsburgh Press, 2017.

_____. "Getting to accountability: a framework for planning & implementing anticorruption strategies", *Daedalus*, v. 147, n. 3, pp. 63-82, 2018.

TAYLOR, M.; BURANELLI, V. C. "Ending up in pizza: accountability as a problem of institutional arrangement in Brazil", *Latin American Politics and Society*, v. 49, n. 1, pp. 59-87, 2007.

VIANNA, L. W. et al. *Corpo e alma da magistratura brasileira*. 3. ed. Rio de Janeiro: Renavan, 1997.

_____; CARVALHO, M. A. R.; BURGOS, M. B. *Quem somos. A magistratura que queremos*. Rio de Janeiro: Associação dos Magistrados Brasileiros, 2018.

GRÁFICA PAYM
Tel. [11] 4392-3344
paym@graficapaym.com.br